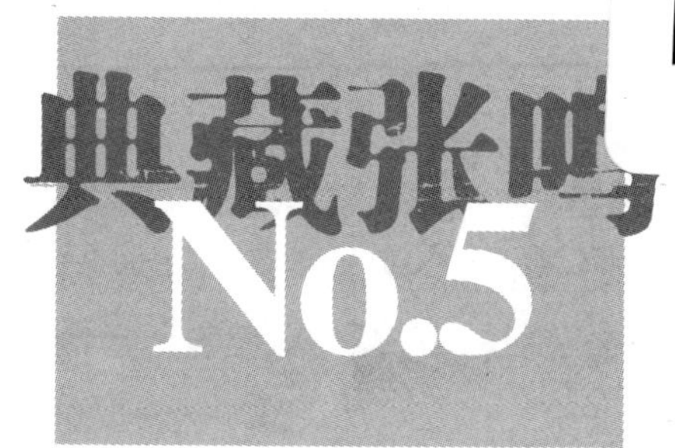

近代史上的鸡零狗碎

陕西出版传媒集团
陕西人民出版社

图书在版编目（CIP）数据

近代史上的鸡零狗碎 / 张鸣著. —西安：陕西人民出版2013（典藏张鸣；5）

ISBN 978-7-224-10476-9

Ⅰ. ①近… Ⅱ. ①张… Ⅲ. ①中国历史—史评—近代—文集 Ⅳ. ①K250.7-53

中国版本图书馆 CIP 数据核字（2013）第 002923 号

近代史上的鸡零狗碎

作　　者　张鸣

出　　版　陕西出版传媒集团　陕西人民出版社

（西安北大街 147 号　邮编：710003）

发　　行　北京时代联合图书有限公司

印　　刷　北京新华印刷有限公司

开　　本　710mm×1000mm　16 开　20 印张　250 千字

版　　次　2013 年 3 月第 2 版　2013 年 3 月第 2 次印刷

书　　号　ISBN　978-7-224-10476-9

定　　价　39.00 元

写在前面的话

如果我算是学者的话，出道实在太晚，我的同龄人都已经扬名立万的时候，我还不大知道学术是怎么回事。晚，一来是自己懵懂，看书倒是喜欢，但却迟迟不知自己稀罕的这点玩意，原来就是学术；二来是时运不济，自己喜欢的文史学不成，却稀里糊涂去学农机，虽然偶尔在演算习题和画机械图的空隙里看点闲书，顶多也是幻想说不定以后可以当回作家。后来总算明白点事儿，不再做梦当作家，改写学术论文，也经常不安份，写着写着，就变成随笔散文，把自己弄得活像是四不像。

这个集子包括《武夫当权——军阀集团的游戏规则》、《乡土心路八十年——中国近代化过程中农民意识的变迁》、《再说戊戌变法》、《乡村社会权力和文化结构的变迁(1903—1953)》、《近代史上的鸡零狗碎》、《大历史的边角料》六本。

第一本书，是我的硕士论文，当时我初涉学术，半懂不懂，觉得军阀史好玩，里面乱七八糟，头绪特多，就一头扎进去做，整整一年半，泡在北图，中午就啃个面包充饥。结果做下来，将要答辩的时候，我所属的教研室有某权威教授，说我越出范围了，即使答辩也通不过。当时，我在人民大学党史系，按他们的说法，党史系的人，就只能做中共党史的题目，做了别的，就是犯规。显然，我很不服气，当时我的同学，有很多人论文两个星期就做出来了，一样通过，我费这么大劲，点灯熬油地干，居然说不行，说我学术上不过关也就罢了，说个越界犯规，算个什么道理？后来，在若干好心人的帮助下，答辩的时候，总算阿弥陀佛，人家放了我一马。

我硕士毕业那年(1988)，我的论文在萧延中的推荐下，得到当时主编“蓦然回首”丛书的陈晋先生的赏识，入选丛书。当时，一个刚出道的毛头小子，出本书，不拿出版费，也不用包销，还能得一点稿费，是件很令人兴奋的事。这本书，讲的是近代军阀怎样维系其集团的事，这些人，有回归传统的，有求神拜佛的，也有推行基督教的，更有学日本玩军国主义的，林林总总，眼花缭乱，当时将它们描绘出来，感觉很好玩，因为此前还没有人这样做过。在大家都奢谈文化的当时，算是一个异数。出版之后，学界没有多少反响，但有些做企业的朋友倒觉得有用，在他们看来，现在的企业家，建构集团，弄企业文化，就是这一套，用人忠诚第一，效率第二，舅爷、姑爷满天飞，不是三纲五常，就是谈佛论道。

这本书出版之时，我已经回到黑龙江一个地处偏僻的农业大学里教书。当初人民大学的硕士还比较值钱，我不回去也能找到工作，但是，我当时打算找个安静的地方好好读书，回到老地方，有这么个学历，领导高看一眼，事少，地方静，自己感觉很合适。一心想着，等读一阵书之后，再出来不迟。

这样一闷，就闷了五年。这期间，除了给《读书》杂志寄过几篇随笔之外（都退稿了），几乎什么都没有写过，凡是写的字，除了讲稿之外，就是读书笔记。除了少数几个人之外，整个学界，是不知道有我这样一个人的。等到我有心写第二本书的时候，已经是1993年的春天了。这年，我给上海三联一个丛书的编辑杨晓敏，发去了我的一本书的提纲，当时，其实也没有报什么期望，姑且一试而已。没想到，大概一个月之后，杨晓敏给我回信，说是可以签合同了。这本书，名叫《乡土心路八十年》，是我这么些年琢磨农民意识变迁的一点心得。书的出版，很是费了一点周折，期间，上海三联改组，班子大换血，杨晓敏也离开，很多签了合同的书稿，最后都退掉了。还好，我的稿子没有被退，但编辑换成了陈达凯先生，此公是上海学界的知名人士，最后在他手里问世的时候，已经是1997年了，此时，我已经博士毕业留在人民大学教书。

这本书，实际上是从底层民众的观念和意识变迁的角度，从新阐释了一下近代史。由于我们的近代史，有太多的意识形态说明文的特色，因此，改革开放之后，外面的信息进来，人们发现很多事不对了，很不满意。我出来这么一说，有些人感到挺新鲜。因此，这本书卖得很好，据说头一年就买了一万册，而一些老学者，比如孙达人先生，看到书之后还到处找作者，最后终于把我给找到了。

在《乡土心路八十年》交稿之后的几年里，我又对戊戌变法的历史产生了兴趣，这大概是我毛病，至今也改不了，琢磨一个题目之后，只要琢磨出点东西来，就兴味索然，只好再弄另外一个，我所谓的研究，是跟着自己的兴趣走，一般不讲究什么“需要”。对于戊戌变法这个史学界的老题目，我主要从三个大方面来扯开去：一是当时的帝后政治二元结构；二是满人政治；三是戊戌变法的操作，到底出了什么问题，本身有什么意义。我不相信过去什么维新派、顽固派的传统说法，甚至帝党、后党的说法，在我看来，也是一团混乱，尤其不相信过去支持自强运动的西太后属于顽固派。在甲午战后，整个国家的上层，谁不知道不变法就要亡国？关键是帝后权力二元，如果变法成功，太后就要退休，面对退休威胁的西太后，自然对反对变法的声音，就比较听得进去。同时，作为少数民族政权，统治民族——满人，有自己的政治圈子，满人政治在整个清朝政治走向中，一向起着非常重要的作用，戊戌变法时，尤其明显。从某种意义上说，恰是满人政治和西太后的结合，导致了戊戌变法的失败，因为变法的措施，对满人的特权，有很大的损害。在这本书里，我也不相信传统的另一个更为流行的说法，说是康有为的《新书伪经考》和《孔子改制考》为变法制造了舆论，推动人们解放思想，投身改革，在我看来，恰恰这“两考”和康有为以圣人自居，欲作教主马丁·路德的作派，使得很多本来倾向变法的士大夫反而走开了。事实上，几千年来，士大夫很难轻易接受另外一个人做圣人，哪怕这个人德高望重，功高盖世。他们称皇帝为圣上，只是情势上的客气，圣人只有一个，连孟子都只能是亚圣。尽管如此，戊戌变法在中国近代仍然很有分量，在启蒙上价值尤高，办报纸影响不止一代人，当时先进的中国人也从那时开始，才学会了怎样开会，怎样发言，怎样表决。

很遗憾，我的这本书，影响最小，除了不多的几个学者表示关注之外，学界基本上不知道有这本书的存在。写完这本书之后，我又对义和团运动有了兴趣，这在很大程度上拜我的博士导师程歗之赐，因为他是义和团研究有名的权威，作为我的博士论文，这就有了《拳民与教民》。这本书，现在已经跟《乡土心路八十年》合在一起了，其中有我的前妻许蕾的几万字的东西。

我的义和团研究，其实从美国学者周锡瑞的《义和团运动的起源》开始的，我赞同他不像中国学者那样，总是斤斤计较于义和团的组织出身，在民间教门上打转，而是将运动的起源，放在中国北方的乡土社会上。但是，作为中国人，我需要考察乡土社会风习、信仰、戏曲、民俗、巫术等文化因素，到底哪些因素对义和团起了作用，是如何起的作用？义和团是如何通过他们效法的戏剧人物，表现他们的政治意向的，民间信仰的符号是如何转化为政治表达的。同时，教民，即中国的基督徒，是怎样一个群体，面对义和团的追杀，他们的宗教信仰体现出一种什么样的特征。

《乡村社会权力和文化结构的变迁》一书，是我本世纪的第一本著作。在这本书的写作中，我尝试用散文体，把书的一个一个的篇章，变成一篇篇独立的文章，但彼此之间又有关联，串起来看，就是一个主题的讨论。我注意到，清末新政、北洋政权、国民党政府和后来的中共政权之间，有着意识形态的强烈对立，但是在现代化这个线索上，它们却存在着一条共同的脉络，这就是对乡村的整合与改造。正如费孝通先生所说，中国其实是一个乡土社会，城市也有都市里的村庄，现代化的乡村改造路径，自然也对城市发生着深刻的影响，厘清这个脉络，对认识百年中国，尤其是大规模开展现代化建设的近代中国，具有非常重要的意义。当然，这本书也给我带来比较大的学术声誉，现在很多学者知道有我这样一个人，多是由于看了这本书。

余下的几本随笔，跟历史文化有关，跟学术也有点关系。严格地说，都是我的读书笔记。直到今天，我看书依旧"恶习"不改，随着自己的兴趣来，信马由缰。看到什么，但有所感，就立马把它写出来，由于学术论文的方式太正式、太刻板，就走随笔路线。我的随笔里，有很多小故事，但我不是为了讲故事才写的，其实多数的故事讲得都很简单，几笔就交代完了，之所以要写，主要是为了表达某种思想。久而久之，我的论文写得也像随笔，只是带注释的随笔，充分暴露我的"野狐禅"的本色。

之所以乐于把这些陈年旧货倒腾出来，主要是想向世人证明一下，我这个人，其实还有学者的一面，虽然这个所谓的学者，很有点野路子，而且归属不明，不知道该往哪个行当里搁，属于三界不收、五行不属之辈。此次出版，基本上保持原样，只做了少量的修订，想要大改，实际上也不可能。像我这样的学者，做学问，无非是傻子编筐——边做边像，现在像还是不像，读者自己评判。

一次喝酒，我对李零说，我最喜欢跳出三界外，不在五行中。他马上说，这是我的名言。一查，果然，他先说的，有字为证。不过，我说这话时，没看过他的名言，多少也该算我点创意。李零有随笔集曰《放虎归山》，意思是他特想跳出学术圈，回归读野书的旧日境界。跟他比起来，我只能算是一条豺狗，但豺狗也想回到山林，而且，我想，我能回去。

目　录

脸谱军阀

"五四"传统与军阀余荫 / 2

张氏父子头上的光环 / 6

北京兵变与袁世凯 / 12

袁世凯的"选举" / 17

进化论的牺牲品 / 19

买个总统当当 / 26

军汉"韩青天" / 28

"臭棋篓子"段祺瑞 / 30

"三不知将军"和他的诗 / 32

孙殿英和他的"麻将相术" / 37

"马桶将军"的用人术 / 39

借佛法斗架的武夫 / 41

各大马路巡阅使 / 43

神仙治军 / 45

昔日南天王 / 47

辫帅的人缘和地缘 / 49

前头捉了张辉瓒 / 51

性格武夫

偏不说自己是俘虏 / 54

来了假冒的孙天生 / 57

八国联军中的中国士兵 / 64

露胳膊的女人与武人的风化 / 67

有兵便是草头王 / 69

瞄准射击 / 71

不可不读的檄文 / 74
穿长衫的军人 / 76
失了手的警察头子 / 78
合法化的黑社会 / 80
土匪绑票的特别赎金 / 82
流氓大亨的脸面 / 86
杜月笙的“维权”生涯 / 88

文人的脾气

顺人章士钊 / 92
由哭而惹出的案子 / 94
一个跟乌鸦有关的文字狱 / 96
别把诗人的话当真 / 101
文人的舌头 / 103
上了梁山的《苏报》/ 106
吴稚晖两次“冤”的际遇 / 108
文人打手的故事 / 111
文甘草的故事 / 113
名士与老妈子之间不得不说的事 / 116
留辫子的大师 / 121
新时代的旧式拜师礼 / 123
因“病”而囚的章太炎 / 125
狗血淋头的文人们 / 128
大学者的“呆气” / 130
有一种儒者是这样生活的 / 132
革命·诗·酒·佛·女人 / 134
会武术的武侠小说家 / 136

皇宫里的隐秘

道光皇帝的考试规则 / 140

雍正的天真 / 144
花儿与皇帝 / 148
做皇帝的故事 / 150
永乐皇帝的功德箱 / 154
有为政府的代价 / 158
傀儡的本分和儒学的痴迷 / 161
帝王之尊 / 164
光绪之死的公案 / 167
康熙的才学 / 170
帝王的市井情结 / 172
“佛见喜”李莲英 / 174
骗术与禅让 / 176
政治里的巫术 / 178
神仙与皇帝 / 181
洗马与东宫 / 183
关于割人的话题 / 187
太监是从哪儿来的? / 189
太监“恶”吗? / 192
太监都干什么? / 198
宦官的“家室” / 201
小人不可得罪 / 203

个别女人

西太后、义和团和外国公使夫人 / 206
西太后想要的“借口”和不想要的“扎花” / 210
女祸与女主 / 214
别个世界里的第一夫人 / 218
胭脂虎和夫人路线 / 222
唐八先生 / 225
太政治的花业 / 227

有关八国联军与中国妓女的一点乱弹 / 232

说说重臣

当上之所好具有正面价值的时候 / 240
可人张之洞 / 242
鸡犬升天之后 / 247
两只老虎跑得快 / 249
翰林与弄臣 / 252
在劣绅与藏书家之间 / 256
一出掉包戏的台前幕后 / 258
卧辙代表 / 261
官运挡不住的人 / 263
总理县长唐绍仪 / 266
关于三个“猛人”的神话 / 268
“官屠”刀钝 / 270
左宗棠晚年的“骂人事业” / 274
名人肚子的故事 / 276
两个糊涂丞相的故事 / 278
铁面法官手里的“冤案”及其他 / 281
借口的故事 / 284

外　篇

狱吏之贵 / 288
排名的重要性 / 291
尊严与权力 / 293
艺人的立场 / 296
“吃大菜”及其他 / 298
面对战争，我们能否有一点悲情？ / 300
“光绪”来了 / 303
当牛记者碰到强人的时候 / 306

脸谱军阀

“五四”传统与军阀余荫

“五四”时期是近代以来中国人最耀眼的岁月，引进西潮，提倡新文化，追捧德赛两先生，还上大街游行，抗议巴黎和会帝国主义分赃，在赵家楼放了一把火。接着就是“问题与主义”，社会主义论战，科玄论战，最后是有了共产党。自延安以来，我们的官方每年都要发扬一下“五四”精神，大会开完了开小会。虽然有的时候“赛先生”总是排在上首，但从来也没有把“德先生”丢下不管。多少年了，无论中国人外国人，都觉得“五四”具有划时代的意义。在我们意识形态气味过于浓厚的教科书上，“五四”是现代史的开端，而其他一些似乎不那么意识形态的学术研究中，“五四”的分量同样足得吓人。后面的历史好像都从这里发端，后面的好多问题都可以还原到“五四”的原点。什么“救亡与启蒙”，什么全盘西化，什么唯科学主义，什么空想社会主义性质的新村主义。

然而，每当提起“五四”，我总要想到军阀，因为“五四”恰好发生在军阀统治时期，大总统是徐世昌，实际掌权的则是皖系军阀段祺瑞。那些看起来乌烟瘴气的军阀表演，和后世同样的乌烟瘴气让我想到，“五四”的作用，是否更多的是一种精神象征，跟后来的政治操作其实没有那么大的关系。我们的民族，按美籍华人学者林毓生的说法，多少有点思想文化决定论的倾向，兴亡更替，人们总是把板子打在学风和士风的屁股上。明亡，大家说是学风空疏，士大夫袖手谈心性所致，晚清势危，人们又埋怨乾嘉以来的朴学考据。“五四”和“五四”以后，尽管有好事者引入了实验主义，但这种思想文化决定论却依然故我，直到今天，我们的“五四”情结，在某种程度上还是老祖宗的积习。

军阀是个坏东西，这没问题。其实，近代以来，凡带上个“阀”字的名词，就有点骂人的意思了（在老祖宗那里，“阀阅”好像还是挺中性的，只是门阀才有点贬义），军阀、学阀、财阀、党阀……细排下去，大概还有十几个。其中军阀是最为人鄙夷的，因为这些人手里有枪，属于千余年来为国人所不齿的军汉武夫，行为粗鲁，不讲道理，看上哪个女学生，就要拉去当姨太太的。不幸的是，“五四”前和“五四”后，政坛上的主角却只能是军阀，有枪的，说话声音就大。声音大的人也不光干坏事，“五四”上街抗议的时候，学生一批批被抓，北大法学院都改了监狱，好像当局依然心如石铁，就是不理会。后来的转机，我们的教科书说是上海工人一声援，北京政府害了怕，赶紧命令中国代表拒绝在和约上签字。其实，当时声援的不仅有工人，还有军阀，闹得最凶的当属号称善战的北洋军阀第三师的师长吴佩孚，此公时在湖南前线（南北军阀混战的前线），总是在报上抨击卖国贼，今天一篇新式的《驱鳄鱼文》，明日一通仿《讨武曌檄》，上海护军使卢永祥其实也在帮腔，所谓上海的罢工的严重后果云云，其实就是他拿来吓唬北京政府的。到底谁最后起了作用？我说不清，但至少不能说军阀的起哄没有用。

在这里，我所要说的并不只是声音大小的问题，问题的关键，在于这些声音大的人所作所为对后来历史的影响。思想家的思想有影响，军阀的政治举措未必就没有影响。《新青年》风靡海内，销量最多时不过万余，下层的百姓根本就不知道怎么回事，就是知道也理解不了。而军阀的政治操作，动辄波及十万的士兵或者成百万的老百姓，让他们过了多少年还记忆犹新。“五四”以后的军阀，还真是喜欢弄出点动静。直系军阀吴佩孚一直在想辙让部下崇拜自己，一边动作夸张地作秀，一边做“精神讲话”，告诫部下，上下级就是君臣，人人都要讲究五常八德。他自己则坚持“五不主义”，其中“不借外债”和“不进租界”还真是做到了。胶东的军阀刘珍年也想人家崇拜他，办法是让部下士兵人人佩戴他的像章，背诵他的语录。像章是瓷质的，语录也有本。那个掘了西太后并乾隆陵墓的小军阀孙殿英，没有语录，更不能做“精神讲话”，但人家搞起了一个教门——庙会道，自己就是道首，所有几万官兵都是道徒，军队编制和教里的组织相互重叠。他身边还有一个经常会神灵附体的“口”，孙殿英发布命令，往往就是神谕，难怪人家的士兵掘坟的时候胆子那么大。

做事不那么赤裸裸的也有。他们利用宗教的仪式和精神来进行精神教育和控制，并不直接让部下官兵崇拜他们自己，但结果却更好。唐生智割据湘南的时候，碰上了一个顾和尚，不知怎么就迷上了藏传佛教。人家居然能把佛法讲成忠义和爱国，讲还不算，干脆领着法师一个营一个营地给全军将士受戒，官兵受戒后，发给受戒证章一个，竟然让他练成一支佛军。相比起来，冯玉祥似乎比唐生智洋气一点，人家看上的是基督教。当然，解释出来的基督教教义倒也差不太多，也是爱国、爱群和忠义。冯玉祥的军队，全军领洗（有外国记者说他用水龙头干的，其实不确），每营配有随营牧师，开办基督学校，按时讲道做弥撒。自然，人们都叫他基督将军。

动静更大，不仅在军队上做文章，而且把文章做到割据地方的老百姓头上的，也有几位，比如山西的阎锡山，这个日本士官学校的毕业生，把日本军国主义的社会组织，搬到了山西农村，将山西农村重新编村，整个组织起来，一套是村、闾、邻的行政网络，一套是各种社会组织像“息讼会”、“监察会”等。村闾长都是省里登记在案的官员，由政府发给补贴，对所辖村民握有生杀予夺之权，阎锡山管他们叫“村干部”（这大概是“干部”这个日本词的首次引进，对于从前政权不下乡的农村来说，这个变化实在是太大了，用当时山西老百姓的话说，就是“灭门知县安到老百姓的炕头上来了”）。村干部和社会组织首领，将所有管理工作分解成一个个项目，定期检查，每个农民都要接受检查。有思想或行为不端者，马上进行思想教育，教育不好，则送到县上的“莠民工厂”去劳动改造。武力监督执行这些措施的，则是由现役军人派回农村组织的保卫团。凡农村的成年男子，都要加入保卫团，保卫团既是正规军的预备队，同时也是农村的警察，村干部要动武的时候，靠的就是保卫团。广西的李宗仁和白崇禧也有类似的表现，只是他们吸取了在山东邹平搞乡村建设的梁漱溟的某些做法，农村组织化实行政、学、军三位一体化：县、乡、村三级，既是三级行政组织，也是三级国民学校体制，又是三级民团，每级的行政首脑，也兼任民团和国民学校的校长，在改革的同时，实现干部年轻化、知识化。

现在我们该知道了，在“五四”以后的二三十年代，军阀们还真是做了不少事情，而这些事情对后来的政治以及政治文化一样具有影响。宗教式的团体凝聚和控制，后来有过；农村的行政化和社会化组织控制，后来有过，甚至连“村干部”这个名词，还在叫着；个人迷信和崇拜，后来也有过，连像章我们都佩戴过，每人还不止一个（古代的皇帝也搞个人崇拜，但人家想不出像章的高招）。

思想家和知识界创造着历史，而军阀、土匪、马贼、帮会龙头、兵痞以及各色乡村能人也在创造历史。在一个处于动荡的前现代国家里，后者的能量从来就不比前者小，影响更不比前者小，恰是因为动荡和变化，使得这些人格外地活跃。可惜的是，我们的历史学家却很少注意过这一点。中国政治的资源，其来源其实不尽是西方的，日本二道倒的，俄国二道倒的，还有本土的，本土的也不尽来源于典籍和先贤，还有不少其实真有点下三烂。

历史就是这样，养料吃下去可能会吐，但不耽误把垃圾当点心吃。

张氏父子头上的光环

在国共两党的历史叙事中，北洋军阀都是白鼻子的角色，不仅挨批，还要挨骂。而北洋军阀中，某些角色由于出身和表现的缘故，在一般人看来，印象则格外地差，奉系军阀张作霖张学良父子便是其中的一对。

当年土匪出身的军阀不少，但最出名的两个，一南一北，南有干帅（广西军阀陆荣廷，字干卿），北有雨帅（东北军阀张作霖，字雨亭），相比较起来，陆荣廷昙花一现，很早就从政治舞台上消失，而张氏父子，则纵横天下几十年，1924年以后还当了北京政府将近四年的家，身材瘦小、其貌不扬的张作霖，最后还做了一回安国军军政府的大元帅，按他的爱将吴俊升吴大舌头的话来说，也算是当了一回皇帝。

不过，在当年，张作霖这个胡帅，口碑却不怎么样。同样是动静大的军阀军队，直系的吴佩孚、冯玉祥的兵，甚至段祺瑞的西北边防军，在老百姓眼里的印象，都比奉军好，道理非常简单，奉军的纪律差，军队里收编的土匪痞棍多，走到哪里，都免不了鸡飞狗跳。这种状况一直到张作霖被日本人炸死，轮到张学良当家，也没有多少好转。著名的"三不知"将军张宗昌，就是奉系的大将，在他统治山东期间，发的军用票不计其数，收编的土匪也不计其数，他和部下糟蹋过的女人，也不计其数。

在北洋军阀的统治史上，从袁世凯、段祺瑞、曹锟、吴佩孚到张作霖，数张作霖的统治，最横暴。1925年，奉鲁联军南下江南，一路上张宗昌的白俄兵烧杀淫掠，无恶不作，最喜欢的事，是抓住小脚女人，逼着她们光着脚乱跳。张宗昌占领上海之后，几乎把个上海变成了国际贩毒中心，肆无忌惮地公开贩毒。来自豫西的土匪孙殿英，感觉跟谁干都没有跟张宗昌顺心。江南连一向送往迎来的绅士们，都受不了这些蛮军，怨声载道，所以，当势单力薄的孙传芳一发难，群起响应，势如破竹地将奉鲁联军打回了北方。

一般来讲，虽然说军阀大多不懂民主政治，但几茬统治军阀，在基本人权、言论自由以及尊重教育的自主方面，大体上都能做到不越界，尽管报上骂的有，批评的更是不少，但很少有军人出头对记者和报馆加以干涉，更谈不上查封报馆，抓人杀人，至于大学，一般都不管，一任教授治校，爱教什么教什么。但是，奉系当家之后，一切都变了。北京各个大学，包括北京大学，都派了奉系钦定的校长，必须尊孔读经，而且命令师生都得听话，如果不听话，用张作霖的话说，刘邦约法三章，我就一章，不听话就枪毙。名记者邵飘萍、林白水，都死在奉军的枪下，北京著名的报纸，《京报》和《社会日报》都被查封。邵飘萍被捉后，连个回转的时间都没有，就被枪毙了，林白水被张宗昌抓到宪兵司令部之后，情况稍好，营救的人还来得及前去说情，但等到张宗昌答应放人的时候，林白水却已经命赴黄泉了，什么法庭，什么审判，全都省了，连做样子的形式都没有。

张作霖在被日本人炸死之前，所做的最轰动的一件事，是从苏联大使馆里搜出了李大钊等几十个共产党人，然后把他们送上了绞架，这具绞架，现在还保存在中国革命博物馆里，但李大钊的大名，已经远不及张作霖响了。当然，北洋时代奉军的坏名声，大多应该记在张作霖名下，但张学良也不是一点关系也没有，比如杀邵飘萍，就是张学良的事。杀了之后，张学良还出面发表声明，说是讨赤（主要指反共）的需要。

张学良是个民国史上的传奇人物，人称他总做令人大跌眼镜的事情，每每出人意料。1928年，一改从前奉系凡是失败出关，就宣布“独立”，跟中央政府对着干的惯例，出人意料地宣布“易帜”，归顺国民党政府。1930年，当蒋（介石）、冯（玉祥）、阎（锡山）中原大战打得难解难分的时候，他突然冒出来，宣布调停，实际上是从背后插了冯、阎一刀，全不顾狐悲兔死同病相怜的情谊，结果导致冯、阎一败涂地。1931

年，日本关东军发动“九一八”事变，在人们都认为家仇在身的他能抵抗的时候，他却一枪不发，拱手让出了东北。1936年，在蒋介石对他已经十分信任的情况下（因为张学良前面帮他的两件事），出人意料地发动兵谏，扣押了来到西北剿共前线督战的蒋介石，制造了震惊中外的“西安事变”。

张学良是民国四公子之一，传说中的四公子有好几个版本，但每个版本都有他。他没读过多少书，却不满20岁就当上了少将旅长，未及26岁，已经是奉军的上将方面军司令。他好网球，好走马，好剑术，还好驾驶飞机冒险，尤其爱美女。跟当时的名媛娇娃，歌星影星，都有交往。晚年曾对人说道，他平生无憾事，唯一好女人。实际上，我们的张大公子，由于长期的优裕生活，过早地拥有权势，养成了率性而为的脾气，不拘礼法，放浪形骸，性之所至，可以无法无天。民国的四大公子，多少都有点这样的毛病，大少爷，超级大少爷。率性而为，胆子大，天都可以捅个窟窿，当然可能做点好事，但也很容易把事弄砸了，一砸就砸大个大的。此人在历史上应该说做过一些好事，比如易帜，比如办东北大学，但无论如何都属于大节有亏之人。身为东北地方的守土长官，居然在日本人发动侵略的时候，下令不抵抗，无论如何掩饰，都说不过去。当时，东北军虽说在关内有十余万人，但根据地东北依然有二十余万，发动事变的关东军，事先并没有得到日本政府的同意，因此只有一万多兵力。事变后统计，东北一共损失飞机三百余架，战车26辆，各种火炮三百多门，其中重炮200多门，轻重机枪5864架，步枪15万支，手枪6万支，有这样强大的武力，无论如何，都堪一战，居然拱手把大片国土让人，实在是不可思议。纵使不论家仇国恨，生灵涂炭，经此事变，作为军阀的他，老家没了，家底没了，就算没有父亲被人炸死之仇，为了自己的根据地，为了自己的财产，也该一战，可是他却没有（有材料说，“九一八”事变，张学良家产损失金条八万余条，超过了当时东三省的官银行的全部损失，一方面可见损失之惨重，一方面则表明，张氏父子在东北搜刮之烈）。这样的军人，我们说他什么好呢？“九一八”的过失，过去我们的史书一直是算在蒋介石身上的（现在很多书依旧这样说），说是蒋介石下令让他不抵抗，甚至还煞有介事地说什么不抵抗的电报一直藏在张学良的夫人于凤至身上。其实，张学良本人一直都承认，不抵抗是他自己的决策，现在的档案也证实了这一点。而且，早就有学者指出，即便是蒋介石让他不抵抗，以当时他实质上属于独立军阀的身份，在涉及国家和自身利益的时候，也完全可以“抗命”不遵。所以，“九一八”的不抵抗，只能是他的责任，赖不到别人头上去。

对于一个人来说，尤其是负有重大责任的人，某些错误是不能犯的，一犯就是千古罪人，百身莫赎。其实，这个错误固然可以有很多解释，比如错误判断形势、盲目相信国联等，都不足以令人采信。一个军人，在守土有责的大节上犯错，无论如何都是不可原谅的，跟他同时期的许多军阀，甚至后来投降日本的那些人称杂牌军的将领，也都在日本侵略之初，做过抵抗，后来投降，往往有情势所迫的原因。当时的张学良，确实不像个军人，相当颓废，大烟抽抽，吗啡扎扎，整天在歌厅、酒楼、戏院、胡同鬼混，委靡到了部下都看不过去的地步。“九一八”事变当晚，他正带着夫人于凤至和赵四在前门外中和戏院看梅兰芳的新戏《宇宙锋》，以至于参谋副官半天找不到他。后来马君武的诗《哀沈阳》：“告急军书夜半来，开场弦管又相催。”其实也不算完全冤枉他。显然，当时的人们和舆论，并不像建国后人们那样看张学良，“九一八”事变之后，声讨声铺天盖地而来，各行各业的人们，都在骂他卖国，骂他无耻。最有名的是马君武的两首仿李义山的《北齐》诗：“赵四风流朱五狂，翩翩蝴蝶正当行。温柔乡是英雄冢，哪管东师入沈阳。”“告急军书夜半来，开场弦管又相催。沈阳已陷休回顾，更抱佳人舞几回。”（赵四是指赵一荻，朱五是指朱启钤的女公子朱湄筠，常陪张学良跳舞的。蝴蝶是著名电影演员胡蝶，当时确在北平拍电影，但是否跟张学良有如此密切的关系，不得而知。）上海的报界还传说，德国有报纸提议把本年度的诺贝尔和平奖授予张学良，奖励他维护东亚以及世界和平的贡献，极尽讽刺挖苦之能事。因此，那个武力决定一切的年代，拥有几十万大军的张学良，不得不在1933年下野出国，可见当时他的不得人心。

后来的历史书写，把这个经历也说成是蒋介石找来张学良，要他替自己顶罪，张学良出于义气，答应了，无疑荒唐透顶。既然当时人们并没有像后来一样，认为丢失东北是蒋介石的过错，蒋又何必要张来顶罪？实际上，后来之所以出现那么多为张学良开脱的历史解释，原因只有一个，那就是“西安事变”。因为“西安事变”，张学良成了民族英雄，一白遮百丑，所以，他之前的所有作为，哪怕非常不堪的作为，都有了借口，甚至有了正面的意义。

不仅如此，小张的功劳，还泽及老张，张作霖也因此父借子贵，变得十分光鲜。大概有很长时间了，大陆出的几乎所有有关张作霖的历史传记、小说、戏剧、影视作品，张作霖的形象都相当地高大，几乎接近样板戏三突出的标准。连他当胡子的历史，都变得非常具有正面价值，人家的土匪是打家劫舍的买卖，他这个土匪则是仗义疏财、救人危难的侠义道。张作霖接受招安的时候，出卖朋友的事情没有人提了，如果提的话，也是对方不讲道义，招安时，新民知府问他为什么招安，他回答说，为了升官发财。当然，这个话茬也不能提了，人家为土匪也好，做官兵也好，都是为了老百姓。辛亥革命时，对抗新军、捕杀革命党人的事，也不能提了，至于捕杀李大钊，后来基本上也没有人提了，不信现在去问哪怕历史系的学生，恐怕都不一定知道有过这么回事。最可笑的是，为了给张作霖脸上贴金，这些作品还不惜制造出一件又一件的张作霖如何对付日本人、反抗日本侵略的传奇故事，传得跟真的一样。当然，张作霖是没有签多少卖国条约，但也没有为中国挽回多少权益，而且在口头上，答应过日本人许多不该答应的东西（否则日本关东军为什么会在郭松龄反奉的关键时刻帮他），也正是因为他答应了又没有完全践约，才被关东军炸死。张氏父子在东北的统治，就是在诸多军阀中，其实只能算中等偏上，虽然搞了一些建设，但留下来的像样的东西不多，最宏伟的建筑，大概要算大帅府和将军林（张作霖的墓地），比起山西的阎锡山，广西的李宗仁、白崇禧，云南的龙云，都还差点意思。更要命的是，他们父子在关外，却几乎一点好印象都没有留下，只有战乱、破坏和由此造成的哀鸿遍野。

显然，我们现在的历史叙述和文艺作品，对这对父子的颂扬，已经大大超出了他们本来应该有的地位，在他们身上，添加了太多的神话，这父子俩，已经完全罩在闪亮的光环里。固然，对于影视作品为代表的文艺创作而言，张氏父子的经历如此具有传奇色彩，的确提供了很多的“说事儿”空间，但一味地美化，也实在不正常。记得曾经听过一位资历很高的党内历史学家讲过，说是在中国现代的历史上，不管你是流氓地痞、土匪军阀，只要最后跟党合作，就有光明的前途。反之，管你是什么绅士、学者，不跟党合作，就什么都不是。我想，这就是我们在很长时间段内的历史评判准则，在这个准则里，党是唯一的衡量尺度，所有的好坏、善恶，所有的扬抑、褒贬，都以跟党的关系为准，即使是历史本相，而且这个本相已经为档案材料所证实，也得根据党的需要加以改变，就像我们把不抵抗的屎盆子，硬是从张学良头上移开，转而扣在蒋介石头上几十年一样。誉美自己所喜爱的人，是人的天性，只是这种天性，不好滥用在历史评价上，否则，我们的历史学家，就变成了护犊子的家庭妇女，追星的少男少女。谁都知道，这种家庭妇女加追星少年式的历史书写，对所有想要了解历史的人来说，都是毒药。最后要说的是，虽然我们这边对张学良深情款款，赞美有加，但晚年的张学良却并不买账，宁肯客死万里之遥的他乡，也不肯落叶归根，回到自己的父母之乡。大概，其中最大的障碍，令张学良最担心的，恰是这种铺天盖地的不虞之誉。

北京兵变与袁世凯

1912年2月的一个晚上，商家云集的北京城东安门一带，突然枪声大作，人声喧嚷，向来还算安分的北洋大兵不知从哪儿一拥而出，一厢放枪，一厢乱抢东西。自打八国联军以来，北京人多时没见过这个阵势，一时哭爹喊娘，东躲西奔，像滚水浇在了蚂蚁窝上。刚刚从国外回来的齐如山（戏剧艺术家，后来以帮助梅兰芳戏剧改革而闻名）倒是不怕，身着西装，站在大街上看了一个晚上的热闹。大兵们不仅没有动他一根汗毛，而且还不断地向他“咨询”。一会儿，一群兵拿着抢来的寿衣问他是不是绸子，一会儿，一伙人捧了一堆化银子用的小碗，问他是什么玩意。一伙大兵拿来一堆纸条，当被告知不过是挽联时，连连大呼晦气；抢着了貂褂的大兵们，当被证实所获最值钱的时候，一齐欢天喜地，大叫没白来（见《齐如山回忆录》）。近代史上著名的北洋军曹锟第三师的北京兵变，在一个看客眼里，就是这么一幅画面。显然，不像后来的军阀大兵，兵变和抢劫已经是家常便饭，毕竟是清朝花大笔银子、袁世凯下大力气按照普鲁士陆军模式训练出来的军队，第一次集体抢劫还真有点“棒槌”（外行），需要不时地求教于街头的“顾问”（齐如山语）。

兵变是袁世凯的杰作。在袁世凯如约逼清帝退位之后，南京的革命党人也如约把临时大总统让了出来。可屁股尚未离开总统椅子的孙中山还有点放心不下，不仅急火火地炮制了一个“临时约法”，而且还想出了一个定都南京的办法来约束这个世之枭雄。为了让生米变成熟饭，他派出了以蔡元培为首的使团前来迎请袁世凯南下就职。袁世凯当然不肯就范，离开自家的老巢到革命党的势力范围去，但又不想公开说不，于是他麾下的大兵就演出了这么一出戏。不过，虽然军人以服从为天职，北洋军更是向以昔日的袁宫保、今天的袁大总统马首是瞻，但这种纵兵在大街上抢劫的事，还就是外号曹三傻子的曹锟才肯干(曹锟能从保定街头一个什么也不是的布贩子，混成堂堂师长，靠的就是这股绝对服从的傻劲)。从此以后，曹锟的第三师以堂堂嫡系国军之身长时间背上了恶名，直到他的后任吴佩孚接手之后，花了很大力气才得以洗刷，当然这已经是后话了。北京兵变抢了上千家的店铺，更把南方的使团吓得半死(使团住的地方，枪声尤其密)，一个个仓皇从窗户跳出，在墙根底下蹲了半宿。兵变的政治效应立竿见影，老袁有了不走的借口：北方不稳。受了惊吓的南方使团也领教了北洋军的厉害，只好作罢。以孙中山为首的革命党人对袁世凯最后的一点约束，就这样被消解得干干净净。

不消说，袁世凯是中国近代历史上最大的人物之一，谁来写历史，都绕不过他去。不过，他也是近代历史上挨骂挨得最多的统治者；同为挨骂的主儿，西太后至少清朝的遗老遗少不会骂，蒋介石至少国民党人不会骂，只有他袁世凯，清朝的遗老遗少骂，孙中山和身后的国民党骂，康梁党人骂，共产党自然也骂，甚至连他遗下的军阀子孙想要表白自己的时候都骂。海峡两岸的“正史”对历史的表述常常是红白各异，只有到了老袁的鼻子那里是统一的，都是白的。虽然，近来对袁世凯的评价逐渐客观起来，说好话的人也有了。不过，在我看来，老袁的鼻子白，别人涂的成分居多，可跟他自己没把事情做好也不无关系，换言之，主要是因为他没有成功。没有成功不是他没有做成皇帝，而是他作为中国现代转型的中心人物，没有完成或者推进这个转型。虽然客观地说，从清末到民初，袁世凯为中国的制度转型做了不少事情，从军事改革到教育和行政改革，着力不少，史迹犹在，可是偏偏在转型的关键环节，却没有做好，身败名裂自家也难辞其咎。从某种程度上讲，刚刚提到的北京兵变里，就有他失败的因素，那就是，以不正当的方式玩军人干政的游戏。

以马上得天下，在政治制度转换时期，本是常有的事情，中国如是，西方也如是。英国的克伦威尔、美国的华盛顿，都有武夫的面目，均以武力打出一块天地。袁世凯凭军人力量起家,以当时情势论,非如此也难以服人,多舞弄几下东洋刀,原也无可厚非;在清廷和革命党之间玩抢帽子游戏,让北洋诸将打打停停,一会儿通电誓死捍卫君主立宪,一会儿嚷着坚决拥护共和体制,已经是在借军人玩权术,但还可以勉强算是夺权之际的战术变通。可是到了大总统已经到手的时候,不想南下就位,不肯明言,却玩兵变的损招,说明袁世凯不仅不是当时国人所称许的中国第一华盛顿和世界第二华盛顿,连传统王朝的开国之君都不及,反而像是东汉末年和五代十国时期的军阀。

对于国家体制而言,军人从来都是双刃剑,成事亦可,败事更易,现代的民主国家如此,古代的帝制中国也如此。所以,人们往往采用各种制度性的防范机制,最大限度地遏制军事力量在政治体制上的作用,尽可能减少或者压制军人在政坛上的发言权。西方现代制度是文官治军、军人中立、军人不干政原则,而古代中国的制度安排,用西汉的一位高阳酒徒的话来说,就是以马上得天下,不能以马上治之,所谓提倡文治,以文制武,建构礼制框架。在礼制框架中,武人的地位往往被边缘化。几乎每个传统王朝的皇帝都知道,尽管政权没有武人不行,但对王朝最致命的威胁,恰也来自于自己麾下的这些赳赳武夫。

就辛亥后的情势而言,袁世凯不想去南方就职,只要明地里坚持不去,随便找点什么理由都无不可。革命党人实际上是拿他没办法的,否则也不会因区区一次兵变而全面让步。其实,如果革命党人真的有力量,就根本不会把总统让出去的,现在大头已经让步,小的方面自然也就不好坚持了。可是,自以为聪明的袁世凯却偏偏选择了最下三烂的对策,唆使军队闹兵变,由此产生自己留在北京的借口。不仅让军人直接干预国政,而且采取了最不该采取的手段——兵变。要知道,无论什么时候,兵变都是历代统治者最大的忌讳,是对统治的最大威胁,在某种程度上,比农民造反更令皇帝焦心,不到万不得已,在上面的人不敢轻易走这一步。更为可怕的是,允许军人以兵变的方式干政,就意味着手段的起码行为规则的底线被突破,以后军人什么都可以干了(赵匡胤陈桥兵变,那是夺取政权的不得已,玩过之后,随即就是杯酒释兵权,在制度上将推他上台的武人限制得死死的,否则他就很可能像五代时期所有的君主一样,在下一次兵变中,被同一伙武人玩下去。袁世凯玩了兵变,却玩不了杯酒释兵权,所以没有古人的下场好)。

自曹锟北京兵变之后,袁世凯经历了短暂的凯歌行进的兴奋,北洋大兵不仅帮他扫荡了南方的革命党势力,逼得孙中山、黄兴等人再一次流亡海外,而且和警察流氓一起,包围国会,断水绝粮,逼得国会议员们把袁世凯选成正式大总统。可惜蜜月不旋踵就过去了,骄兵悍将们很快就找到了唐朝中后期的藩镇和五代军阀前辈的感觉,不听命令,侵夺行政权力成为家常便饭,连兵变也很快变得司空见惯了。从北京兵变以后,大兵们烧杀抢掠,技艺日益娴熟,不再需要“顾问”指点,如果齐如山这样西装革履的人还敢往前凑合,那么恐怕连衣服都会被剥了去。散在各处的督军和师长们,都成了据地自雄的土皇帝,袁世凯虽然贵为大总统,却谁也指使不动。各省上解中央的款项越来越少,军头们甚至连海关的解款都敢劫了自己花。到了这个时候,醒过味来的袁世凯一迭连声地唱起军人不干政的高调,并且策划废督,可惜已经晚了,对于做了督军的昔日俯首帖耳的部下,他哪一个都不敢动,也动不得。在怎么着都没辙的情况下,出主意的谋士和袁世凯自己一起怀念起昔日君主的威势,于是大家像演戏似的演出了洪宪帝制,各种帝制请愿团,从乞丐到妓女,像农民闹社火似的出现在北京街头。不知是袁的手下蒙了他,还是他自己情愿被蒙,总之袁世凯“顺应民意”做了皇帝,结果却是给各式各样的反袁势力一个合适的借口。蔡锷反袁的大旗一举,散在各地的北洋将领们,不仅不帮忙灭火,隔岸观火者有之,暗中助敌者有之,宣布独立者更广而有之,直害得袁世凯坐在家里天天听噩耗,直到害病归西。

袁世凯逼清廷退位的时候,很多人都骂他是曹操,遗老遗少不用说,据冯玉祥说,连北洋军中也有这种议论。当然,他们所说的曹操,主要是《三国演义》上的形象。不过，如果指好行诈术这一点，袁世凯的确有点曹操的味道，只不过曹操玩的是天子，而袁世凯玩的是军人。曾经担任过袁世凯外交秘书的著名外交家顾维钧，在他的回忆录里曾经记录过他和袁世凯的一段谈话。袁世凯问他，像中国这样的情况，实现共和意味着什么？顾回答说，共和的意思是公众的国家。袁世凯认为，中国的老百姓怎能明白这些道理，当中国女仆打扫屋子时，把垃圾倒在大街上，所关心的只是屋子的清洁，大街上脏不脏她不管。顾说这是因为人民缺乏教育，他们的本性是爱好自由的，只是不知道如何去获得自由，那就应该由政府来制定法律、制度来推动民主制度的发展。袁世凯表示，那可能需要几个世纪。因此，顾维钧认为，袁世凯虽然贵为总统，却并不知道什么叫做共和国，什么叫做民主政治(见《顾维钧回忆录》)。其实，袁世凯也算不上是一个合格的传统政治家，他不知道，无论何种政体，玩军人干政都跟玩火差不多，最后这把火不仅烧掉了袁家的洪宪皇帝，连袁大总统的椅子也烤焦了。

在西太后临死前，时人评价晚清人物，说袁世凯是有术无学，以后事观之，不可谓言之不预。

袁世凯的“选举”

“选举”这个词，在中国古代指的是科举考试选拔人才，到了近代，由于日本人的掺和，才变成了今天这种投票选领导人的意思。所以，当西方政治意义上的选举在中国落地的时候，大家一时间都不习惯，选举人怯怯的，被选举人慌慌的。1913年10月6日，中华民国第一届国会选举民国第一个正式总统，就是这个样子。

其时也，袁世凯已经打垮了国民党的武装反抗，势力达到顶峰，除了少数国民党精英之外，全国上下，无不视袁世凯为收拾残局，使中国导向安定的唯一强人。后来袁世凯称帝时的反袁英雄蔡锷、梁启超等人，此时都在为袁甘效犬马。国会中，虽然国民党议员近半数，但民初的国民党原本就是为了选举而拼凑起来的杂烩，真正对袁世凯有点想法的死硬分子，此时死的死，逃的逃，逮的逮，剩下的，基本上都是安分守己之辈，心里早就对袁世凯服软了。服软的标志是国会的程序改变，按西方的规矩，国会应该是先制宪(制定一部宪法)，后选总统，断没有颠倒过来的道理。但袁世凯为了早点登上正式大总统的宝座，非要先选总统后制宪，国会居然答应了，为了选总统，先炮制出一个本应属于宪法一部分的“大总统选举法”，投票通过。选举按照袁世凯的意愿进行，而且几乎等于是没有竞争对手，按道理，到了这个份上，袁世凯对总统的归属应该放心了，可是，不。

1913年10月6日这天早上，国会两院议员们的屁股刚刚在椅子上坐下，就发现国会外面来了黑压压一大群人，把国会大楼围得水泄不通。来的人号称“公民团”，个个进退有据，号令严整，腰板笔直，分明是换了便装的军警。“公民团”的人数，据当事人说，有几千或上万。人虽多，但大家嚷出来的却是一样的话，那就是：如果今天之内议会不将国民期望的总统选出来，就别打算离开国会半步。就这样，在“公民团”的重重包围中，议员们开始投票选总统，第一轮，袁世凯没有达到法定的四分之三多数，第二轮还是如此，不得已要投第三轮。这时候，天色已晚，议员们一天滴水未进，渴饿难挨，最后实在撑不住了，总算是把袁世凯选成了总统。当他们被放出来的时候，已经是晚上十点了。

事后研究表明，依袁世凯当时的实力和威望，如果不派“公民团”来霸王硬上弓，估计他老兄第一轮就当选了。“公民团”的强买强卖，反而激怒了部分议员，于是故意捣乱，才要投上三轮(在大家感到很不舒服的情况下，最后还是妥协了，可见没有什么人真的想和袁世凯过不去)。不过，尽管如此，就算袁世凯事先已经知道人家会选他，他还是会派“公民团”的，因为操控选举是每个独裁者或者有心要独裁者的习惯。不操控就不能安心，哪怕操控的手段笨得像蛮牛，哪怕留下千古骂名。

好在，袁世凯以后的统治者学得聪明了，这种牛不喝水强按头的把戏很少玩。段祺瑞是从改员选举开始操控，选出来的议员大部分都在他的俱乐部里吃喝玩乐领补贴。曹锟则买选票，每票五千大洋。

进化论的牺牲品

袁世凯在中国近代历史上，是有名的反面形象——白脸。不过，跟那些历史上同样的反面形象昏君奸臣不同，他的脸之所以变白，并不是因为他有多么昏暴，挖了忠良的心肝下酒，宠了多少心肠特坏的女人，或者是说了什么我死之后管他洪水滔天之类的浑话。仅仅是因为他要当皇帝，准备了洪宪帝制以及两套龙袍，逼前清的小皇帝溥仪让出了三大殿，预备登基。换言之，袁世凯之所以被钉在历史的耻辱柱上，主要是因为他开历史的倒车，跟长期以来人们公认的进化论开玩笑，违反了历史进步的直线行进律。

由此，袁世凯皇帝梦的破灭，成全了历史进化论，没有让政治的现代性的进程倒退，也造就了一个经久不衰的神话：即，辛亥革命使民主共和深入人心，复辟和倒退注定要失败。

然而，袁世凯成全了进化论，但历史却并不如此宽宏，多少年之后，至少某些明眼人突然发现，即使在21世纪的今天，被辛亥革命赶下台的皇帝，也并没有真的从人们心中消失。于是忙着回过头来看历史，一时间，有关袁世凯和孙中山的话题又热了起来，连一向热衷于炮制皇帝戏的电视界，也推出了《走向共和》，让孙、袁这对冤家大放其电。美籍华人学者唐德刚的新作《袁氏当国》在国内出版，应该也是回应有心人回头看的一个不小的热闹。

我最早接触唐德刚的文字，还是在20世纪80年代的初期，凑巧在一本所谓内部出版的《胡适哲学思想资料选》里，看到有唐编辑的胡适口述史。说实在的，那口述史正文其实平平，了无胜意，倒是唐德刚那夹叙夹议的注释，很是引人入胜。唐氏的文字不惟老辣，而且透着过来人似的透彻，如老吏断狱，往往一语揭破迷局。可惜的是，眼下摆在我案头的这本唐氏的新作，却如放了太多年头的腊肉，虽然还是腊肉，却少了一点应有的风味。

可以看得出，作者对袁世凯和孙中山都怀有历史学家特有的温情，立足处也相当中立，没有国共人士所特有的立场。不过，可能是作者只是将一些随手的札记连缀成篇，深度的思考不足；也许是当年过多的口述史的整理，不经意间被传主的意见所左右，总之，《袁氏当国》只有片段的精彩，比如关于“二十一条”的交涉，关于当年民国政府顾问古德诺，关于国民党二次革命等，都还能找到唐氏当年文字的风韵，尤其说到民国北洋时期办外交的“专业人士”何以成了不倒翁的那段文字，真是爱煞个人。然而，通篇看去，这样的文字在全书中并不多见，相反，我们在书中看到了不少的游移，不少的武断，甚至还有一些掺杂着大路货资料的老生常谈。

袁世凯复辟是一出悲剧，正因为这出悲剧，中国陷入了几十年的军阀混战。考究其原因，唐氏没有像西方著作那样直接点明，但事实上列出两大理由，一是制度设计的扞格及制度与人的冲突，二是袁世凯本人思想境界之旧。此论固然突破了过去仅仅在袁氏个人品质道德上转、围绕着“皇帝梦”三字做文章的窠臼，但依然有说不清道不明的嫌疑。

先说制度问题。辛亥革命一开始建立的政权性质是美国式的总统制，总统直接领导内阁。这是当时中国先进分子的共识，认为美国制度是最先进的，而中国学西方就要“法乎其上”，所以，一上手就是大总统云云，中国的华盛顿云云。然而，待到将政权交给袁世凯之际，为了牵制这个枭雄，同是这些先进分子控制的临时参议院又将美国式的总统制改成内阁制（实际上是法国式的半总统制），总统和内阁之间，加了个总理，由总理负责领导内阁。唐氏由此得出结论，认为这种制度转换，是革命党人想要“虚君”，而袁世凯根本不想做虚君，“政治矛盾要用枪杆解决，民国因此逐渐变成军阀的天下了”。

不错，当时的革命党人，的确在制度设计上欠考虑，他们一方面对西方制度有着近乎神圣的迷信，像当时的名记者黄远庸说的那样，幻想着只要民主共和的旗帜挂在城头，中国就可以立马改变了模样。但是另一方面，他们又缺乏对民主制度的虔信，只是把这种制度当成工具，甚至看成可以和中国古老的权力技术嫁接起来的工具。所以，怪事就出来了：彻底地学习西方的旗帜下的革命政府，不仅随意地以政府法令的方式侵夺公民权利(比如剪辫)，而且可以在旬月之内，随意改变政体。然而，革命党人的错误并不足以导致袁氏最终的帝制自为，跟后来的军阀混战更是没有直接的关系。唐德刚先生不是考证过了吗？宋教仁被刺案最终跟袁世凯并没有直接联系，袁跟宋案的关系更可能像后来的蒋经国跟江南案的关系一样，是手下的过于忠实之徒将马屁拍到马腿上的结果。而国民党的二次革命，不也是革命党人自己先打的第一枪，而且连蔡锷都对此表示声讨吗(实际上许多革命党人也对此不以为然，三督之中，广东的胡汉民和湖南的谭延闿实际上都是被迫参加的)？是国民党人自己破坏了宋案法律解决的可能，既然如此，袁世凯有必要跟革命党人一般见识，毁掉自己的合法性基础吗？事实上，第一届国会选举上国民党的大胜，很难说一定刺激和威胁到了袁世凯的地位。因为我们看到当时大权在握的袁世凯，对于国会选举，并没有动用他的行政和军事资源进行干预，一任国民党高歌猛进(事实上，这种干预在那个年代是非常容易的，后来的段祺瑞在资源远不如袁世凯的情况下，还成功地操纵了一次“安福国会”)，而且，就当时而言，连宋教仁自己也清楚，就算是由国民党组阁，当时的政体也是法国式的半总统制，总统依然是强势，大选的胜利，距离威胁袁大总统的宝座还远着呢。更何况，当时的国民党诸巨头——孙、黄、宋等人，或者沉迷于修20万公里铁路，或者沉迷于宪政，头脑里有没有夺权的概念都很难说。退一万步说，就算是国民党的“抢班夺权”行为刺激了袁世凯，那么经过一系列成功的政治和军事运作，袁世凯不仅消弭了国民党的势力，也消灭了原来对他的种种制度上的限制，甚至成功地赢得了舆论的同情，有什么必要非要一步步走到帝制的火炉上呢？特别需要指出的是，当最终袁世凯帝制自为的时候，他已经成了事实上的皇帝，不仅是终身总统，而且还可以传子(指定下届总统)，就算袁世凯是个超级的野心家，皇帝的名位对他真的就那么重要吗？富有政治经验、老于世故的他，难道看不出这里的政治风险吗？为了一个虚名而去冒险，像个“当代曹操”的作为吗？

当然，对此，唐氏还有另外一种解释，那就是袁世凯的思想旧，满脑子都是中国传统的统治术。这一点，相信熟读《资治通鉴》的唐德刚先生，特别有感觉。的确，袁世凯的所作所为，怎么看都有古代权术的影子，唱了很多看似高明的老调子，玩了些许其实并不高明的小伎俩。唐德刚采访过的顾维钧(当时做过袁世凯的英文秘书)也认为，袁世凯根本没有对民主制度的基本信仰。当然，袁世凯从教育背景来看，的确比孙中山要旧些，但这个背景的差异，并不意味着袁世凯必然头脑冬烘，不会赞同向西方学习。唐氏自己也说，在清末新政的时候，袁世凯是个相当新的人物。其实，当时的袁世凯岂止“新”，他可以说是新政的关键，新政以全面学习西方为目标的改革，在军事、警察、邮政、司法、行政和教育等诸方面，都有他至关重要的作用。事实上，当时的他，甚至跟立宪派也有密切的联系，清朝的预备立宪，如果没有他这样的重臣推动，肯定不会那么快。从那时起，他的夹袋中就已经储备了一干受过西方教育的人才，其学识和对西方政治的认识，并不逊于革命党人。退一步，如果非要说袁世凯思想旧，那么二次革命失败后的孙中山旧不旧呢？当时的袁世凯不过是在抓权揽权集权，但民国的各项改革比如司法、行政、警务、税收等仍然在一板一眼地进行，绝不含糊。可孙中山却执意要将一个原本已经很有西方政党色彩的国民党，改造成帮会式的中华革命党，所有党员分出等级，都要对他绝对效忠，还要打指模宣誓。这一套，唐氏说是来自基督教的仪式，错了，那是孙中山当年在檀香山致公堂(洪门)做洪棍时学来的，不信，可以查查洪门的《海底》。唐德刚先生说此时的孙、袁是一枚硬币的两面，还是不对，其实是一面，只是孙中山走得更远，一头扎到极端专制的黑社会去了。

无论古今中外，凡是一个国家大的政治举措和制度的变革，背后必有当局者对情势的考量，主观的因素往往只起次要的作用。晚清以降，由湘、淮军兴起导致的地方主义愈演愈烈，政治格局上的朝小野大，内轻外重，地方势力坐大的局面已非一日。辛亥革命之所以成功，在很大程度上是因为西太后去世后朝廷的满族新贵，不惟成立皇族内阁，开罪了立宪派，还贸然采取一系列措施，加强中央集权，削弱地方势力，结果得罪了包括袁世凯在内的地方势力，导致众叛亲离的结果。群龙无首的武昌起义革命士兵，只是在恰当的时机，点着了本该燃烧的干柴。而辛亥以后，地方主义更加不可遏止，各地当权者，无论新旧，都是据地自雄的军阀。孙中山号称是独立各省拥戴的大总统，但没有一个省给他一分钱。连政府的开张费用，都是那个当了状元不做官的张謇借来的。赶走国民党人，唐德刚先生说是袁世凯在削藩，但是实际上是削了弱藩换上了强藩，龙济光、张勋、李纯甚至袁世凯最得力的大将冯国璋，占了国民党人的地盘之后，都不太听招呼了。二次革命后，看起来大获全胜的袁世凯，实际上面对的是一个五代十国的局面，连昔日言听计从的北洋诸将，此时都成骄兵悍将，不仅不听政令，甚至连上解款也日益含糊起来。所以，我们才看到了一系列的变革，什么废督，什么虚省设道，什么文官政治，甚至包括设立将帅团，统统都是冲地方的大小军阀去的。然而，这种与虎谋皮的举措，具体实行起来，不用说是障碍重重，推行得很是艰难。在这时候，显然袁世凯想起了当年在大清国的情景，皇帝的权威之重，即使像他这样权倾朝野、盘根错节的人物，想要拿掉，一纸诏书也就搞定。到了这个时候，某些谋士自以为聪明的鼓噪也就听得进去了，而来自大洋彼岸的政治学权威的理论，则恰逢其时地成了让火烧得更旺的东风(借东风的恰是那个坚持宪政的宋教仁，是他聘的古德诺)。从某种意义上说，袁世凯的洪宪帝制，实际上是又一次激进的中央集权运动，在这场运动里，皇帝不仅仅是一种名号，而是一种可以重树政治权威的架构，一种古老但曾经行之有效的意识形态。显然，这场运动跟清末那些少不更事的满族权贵发起的运动一样，以惨败而告终。

谙于权术的袁世凯，显然既迷惑于昔日帝制权威的幻象，又迷惑于社会上一般人对民国的反感。他忘了帝制权威已经被辛亥革命给打碎了，再度重建不仅需要时日，而且要有强大的武力作为背景(而此时连他的嫡系武力都不听招呼了)。他更忘了，那些散在各地的骄兵悍将，正苦于没有借口来反抗他重树中央权威的举措，而袁世凯的称帝之举，恰好给他们提供了一个大举反叛的合法借口，在历史进化论尚未破产的时候，这种借口显得是那么地堂堂正正。如果蔡锷不起兵，或许袁世凯还可以拖些日子，只要蔡锷举起了讨袁的旗帜，那么袁世凯的众叛亲离就会是必然的结果。大名鼎鼎的蔡将军，其实也不过是那个恰好点了一堆本该烧起来的干柴的人。说实在的，蔡锷那三千缺枪少弹的讨袁军能有多大力量？真正致袁世凯死命的，恰是他自己曾经十分效忠的部下。

袁世凯遗臭万年了，连十分旷达的唐德刚先生，都拿他的称帝之举，跟汪精卫的叛国当汉奸相类比，说他们一失足成千古恨，“卿本佳人，奈何做贼”？然而，细想想，这两个人其实不一样，袁世凯并没有违反民族大义，卖国当汉奸。他的所作所为，只是不恰当地进行了一次政治体制的改革，开了惯常所谓的倒车而已，而且这个所谓的倒车，退得实际上也有限，绝非像后来人们批判的那样，退到清朝新政之前去，他的帝制不过是君主立宪而已。以今天的眼光观之，其实古德诺的说法并没有错，在那个时代，君主立宪和民主共和制度并无优劣之分，关键看国情合适不合适。尽管如此，袁世凯还是遗臭万年了，甚至比当了汉奸的汪精卫还要臭。这里，袁氏的臭，既有后来的主政者为树立孙中山而做反衬的意识形态需要，也出于历史进化论的强大拉动，当然，这也是一种意识形态，而且是国共两党所共同接受的意识形态。人们宁愿相信，历史只能向前走，不能哪怕稍微后退一点，而这个前进的方向，则是由西方现代史所规定的。离君主越远的制度，就越先进，革命越彻底的制度也越进步，而先进和进步是不能违抗的，否则就是反动，凡是反动的人，跟汉奸卖国贼也就相差无几了。袁世凯的悲剧，其实并不只是他个人的悲剧，也是中国的悲剧。时间离袁世凯的悲剧，已经过去快百年了，如果还没有人费心考察一下，历史是否真的是按进化论画的直线行进的，那可就是出上演近百年的悲剧了。

买个总统当当

曹锟是北洋军阀将领中的憨包，投军前在保定府当闲人，人称曹三傻子，发迹之后，没人当面叫他傻子了，但背后还是当他是傻子。不过，傻人从来有傻福，此公不仅在袁世凯麾下的时候一路官运亨通，升到师长之后，虽然自己百无一能，手下偏有一个能征善战的吴佩孚，两次军阀大战，居然连胜皖系的段祺瑞和奉系的张作霖，独自控制了北京政府。势大权大之后，人难免有非分之想，要当总统。按说曹三傻子闲人出身，偶尔出门贩点布，基本上是胸无点墨；投军后虽然被袁主公送到军校镀过几天金，但提起读书写字依旧头痛，据说平时动笔的话，只有一笔"虎"字写得还说得过去。以如此文化状况做总统，在他之前，中国还没有先例，漫说别人看了不像，就是他自己的部下，也大有不以为然的。

不过，傻人多有股痴劲，一旦迷上了什么，不弄到手就很难歇下。据说当年曹锟之所以投军，就是因为跟着花轿，盯着人家新娘子傻痴痴地看，惹恼了有势力的新郎家要办他，才一溜烟跑的。而眼下的曹大帅，迷总统比当年迷新娘子还甚，所以，这事还非办不可。可是，总统是要选的，袁世凯有本事派军警组织"公民团"包围国会，不把自己选出来就不让议员吃饭。段祺瑞可以包办一次国会选举，再由自己人组成的国会选出符合自己心意的总统。现在轮到曹锟，他既没有袁世凯硬干的魄力，也没有段祺瑞操纵选举的能力，于是只剩下一条路：买。

是啊，可以买东西、买人、买官，为什么就不可以买总统？手下闻风而动，分设几个联络处，明码标价收买选票，凡是前来开会的每人500大洋，开会并同意投曹锟票的每人5000大洋（个别重要人物价要高些），所付支票，上面加盖经办人的名章，银行见章付款。幸好此时的国会议员，都是民国元年选出的，中间几经周折，不仅任期早过，而且意志已衰，大多见钱眼开。所以，重赏之下，大多欣然前来投票，曹家付出了500多张支票，届时得了480票，超过总票数的3/4，得以当选(有几十人拿了钱溜了，有一个人还将支票拍照登报，硬是要出曹锟的丑)，总统买到了。

民国以前，中国人本不懂什么叫选举，有本事问津最高统治者的人，也都是马上得天下。可是如今制度上共和了，皇帝没有了，大家不好意思让手下的武夫们将自家抬上宝座去，不得不指望国会来选。选可是选，但没有人能真正对选举放得下心，私下操纵是免不了的，操纵之外甚至还不放心，于是为求双保险用邪招。相比之下，曹锟的贿选，比起袁世凯派军警将议员包围在国会不管饭还是要好一点。有人拿了钱不投票，曹大总统也没有把他们怎么样。当时曹锟的亲信王坦就说，花钱买总统当，比要钱得个贪污的名声臭一生强得多，也比那个拿着枪把子命令选举的人强得多。

其实，曹锟贿选，在当时是公开进行的，跟买珠宝首饰和萝卜白菜没有什么分别，也并没有在中国引起什么大的波动，只有上海这种风气较开的地方，才会有一些学生和知识分子有点激动。真正感到不满的是西方的媒体，正是他们的鼓噪，才使得中国的国会变成了“猪仔国会”，议员成了“猪仔议员”(“猪仔”一词，本无此特殊含义)。

军汉“韩青天”

古代，地方上没有专门司法官，地方长官的主要政务之一就是审案子。因此，传统戏剧演清官，少不了开堂审案：大堂之上，手持杀威棒的衙役站立两旁，一脸铁青，杀气腾腾青天大老爷案头高坐，蟒袍玉带，威严赫赫；原告被告则跪在下面，猥猥琐琐，哆哆嗦嗦。清官如果出行，也是八抬大轿，王朝、马汉、张龙、赵虎之流前呼后拥，威风八面，而且免不了有人拦驾告状，青天大老爷走一路断(案)一路。

进入民国之后，中国的政治舞台上，大小角色，军汉居多。这些军汉们，多是不通文墨的粗人，占了某个地方，除了时不时地火并开战，平日政务最喜欢做的事情，居然是坐堂审案。有的人甚至抢来戏班里的戏装，把自己扮成清官的模样，蟒袍而皂靴地前去断案。

韩复榘的名声不好，因为抗战时不战而弃山东，而且还被艺人们编了段子说他不学无术，关公战秦琼。可是当年韩做山东王的时候，却有“韩青天”的名头。是真青天还是假青天不说，此公喜欢升堂断案可是不假。韩复榘主政山东前后将近七年，别的事情都可以不做，但只要他有工夫，山东的狱案他必定要亲自审理的，有时候还要巡行地方，一个县一个县地一路审过去。

韩复榘审案跟戏里的包公、狄公之类的人物差不多，只是王朝、马汉换了卫兵马弁，衙役改了手持大刀的执法队。被审的嫌疑人，一个一个地过堂，审问，上刑，打板子或者军棍。韩复榘审案，法律是根本沾不上的，全凭他自己的判断。虽说比《水浒》上李逵断案好一点，但基本上也属于任性胡来。明白的时候，还有点常识；糊涂的时候，常识都没有了。如果赶上心情不好，就该着下面跪着的人晦气，无论情由，不死也是重刑。有一阵儿，韩复榘特别相信自己的相术，审讯“人犯”的时候，一句话不说，只盯着人看，看着看着，右手一挥，执法队就把这人拉出去枪毙；左手一挥，这人就无罪释放。当然，这种审案方式有时也会弄出一些戏剧性的效果来。比如，有次把前来送公文的人也当成"人犯"，一挥手给毙掉了，这是悲剧。有的时候抓来共产党人，如果审讯过程中，这人骨头特硬，坚贞不屈，任你怎么大刑伺候，死活就是不招，韩复榘钦佩这人骨头硬，是条汉子，结果很可能是无罪释放；相反，如果一上刑就熬不住招了，韩会特别鄙夷，往往将之拉出去毙了。这种情况，是喜剧。凡出现这种情况，都是国民党的特务机关最头痛的时候。

明白的人都说，古代所谓的清官，其实都是酷吏，所以司马迁在《史记》里，只列"酷吏传"，不设"清官"一项。不过，对于老百姓来说，由于酷吏杀的大多为官人，不管是否滥杀，大家还是喜欢，而且在不断的喜欢中，炮制出更加合乎自己需要的清官形象来，借这种虚幻的形象，一舒小民压抑的心境。做了军阀、统治一方的军汉们，其实个个都是戏里清官的"追星族"，不管他们实际的统治如何乱七八糟、横暴专制，但有意无意都喜欢模仿清官，既模仿清官断案时的威风，也效法清官断案时的专断。也许，在他们心目中，他们这样做，就是在为民做主，主持公道，也没准潜意识里就是想做个清官，但是这种司法过程(如果还算是司法的话)的实际运作给社会带来的，往往是真正的灾难。

“臭棋篓子”段祺瑞

段祺瑞是北洋军阀中的大人物，仅次于袁世凯。当年袁世凯麾下有三员大将，人称北洋三杰：龙、虎、狗，分别是王士珍、段祺瑞和冯国璋。其中，数段祺瑞在历史上的风头最劲。

跟大多数军阀嗜财如命不同，段祺瑞不爱钱。为官多年，在清朝时就已经做到了一品大员，进入民国，当过陆军总长、内阁总理甚至中华民国的临时执政，可一点积蓄也没有。一大家子人，从来不置产业，下野之后住的房子都是别人送的。不过，无论是台上还是台下，他却从来没缺过钱花，需要的时候，一纸二寸半的条子，到金城、盐业银行，就可以取个几百上千的，既不需要存折，也无须担保。段祺瑞也不好色，几乎没有什么绯闻，偶尔吃吃花酒，多半是不得已的应酬。此公平生只有两好，一是玩政治，二是下围棋。

那个时代的高级官员，能下几手棋的人不少，但痴迷到段某人这般地步的却少。此公只要有点闲空，十有八九是在棋桌旁。上门来的客人，只要会下，就必然要陪他下几盘。平时公馆里养几个清客，专门陪他下棋，每月从陆军部里支薪水。曾经扫荡日本棋坛的大师吴清源，据说当年就是段公馆里年纪最小的清客，吴清源东渡日本学棋，也有段祺瑞的支持。

不过，段祺瑞虽然嗜棋如命，但水平却一般，说他是“臭棋篓子”也不过分，稍有点功底的人，就可以把他杀得大败。可是碍于他的地位，一般没有人敢这么干的，况且，上门来都是有求于他的，陪输两盘本是理所应当。然而，段某人棋虽然下得臭，但如果对方故意相让被他看出来，他是不干的。所以，既要让他赢，又要不露痕迹，非顶尖高手办不来，那些清客都有这个本事，每盘棋都下得看起来惊心动魄，难解难分，最后总是让段祺瑞赢上那么一目半目的。

段祺瑞是个相当自负的人，脾气倔犟，其特殊的围棋生涯无疑使他的这种性格得到了强化，自以为天分不错，手段很高，至少在中国无人能出其右。古人认为围棋是参合天地、运筹帷幄的玩意，段祺瑞也是这样想的，所以，他下围棋，实际上跟他玩政治是相通的。自然，他对于自己的政治才能也相当地自负。

段祺瑞是个武人，玩的政治都是军人政治，当总理、搞议会、做临时执政，都离不开枪杆子。可是尽管还喝过一年德国的洋墨水，他的军事才能却实在不敢恭维，戎马一生没打过像样的仗。辛亥革命以及二次革命，跟革命党人打，算是打赢了，没他什么事。讨伐张勋，五千辫子军他用了十多万兵马，胜之未免不武。接下来直皖大战，他麾下的皖系兵多枪好，光大炮就比直系多三分之一，而且士兵发双饷，上阵有面包西瓜吃，但一个星期下来，稀里哗啦就败了。军事上不行，政治上就更没有什么可以说的东西了，当总理时跟总统闹府院之争，当执政(等于是总统)时却闹出了"三一八惨案"，灰头土脸地退出了历史舞台，最后得靠上海青帮头子杜月笙养着。此公玩政治跟他下围棋的感觉一样，都是志大才疏而又自命不凡。也许，正是围棋上的常胜，害了他。

看起来，身居高位的人，可千万别把自己那点玩意上的胜利看得太重。

“三不知将军”和他的诗

1925到1926年，是中国最黑暗的时候，也是张宗昌最牛的年月。多年寄人篱下的他，终于占据了山东和河北、江苏的一部，成为国内最有实力的军阀之一。张宗昌的得势，令北方数省的土匪流寇欢欣鼓舞，纷纷前去投靠，害得张宗昌的部队番号一会儿一变，越变越夸张，不长时间，十几路军就出来了，更加坐实了张宗昌不知手下有多少枪的传言。

在中国近代上千个大小军阀中，张宗昌要算名声最差的一位，文化程度最低，一天学没上过，人称“三不知将军”：不知道自己有多少枪，不知道自己有多少钱，不知道自己有多少姨太太。所谓的“不知”，实际上讲他这三样东西特别多。第一个“不知”，前面讲过，投奔他的土匪流寇太多，全凭投靠者自己报数，报一千增加一个团，报一万增加一个师，部队总是在扩军，确实没法统计得清。第二个“不知”也是货真价实，张宗昌的统治，是天底下最不讲规矩的统治，各种捐税和摊派，几乎无日无之，搜刮之酷烈，无人能及，而且没有其他军阀都或多或少都要顾及的乡土情谊，对自己的家乡也一样下黑手。过去相声界讽刺韩复榘关公战秦琼的事情，实际上都是他的原型（作为河北人的韩复榘，对山东倒还有几分怜惜）。除了搜刮以外，张宗昌还有一大宗来钱的路，就是公开地走私贩毒，其实这种事每个军阀都要沾，但都没有他张宗昌干得这样肆无忌惮。同样精于此道的小军阀孙殿英是个N姓家奴，跟谁都跟不长，就觉得跟张宗昌舒心。第三个“不知”自然也不是人家冤枉他，张宗昌的确不知道自己到底有多少个小老婆。张宗昌随身“携带”的小老婆就很多，据说是“八国联军”，有日本、韩国、俄国等好几个国家的，此公走到哪里都乐意将他的姨太太队伍带着，甚至出入外国使馆也不例外，张大将军屁股后面的一队马弁和一队姨太太，这是上过外国报纸的。除此以外，他老先生走到哪里都要逛窑子，看上哪个窑姐就带出去给他做老婆，租间房子塞进窑姐，外面挂上“张公馆”的牌子，再派上个卫兵，他张宗昌就算又多一位姨太太。不过，几天以后，这个姨太太就被忘记了，卫兵开溜，姨太太再做冯妇，重操旧业。此地的闲汉再逛窑子，总会叫：走，跟张宗昌老婆睡觉去！这话传到张宗昌的耳朵里，他也就一笑置之。

张宗昌虽说浑，但能在那个竞争激烈的时代里崭露头角，却也不能没有他的过人之处。头一条，有点歪心计。他张宗昌治军是一笔糊涂账，士兵既无训练，也无纪律可言，但他看准了那个年月中国军人都被洋人打怕了，看到高个子蓝眼睛的白人兵就打哆嗦，所以，趁俄国革命，东北充斥了流亡的白俄之机，收编了一万多白俄兵，每仗都令这些白俄打前锋，其他军阀的士兵，碰上这些丧家的洋鬼子也照样脚软，所以，张宗昌就总是赢，从东北一直打回自己的老家山东。其次是有点急智，当年在张作霖手下混事的时候，张作霖委托洋学堂出身的郭松龄整肃军队，郭早就想拿张宗昌开刀，一次视察张宗昌的部队，两下一碰，话说岔了，郭张口便骂，操娘声不绝于口。谁知张宗昌接口道：你操俺娘，你就是俺爹了！随即给郭松龄跪了下来，害得比张宗昌年轻好多岁的郭松龄红了脸，整肃也就不了了之了。显然，这种急智，还得配上过人的厚脸皮才行。

这样一位大字不识一个，粗鄙而且流氓到了家的军阀，如果有人告诉你，他作过诗，而且还出过诗集，你信吗？别忙着摇头，这是真的，谓予不信，先抄几首在下面：

其一，《笑刘邦》

听说项羽力拔山，吓得刘邦就要窜。
不是俺家小张良，奶奶早已回沛县。

笔者注：奶奶应读作奶奶的，以骂娘的话入诗，真是狗肉将军本色。

其二,《俺也写个大风歌》

大炮开兮轰他娘,威加海内兮回家乡。

数英雄兮张宗昌,安得巨鲸兮吞扶桑。

笔者注:起句妙,足以流传后世。末句开始拽文,估计是经过了王状元的修改,“吞扶桑”实际上是句当时流行的空话。

其三,《游泰山》

远看泰山黑糊糊,上头细来下头粗。

如把泰山倒过来,下头细来上头粗。

笔者注:此诗最合古人张打油风格,但有抄袭之嫌。

其四,《天上闪电》

忽见天上一火链,好像玉皇要抽烟。

如果玉皇不抽烟,为何又是一火链。

笔者注:只有烟鬼才有如此想象力。

据有关人士考证,在1925年张宗昌统治山东期间,曾经花重金,请出清末倒数第二科的状元王寿彭做山东教育厅长,并拜王为师,让这位状元公教他作诗,结果是出了一本诗集《效坤诗钞》(注:效坤为张宗昌的字),分赠友好。这位状元据说本来不该是第一,只因殿试的时候正好赶上西太后的生日,主事的人为了拍老佛爷的马屁,故意将个叫寿彭(寿比彭祖)的人提到前面,好让老佛爷第一眼就看见吉利的字眼,龙心大悦。按说,虽然清朝最后一科考的是策论,但混到了状元,帖试诗总是作得的,不知怎么,王状元待到教学生的时候,居然一色的薛蟠体。其实,就是不做这番考证,看着这薛蟠体的“诗”,读者大概也能相信,我们的张效帅,的确作过诗的。

其实,张宗昌当时不仅作过诗,而且还印刷出版过十三经,据看过张版十三经的印刷业人士说,那是历史上印刷和装帧都最好的十三经。在大印十三经的同时,张宗昌还让王状元整顿山东的教育,在学校里提倡尊孔读经，规定学校里必须设经学课，说是要挽回道德人心。看来，我们的张帅跟薛蟠确有不同，作诗不是和妓女戏子逗着玩，主要为了偃武修文。

耀够了武的有权有力者，总是免不了要弄点文，从小的方面讲，是他们总以为自家应该能文，甚至作诗，隋炀帝不是说过，就是跟士大夫们比诗才，他也应该做皇帝的。从大的方面讲，修文是为了更好的统治，毕竟，在中国这个“诗之国”里，修文或者能文的统治者，总是可以获得更多的统治合法性，因为“文”在古意里，也包含道德，修文也意味着以德治国。退一万步说，至少让众多的文人士大夫心里感到踏实——哦，原来上头的跟我们有同好！明朝的永乐皇帝朱棣夺了侄子的皇位，杀够了人（对建文的忠臣夷十族），于是有了《永乐大典》；扬州十日、嘉定三屠之后，清朝有了《古今图书集成》，有了《四库全书》。当然，到这个时候就用得着文人了，于是皇帝身边围了一群有能文能诗的“上行走”，有权的大臣身边有能文能诗的清客，人们围着一个中心诗酒唱和。传到我们的张宗昌了，身边来了一个状元公王寿彭，于是大家都不再稍逊风骚，不仅书编出来了，而且有诗传世。只是当年的乾隆皇帝留下了四万多首（写了可能有上十万），而张宗昌才薄薄的一小册，难怪康乾盛世总是那么让人看好，说也不够，写也不够，演也不够。

有权的人只要肯写，肯定会有人叫好，而且是哄然叫好，就像《红楼梦》里大观园刚建好，宝玉题诗的时候贾政的清客所做的那样，叫好必然搔到痒处。乾隆文思泉涌，逢事必诗的时候，自是喝彩声一片，当年张宗昌写出诗的时候，据说也反响异常，王寿彭就捻着胡子击节赞赏，还为之一一润色——估计是改错字。大家一叫好，能够始终保持清醒头脑也就难了，用不了多长时间，皇帝或者准皇帝都变了诗人，以为自己就是此中高手，再下去，天下的诗文好坏优劣，也都待皇帝的金口玉牙来评判了。于是，文网张开了，文字狱出来了。张宗昌虽然在写诗方面略逊于前朝的皇帝，但以言罪人的政绩，却不让古人专美于前，他和他昔日的主公张作霖，杀记者都有那么两下子。具有讽刺意味的是，这些武夫在忙于战事的时候，对那些乱嚼舌头的新派记者倒还能容忍，一旦开始吟诗作赋，偃武修文了，新派知识分子的脑袋也就有麻烦了。

清朝有人因写了“清风不识字，何必乱翻书”之句，丢了脑袋，那是冤枉的。我想，如果不是冤枉的，用来写成匾，挂在康熙、乾隆老儿的以及张宗昌的书房里，那该多好！

孙殿英和他的“麻将相术”

在近代的中国军阀中，孙殿英是个小角色，手下最多的时候，也不过两三万人枪，不过，他的名气却和实力不成比例，大得很。那多半是因为此公指挥军队掘了清东陵，把西太后从棺材里拉了出来，将随葬的财宝洗劫一空。孙殿英此举，除了将溥仪赶出宫的冯玉祥别有用心地说他是革命行为之外，招来骂声一片。以“国军”军长身份去盗墓，无论怎么说都忒不像话。

其实，此公本来就是个流氓，当年在豫西起家的时候，就盗墓打劫、贩毒走私、包娼包赌都干过，跟各路毒贩子和流氓都有交情。在他的军阀生涯中，有奶便是娘，谁的旗号都打过，但据他自己说，还是跟张宗昌的时候最惬意，估计是臭味相投，俩流氓碰到一块了。从1922年起家，到1947年栽在共产党的手里，孙殿英足足混了25年，其军阀寿命超过了大多数他跟过的人。其秘诀，用他的话来说，就在于他有一套过人的“麻将相术”(不是麻衣相术)。

孙殿英大字不识一个，但赌技非凡，凡是赌的招数，他都会，于麻将最有心得。掷骰子可以随心所欲，想要几点是几点，从不失手，麻将往桌上一摆，都用不着手摸，马上知道各家都有什么牌。下回香港再拍什么赌王的电影或者电视剧，实在应该以此公为蓝本才是。孙殿英的办公桌上，没有文房四宝，也没有手枪匕首，一年到头，总是摆着各种各样的麻将牌，从竹木的到象牙的都有。此公抽足了大烟，有事没事就拿手摩挲着消遣，就像老葛朗台摸钱似的。一般人赌技高是为了赢钱，但是孙殿英不是，人家自有别的来钱的道。他玩麻将，就是为了交际和相人。

用他的话来说，人在麻将桌上是最能看出秉性爱好来的。一圈麻将打下来，人是什么德行，爱好什么，吃哪口儿，弱点是什么，全都一目了然。反正不论是敌是友、上司下属、三教九流，孙殿英跟他们的交往过程都离不了麻将。饭后烟余，几圈下来，对方还蒙在鼓里，孙殿英可已是知己知彼了。这样一来，后面的事情就好办了，只要用得着，人家好什么给什么就是，反正余下来的招数肯定招招冲着痒处下家伙，不着道的少。所以，无论是北洋时期的河南督军赵倜，还是狗肉将军张宗昌，以及冯玉祥、阎锡山、张学良，甚至蒋介石和日本人，任凭他坏事做尽，还都能让他平平安安地坐在他的位置上。应该说，孙殿英的相术是灵验的，用不着去验证史料，只要我们费点心观察一下牌桌上各色人等的表现，也就一目了然了。平常的时候，人人都有假面，可一坐到牌桌前，就不由自主地原形毕露，动作加手势将内心暴露得干干净净，连流口水挖鼻孔这种不雅的小动作都不会去掩饰。

孙殿英玩麻将，不仅有相术，而且还有哲学，在他看来，政治跟赌博是一样的，无非就是把钱收进来，再把钱散出去。收得多，散得开，是玩大政治的；收得少，散得不开，就只好玩点小的。有没有道理呢？读者诸公自己琢磨吧。

“马桶将军”的用人术

王怀庆是在北洋军中老资格的将军，吃老米的时候，他已经是北洋军的协统(旅长)了。虽然此公长期以来位不过师长，但由于多年担任北京卫戍部队的首长，民国风云，什么事都赶上过，所以在民国史上还算有点知名度。北洋诸将很多都有外号，有好听点的，像吴佩孚叫“秀才将军”，冯玉祥叫“基督将军”，也有难听的，比如唐生智叫“和尚将军”，孙殿英叫“盗墓将军”，曹瑛叫“茶壶将军”(茶壶即妓院之杂役)，王怀庆就属于有不雅的外号的一位，人称“马桶将军”。

“马桶将军”跟马桶的确有亲和力，无论在什么地方，没有枪可以，没有马桶不行，一具漆红烫金上面写着斗大的“王”字的马桶总是不离左右。办公桌后面放的不是椅子，而是马桶，办公就在马桶上公干。行军打仗，得有一个班左右的人马抬着马桶随行。只要看到那只硕大而且鲜艳的马桶，人们就知道这是谁的队伍了。攻山头的时候，他的士兵打着上书“王”字的大旗往上冲，他坐在“王”字的马桶上督战，风景好得紧。

王怀庆喜爱马桶，是因为有便秘的毛病呢还是嗜臭如兰，我们不得而知，但是有一点是可以肯定的，此公在他的部下和北洋圈子里，并不像他心爱的马桶那样臭。王怀庆从1905年当协统(旅长)开始，到1924年随着直系军阀的倒台而下野(属于跟错了人，非统驭无方也)，在北洋高层混了近二十年，大旗不倒，比起他那些三五年就树倒猢狲散的同行来，简直可以称之为“长寿将军”了。这一点，说实在的，跟他的用人不无关系。

王怀庆的用人之术，说起来其实也简单，就是非老实人不用，挑兵不要市井之辈，越是山乡的农民越受欢迎，要脚上有屎，手上有茧。这一点似乎跟曾国藩练湘军有点相似，其实不然，当年曾国藩虽然重乡农，是用书生带乡农，而人家“马桶将军”，却根本不要书生。进入民国之后，军官学校的毕业生一天天多了起来，其中不乏喝过洋墨水的，但王怀庆一个也不收，说是不好管也不好用，他提拔的人，无论张三李四，都是穿了军装的乡农。不管多么脓包，只要满足一个条件就行，就是所有的军官都得无条件地忍受他的打骂。王怀庆每当要提拔某个人的时候，往往会无缘无故地当众将此人痛骂折辱甚至给一通拳脚，如果此人逆来顺受，唾面自干，那么第二天委任状就到了。时间一长，这个套路部下都摸熟了，只要谁哪天无故挨了打骂，其他的同僚就会赶紧让他请客，因为接下来人家就升了。

在北洋军阀时期倒戈、背叛随处可见的情形下，王大将军的部队确实像他心爱的马桶一样，固若金汤，不仅没有倒戈的，连捣乱的都没有。只不过，这种军队是不能打仗的，充其量只配在北京城里给达官贵人看家护院，连看家护院也没有看好，因为当时的北京治安也不怎么样。

稳定和效率是一对矛盾，如果过于追求稳定，结果自己所在的系统很可能就会变成一只大而无当的马桶，里面还断不了有味儿。

借佛法斗架的武夫

20世纪二三十年代，是个佛法重光的年月。在此之前，随着举国上下向西方学习，佛教大有倒运之势。西学东渐的副产品之一，就是佛教的式微。虽然佛教当年也是从西边来的，但在新的形势面前，已经变成东方的迷信，不仅西方的洋人看不上，就是中国的士绅也多拿它当祸国害民的累赘，辟佛的理学传统，在西学的接济下格外地强劲。打“戊戌维新”开头，新政变本加厉，无论是官方还是民间，只要是办学堂、开工厂，首先要拿佛寺开刀，全国上下，佛教庙产被侵夺者不知凡几，被迫还俗的和尚尼姑更是不知凡几。达官贵人，即使有心对佛慈悲，也是偷偷摸摸，一般不敢公开说话。

不想十几二十年过去，事情突然转了过来。世上有钱有势的人们，尤其是那些赳赳武夫们，不知怎么一来，对佛教又感兴趣了。和尚和居士，升为贵人的座上客，喇嘛与活佛，翻作武夫的帐中宾。大小法会东南西北一个劲地开，有求升官的，也有求发财的，更有求保命的。显然是军阀混战，命运多舛，大家不得不临时抱佛脚，管不管用暂且不说，至少能让自家的心里少点不安。

不过，只要佛法重光，就不可能仅仅充当武夫和贵人们的心理安慰剂，总是要将光芒溢出来点，照到本来不该到的地方。湖南这个近代出兵出将最多，仗也打得没完没了的地方，武夫们争钱、争地、争女人、争烟土，在用枪、用炮、用光洋、用烟土打仗都分不出胜负的时候，突然之间忽发奇想，比斗起佛法来了。

事情是这样的，20世纪20年代初，湖南的督军是赵恒惕。但是湖南这个南北冲突的四战之地，一向派系纷纭，大大小小十几个军阀，谁都没太把督军放在眼里，对赵恒惕构成最大威胁的是出身保定军校的唐生智。自从直系吴佩孚部撤出湘南，北上和皖系争天下去了之后，唐生智就占据着湘南小半壁江山，招兵买马，大力扩充实力，隐隐然有问鼎长沙之意。赵恒惕看在眼里，心里着急，但又没有胆子撤了唐的职务或者干脆派兵去打，最后花重金从康边请来了白喇嘛，在长沙开大光明法会，一方面打着为全湘祈福的名义收买人心，一方面借此拉拢湘中其他佞佛的军人，给唐生智好看。当然，如果佛真的发了慈悲，让唐生智从此倒霉，那自是再好不过了。

主公在长沙开法会，唐生智当然不会不明白其中的深意。不过，唐毕竟占的是相对贫瘠而且久经战乱的湘南，迅猛的扩军已经耗尽了财力，花不起钱请一个更大的喇嘛或者活佛来跟赵恒惕对抗。但是法毕竟还是要斗的，不斗的话，也许他的部队明天就会土崩瓦解，为众多参加大光明法会的群狼所吞噬。这时候，他的好朋友，湘中著名的佛教密宗居士顾伯叙顶上用了。他们的主意是，干脆令他的部队全体受戒，变成一支佛军，在深度上下工夫。为此，唐生智和顾伯叙两个，不辞辛苦地一个营一个营地走，所到之处大治佛堂，全体官兵一律身披袈裟，合十顶礼，由顾伯叙摩顶受传戒，受戒仪式完了，每人发给“受戒证章”一枚，一面书“佛”字，一面书所受的五戒，同时，由唐生智演讲佛法真义，说三身佛的含义是，清净为法身，慈悲为报身，忠义为应身。不用说，忠义是最关键的“佛性”。

还别说，虽然受戒之后，这群武夫该杀人还杀人，但凝聚力还硬是强了不少，在日后的竞争中，还真的就是唐生智占了上风。

不知道释迦牟尼在西边的极乐世界里，会作何想。

各大马路巡阅使

中国从来就不缺乏捞钱的官，但是纯粹为了捞钱而做官的人，其实也不多。因为多数的官大小还算是个读书人，即使谈不上修、齐、治、平，也多少得讲究一点面子。中国最后一个王朝的末年，这种人不知怎么猛然多了起来，先是蜂拥而至的捐班，然后是大大小小的武人。辛亥革命，大清王朝变成龟缩在紫禁城内的小王朝，武人变成最有权势的猛人，我们称之为北洋军阀。

我曾经说过，跟梁山好汉一样，北洋军阀大多数都有外号，有一个人的外号很特别，叫做“各大马路巡阅使”，此人名曰王占元。

王占元是袁世凯小站练兵时的老班底，但却既不骁勇也不善战，只因为老实听话而一步步升上去。自打袁世凯将黎元洪从湖北的地盘上骗走，到北京做光杆副总统之后，王占元就一直占着湖北，由护军使而督军而两湖巡阅使（辖湖南、湖北，但实际上管不了湖南）。此公手握重兵，占据要冲，而且还有一个全国最大的兵工厂（汉阳兵工厂），却在全国的政局变幻中无所作为。不打算问鼎北京也就罢了，连个地区霸主也不想做，一门心思稳坐武汉三镇刮地皮。那个时候武汉在全国的商业地位与现在不同，不仅九省通衢，而且商路北抵俄罗斯，南通广州，坐着就能发财。

王占元虽得地利，捞钱却捞得不高明。一般来讲，那年月做军官不喝兵血的少，但有了地盘变成军阀之后，往往会对兵客气得多。因为在军阀混战、竞争加剧的环境中，兵是他们赖以占地盘刮地皮的根本，是命根子。所以，宁亏老百姓，不亏一个兵，差不多是军阀们的信条。某些特别有野心的人物，比如吴佩孚和冯玉祥，甚至宁可让自己和家人过着比较清贫的生活，也要尽可能地多养兵，养好兵。可人家王占元不，不仅老百姓和商家的钱要刮，而且兵血也照喝不误，害得手下的士兵总是闹兵变。在20世纪20年代，全国数湖北兵变闹得最厉害，连外国人都看不过去，老是提抗议。

王占元如此做派，未免影响到他的实力。1921年，他的近邻也是他名义上管辖的地段上的湖南人，开始打他的主意，一连串凌厉的攻势打得他招架不住，不得已只好向刚刚打败皖系军阀、风头正劲的吴佩孚求救，结果是为了拒狼，接来了狼外婆，没奈何，只好夹起皮包走路。

还好，王大巡阅使事先已经将大部分刮来的民脂民膏和兵血，都转移到了天津外国租界，虽然变成了光杆司令，但钱还真不少。此公下野之后，随即置办产业，一时间，天津租界各大马路上，遍布王家的店铺和房产。王占元从此不问政事，专心经营，天天挂着一长串钥匙，巡行在各大马路之间，因此人送外号：各大马路巡阅使。

清末民初，是个传统意识形态堕落，而新的意识形态又没有能建立的年月。原来的道德追求随着王朝和天下的覆灭而七零八落，新的价值观又没有在民族国家的痛苦建设中确立起来，国家状况似乎又很是不好，所以，不择手段地弄钱，成为许多政界人物唯一的选择，也是他们心理最后的依靠。为了能够尽快尽可能多地弄到钱，他们可以向进城挑粪的农民要捐，可以把田赋预征到2010年，甚至不惜自挖墙脚，把手伸到自己麾下的士兵口袋里。有了钱，就赶紧存到租界的外国银行，即使这些银行不给利息，反而要收保管费也在所不惜。他们看不到中国的前途，也不想做点什么来为自己的祖国争取一个好一点的未来，所作所为，只是在准备后事：一旦国家崩盘，就逃到租界或者外国。

神仙治军

说到民国时的四川军阀，不能不提到刘湘这个人。刘湘其人据说很木讷，土得掉渣，不仅没有开过洋荤，比如像他的同房小幺叔刘文辉那样出身日本士官学校，而且连个四川的速成军官学堂几乎都念不下来，还是靠了老师的格外开恩，才得以毕业，挎上了东洋刀。川人从来勇于内斗，四川军阀自蔡锷讨袁始，就打个没完。虽然开始打的时候像演川戏，开仗之时总免不了有大批好事的市民扶老携幼前来观战，但打到后来，也是刀刀见血，枪枪死人。不过命运好像特别垂青刘湘这个笨人，四川的所有“牛人”，有些甚至够得上国家级的牛人，竟统统败在了他的手下：熊克武、刘存厚、杨森、邓锡侯，甚至连他吃过日本生鱼片的小幺叔，也在一场大战之后，退到了西康。可以说，自袁世凯以来，在成都这个地方做土皇帝的人不少，但屁股坐得最稳的，还是刘湘。

说到刘湘的成功，有一个人不能不说，此人姓刘，名从云，川人称为刘神仙。他的出名因两样东西，一是创立了一个名叫孔孟道的教门(可能是一贯道的一个变种)，道徒甚众；二是扶乩请神据说格外灵验。民国是个各种黑社会组织公开化的时代，各种秘密宗教纷纷登台，敢创教的人，多少得有点“法术”，不是打卦扶乩，就是气功治病。刘从云恰恰在两方面都有点名气，所以，自1925年开门，道徒就挤破门，刘湘也是在这一时期入的教。

当时，刘湘已经是四川王了，投到刘神仙门下，完全是因为神仙扶乩打卦准。自打入教以后，刘从云事实上成了刘湘的军师，所有的军政要事，都要经神仙通过乩盘来决定。也不知是神仙真的有神术，还是他阅历丰富，见机得准，或者是他门徒众多，耳目广，信息特灵，反正刘从云的乩语很是灵验，至少在刘湘那里比较灵，说这个事能成，八九不离，说这事不成，就是大费周章。特别是刘从云还成功地预测过一次以杨森为首的若干川军将领对刘湘的挑战，使得刘湘占得先机，大获全胜。

不过，即使是神仙，在得意之余，也难免有忘形的时候。很快，在以刘湘为首的四川军政要员的追捧下，刘神仙不再安于神仙府里的研究“预测学”，要直接插手军政事务了。先是编练了一支“神军”，一个师的建制，全由他的道徒组成，枪炮固然也要，但人家的特技是练刀枪不入的法术，跟义和团似的，惹得外面都传说刘湘有陆、海、空、神四军。在围攻川陕红军的时候，刘湘对刘从云的迷信达到了极点，居然让他当了军事委员会的委员长，统一指挥六路围剿大军作战。当刘神仙身穿道袍，手执拂尘，将乩盘并扶乩的童子搬进指挥部之后，不仅让各级将领向他叩头，害得向来不信教的杨森老大委屈，而且总是拿乩语当军令，出发要良辰，开仗要吉日，行军路线都要按照他指定的“行军大吉”的方向。当然，军事地图他是看不懂的，所以有时部队居然走到了悬崖绝路上。显然，这样的总指挥是不可能不打败仗的。六路围攻一败涂地，刘神仙也只好夹起乩盘走人。

但愿那些求神仙的人和神仙本人，能记住当年刘神仙的故事。

昔日南天王

眼下是出高人的时候。几年前就老是听说哪个哪个地方官，找高人卜卦，经高人指点，修了条本来可修可不修的路，盖了座可盖可不盖的楼，甚至改了本来不该改的大门，结果官运亨通。开始还有点不信，架不住总是类似的消息传来，有的还见了报，最后，发现连自己认识的一些官员，也搅在找高人、占卜、改动外部环境以求升官发财的三部曲里，不由你不信。

人有没有命运？人的命运能不能靠当事人弄点小花招就变得面目皆非？说不好。不过，这“高人指点”的事倒是让我想起，在不太远的过去曾经发生过的一个故事。20世纪30年代，统治广东的南天王陈济棠心高志广，对屈居蒋介石国民党中央政府的名下，一直心有不甘。这时候高人出现了，告诉陈济棠，如果把你家祖坟迁个好地方，肯定不会屈居人下。见陈动了心，高人进一步支招，说是洪秀全家的祖坟风水特好。于是，南天王一声令下，洪家的祖坟动迁，陈家祖宗的枯骨由此鹊巢鸠占。迁了祖坟之后，效果如何，史无记载，但至少陈济棠没有升官是可以肯定的。

时间到了1936年，得到广西李宗仁、白崇禧怂恿，和祖坟搬家双重鼓舞的陈济棠，在准备公开反蒋，但又举棋不定的时候，又想起了高人。于是请高人扶乩，请神说话，忙活半天，得乩语四个字：机不可失。于是乎南天王心雄胆壮，打出反蒋大旗，兴兵北伐。可是兵尚未动，陈济棠赖以自豪的广东空军，一股脑儿反出南天，飞到了南京；接下来，他名下的陆军也相继离散，南天王变成孤家寡人，只好夹起细软走人，躲到了香港。到了这个时候，陈济棠才悟到，原来“机不可失”的意思是：飞机不可失。既然如此，那高人为什么不早说呢？再找高人，高人已杳如黄鹤。其实就是找到高人也没有用，人家会说，天机不可预泄。

又过了几年，太平洋战争爆发，日军进攻香港，在重庆的国民政府派飞机来香港接知名人士，名单中就有陈济棠。大概是老蒋担心陈跟日本人搞在一起，对他不利，可是同在香港的孔二小姐偏不领会姨夫的心机，硬是把上了飞机的昔日南天王扯了下来——因为飞机要运她的狗，德国黑贝。唉，如果当初不听高人指点，南天王何至于命不如狗。

古人云，国之将兴听于民，国之将亡听于神。其实，一个家族，一个团体，都是如此。——不，古人的话需要修正一下，实际上不是听于神，是听于“高人”。

辫帅的人缘和地缘

军阀大抵有外号，张勋的外号是“辫帅”，因为他在进入民国之后，还坚守自己脑后的辫子。其实，当时留辫子的军阀还有一些，某些西北的小军阀包括北洋老将姜桂题，都拖着辫子，但只有张勋被称为“辫帅”，大概由于他不仅自己留，麾下一万多定武军都留辫子的缘故。

张勋在历史上，名声不好。在一个进化论主导的时代，痴迷地留恋前朝皇帝，不仅在身体发肤方面身体力行，而且操练出了一场复辟大戏，弄得北京城一时间满街都是辫子。如此作为，想不挨骂，难。不过，国家大事不见得人人都关心，进化论其实只是知识精英的意识形态；中国人看人，还是人品、秉性这一套，就当时而言，在某些人眼里，张勋是个憨憨的实心眼汉子。尽管张勋净闹反动的事，军阀圈子里很少有人说他不好。跟张勋关系最铁的，要数号称讲义气的胡帅张作霖，张勋复辟之后，成了众矢之的，只有他一直在为张勋说好话；直皖战后，胡帅在北京政府有了说话的份额，就闹着给张勋平反。当然，秦桧还有两个好朋友，武夫之间的交情也许算不得数。但是，在北京的梨园，张大帅的口碑也相当不错，人人都说张勋的堂会，给钱多，和气，不要武人脾气，不强人所难。

其实，最喜欢张勋的，是江西人，尤其是江西奉新县的人，而张勋的家乡奉新赤田村的乡亲们，男女老幼，个个都爱死了他们的张大帅。民国时期，北京的江西会馆、南昌会馆，都是张勋建的，奉新的会馆，居然建了五个。江西会馆要算是北京最豪华的西式建筑中的一座，不仅有洋楼花园，而且能自己发电，在里面唱戏，从来都是灯火通明。在北京求学的江西籍人士，只要求到张大帅名下，没有不给钱的，至于奉新的大学生，个个都被张大帅养着，吃穿度用，一切包圆。赤田村的老乡，张勋每家奉送大瓦房一座，缺什么，张嘴说话，张大帅管。每逢过年，到张勋驻地徐州的火车上，塞满了江西的老表和老表们的乡音，那是上张勋那里去拜年的喧闹。当然，拜年不白拜，除了白吃白喝之外，还能带点银子走。

在那个时代，但凡是个军阀，就都在乎乡谊。曾任山东督军的张怀芝说过，刮地皮也得在外省刮，即使做了土匪，也不在家乡作案。湖南军阀何键“非醴勿听，非醴勿用”(何是湖南醴陵人)，阎锡山则“学会五台话，就把洋刀挎”(阎是山西五台人)，张作霖“妈拉巴子是路条，后脑勺子是护照”(张是营口人，妈拉巴子是营口人的口头禅，而后脑勺子是营口人的体貌特征)。在战乱年代，作为一个军事集团的头目，借助血缘和地缘纽带，捆绑自己的集团，一点都不奇怪。不管怎么说，还是自家人靠得住；所谓的在乎乡谊，就是用自己的家乡人为自己修筑一道坚固的城墙。不过，奇怪的是，张勋对老乡好，却并不让这些人到自己队伍里来做事，他的辫子军并不是他的家乡子弟兵。也就是说，张勋跟他的同类不一样，他的重乡谊，没有多少实用的功利目的在里面。

实际上，尽管张勋混得地位不低，但始终只是一个乡下的土佬，对乡亲施恩，既是富贵还乡的另一种表现形式，也是照顾乡里的一种古老习俗。一个外国记者采访过他，回来说，张勋绝不是一个政治家，倒更像一条凶猛的看家狗。的确，张勋就是这样的一条愚忠的狗，忠于清室是愚忠，重视乡谊是愚善，所有的感情投放，都有一个文化习俗划定的对象，走到哪里，爬得多高，都难以改变。也正因为张勋的“愚”，兵微将寡的他才成了督军团的盟主，自己还以为是众望所归，被大伙“忽悠”得一头扎进了北京，为段祺瑞赶走黎元洪火中取栗还不自知，以为可以借机实现自己的理想，恢复大清江山，他做“中兴”第一人；待到全国一致声讨，段祺瑞组织“讨逆军”打回来，才气得直跳脚，不仅丢了作为命根子的军队，还落了个复辟的恶名。

这样的张勋，在江西人那里，在奉新县，当然有人缘，即使他后来身败名裂，还是有人念他的好。不过，这样的人缘，我们在江苏北部的张勋驻地，却找不到。显然，张大帅的乡情是有代价的，而这个代价是由徐州和海州一带老百姓来支付的。

前头捉了张辉瓒

张辉瓒在军阀时代，不算是大人物，他的出名，主要由于他是国民党对中央苏区第一次大规模“围剿”的前敌总指挥，而且一败涂地，受过毛泽东诗词的“表彰”。清末湘军兴起以来，湖南出将军，但战事也多，外面的人打还不够，自己关起门来打。北洋时期，就数湖南军阀的派系多，有赵（恒惕）派、程（潜）派和谭（延闿）派，后来赵派中又分裂出唐（生智）派，湘西还自成一个系统，谁也不理。张辉瓒就属于势力最弱的谭派的一个小小的师长。那个年月，军长、师长、司令遍地都是，有两支枪就可以充司令，一支手枪自己拿，另一支长枪卫兵扛。谭派在湖南，多数时候在野，甚至四下流浪，寄人篱下，所以，这种师长能有多少军队，天才知道。当然，张辉瓒还比较幸运，由于主公谭延闿站队正确，选择了国民党，在国民党内又选择了蒋介石，所以，在协助蒋介石打败了政敌唐生智之后，谭派居然在湖南当家做主了，虽然此时谭延闿已经将军队交给了部下鲁涤平。

在谭延闿短暂的主政湖南期间，论功行赏，张辉瓒曾做过一任湖南的警察厅长。说起来，张辉瓒也算是个读书人，日本士官学校的毕业生，向有儒将之名，所以，在警察厅长任上，很是出了一回风头。据说有次设计抓了一个很伤风化，却又在政界很有靠山的老鸨，将其就地正法，还附了一篇骈四俪六的判决书，很是让遗老遗少们兴奋了一阵子。在跟鲁涤平之后，对付打算跟蒋介石叫板的唐生智，抄后路，也抄得不错，害得唐生智兵马未动，就已经四分五裂崩溃了。

不过，此公跟红军打仗却运气很差，第一仗就被歼灭（师部并两个旅），自己做了俘虏。幸好由他小舅子朱耀华率领的一个旅，见机得早，开溜及时，不然后来为他修坟的人都没有了。被俘之后，据红军的叛将龚楚说，张被带到了朱德那里，朱德表示要办一个红军学校，让张来做教授。张辉瓒还见到了同乡毛泽东，张口便称润之先生，彼此还叙了旧，他们原在大革命时期的广州相识，毛还到湘军做过演讲。张辉瓒表示，可以给红军捐献药品和弹药。据郭化若回忆，毛泽东当时显然没有要杀张辉瓒的意思，双方谈得还不错，而且张的利用价值还挺大，至少对红军的装备改善会有帮助。可是，毛泽东见过之后，不知怎的，张辉瓒就被拉去开公审大会了，会后，张辉瓒的头被割了下来，放在一块木板上，顺赣江放了下去。这颗头，后来被葬在岳麓山，蒋介石送了一副“呜呼石侯魂兮归来(张辉瓒字石侯)”的挽联。坟就安在跟黄兴和蔡锷的坟很近的地方，规模也差不多，当然，这坟，现在的人们是看不到了。

小时候，我中学有个很好的朋友，父亲是朱耀华的后人，跟张辉瓒有亲戚关系，由于不满于现实，而倾向革命，后来却被发配到了黑龙江的北大荒。他和父亲，一直都在为张辉瓒背黑锅，混都混不过去，因为那是领袖诗里提到的反面人物。在“文革”期间，革命小将见了他家的人，就会背诵：“齐声唤，前头捉了张辉瓒。”

记得有位著名的历史学家说过，在历史上，凡是跟共产党作对的人，不管你出身有多么高贵，身份多么高雅，下场都很惨。这话不一定全对，但对于某些人来说，却千真万确。张辉瓒，就是这样一个很惨的人，很不幸参与了第一次“围剿”，很不幸碰上了毛泽东，碰上了毛泽东又不赶紧逃，还逞能孤军深入，更不幸的是大名被毛泽东的诗记录了下来，想不遗臭万年，难！

性格武夫

偏不说自己是俘虏

叶名琛在历史上，已经被定位为带有强烈贬义的“怪人”。洋人打上门来，只管关起门来扶乩请神，在僚属面前，装得什么事都没有，学谢安以示“镇定”。可惜，等不来“小儿辈破贼”，等来的却是鬼子进村，洋人打破了大门，把他抓了去。当时人就说他“不死，不降，不走；不战，不和，不守，古之所无，今之罕有”。

然而，换了我们，如果处在叶名琛的地位，又能怎么样呢？战，没有本钱，和，没有授权，守，自然是守不住。走（逃）的话，清朝法度，地方官守土有责，如果弃城而走，日后是要掉脑袋的。一介县令尚且不能逃，何况堂堂的两省总督？走尚不可，降就更不行了，自己丢人不说，家族的脸面都没了，多少年多少辈抬不起头来。当然，死是可以的，只是一来，洋人的炮弹没长眼睛打到总督大人；二来叶名琛自诩名臣，有“疆臣抱负”，要为朝廷分忧，国家外患未了，不能死。再说，如果说叶名琛表现不好，那么当时有谁表现好呢？广东巡抚柏贵，在洋人据城之后，依然开衙视事，按洋人的旨意行事。僧格林沁倒是战了，冒充土匪攻击人家使团在先，在八里庄的平原上摆好队伍跟洋枪洋炮对阵在后，换来的，不过是自家士兵的屠戮和京师的沦陷。

广州城破之后，叶名琛做了俘虏。洋人还算“文明”，没有给我们的总督大人五花大绑，上铐带镣，甚至连碰都没碰他，还让他带上日用品，甚至食用的粮食并若干仆人，因为叶大人既不打算吃洋人的饭，也不打算用洋人的东西，当然更不用说使唤印度人了。就这样，叶名琛被带到了船上，一路漂泊，到了印度的加尔各答。在那里，叶被关在一栋小楼里，每天写字作画，以海上苏武自许。据说，他的钤有“海上苏武”印章的字画，大半都送给了洋人（这成为日后国人鄙夷他的一个重要理由），是否真确，不好说，可是有一点是可以肯定的，那就是他老人家只吃自己带去的粮食，一年后粮食吃光了，他便不食而死。这时候中国和英法联军的战事尚未结束，国内的反叛遍地烽火，朝廷上下焦头烂额，自然没人想起这位海上的苏武。

按说，死在加尔各答的叶名琛，如果非要类比哪个古人的话，往好一点说，倒更像不食周粟的伯夷叔齐，因为他真的不食“洋粟”死掉了。虽然同在异域，苏武是汉朝的使节，被扣押在匈奴，放了十九年的羊，叶名琛是清朝的疆臣，城破做了俘虏，两人的境遇好像根本挨不上。不过，仔细想想，叶的自许也不无道理。按清朝的制度，虽然总督实际上是疆臣，但名义上却是上面派下来的中央官员，而两广总督，一向是负有跟洋人打交道办交涉的使命的，在鸦片战争之后，这种职责更是明确，所以，叶也可以说是具有使臣的身份。作为使臣办交涉而交涉不明白，进而被野蛮的洋鬼子扣押，所以，他当然是苏武，为了不辱使命，打定主意不食“洋粟”，可是加尔各答没有羊可牧，带来的米又不够多，只好不食而死了。

叶名琛的“怪”，事实上是两个文化差异巨大的世界碰撞之初很容易产生的现象。当时的中国人，实在不知道该怎样跟洋人打交道，“刚亦不吐，柔亦不茹”，人家软硬不吃。打又打不过，谈吧，又不是一种话语体系，自己很是放不下天朝上国的架子，心里总是拿洋人当本该给自家进贡的蛮夷。就是在叶名琛被俘的同一场战争中，英法联军派出的使者同样被文明的大清扣了，关在天牢里，罪名一项居然写的是“叛逆”，分明是人家都兵临城下了，还拿人家当自己的属国。当时的皇帝和满朝文武，其实没有一个比叶名琛更明白，更有章法。从这个意义上说，真正可笑的算不上不战不和不守，后来又以海上苏武自居的叶名琛，而是那个咸丰皇帝和那个看起来十分强悍的蒙古亲王僧格林沁。叶名琛之所以看起来可笑，仅仅是因为他的处境。他不幸的是一个特别有抱负的旧式士大夫（科门高第，翰林出身），却撞上了新时代的门槛，他绝非贪生怕死之徒，但却遭际了比死还屈辱千百倍的难堪，换来了百多年的笑骂（早知如此，还不如城破时一刀抹了脖子，这个胆子，我想叶名琛是有的）。虽然算是清朝大员中第一个坐过洋船的人，又在洋人的地盘上生活了一年有余，但是他到死也没有明白他的对手是些什么人，只有按照古书上的古人模样行事，学伯夷叔齐，自许苏武，即使是把字画给洋人，其实也算不得失节，因为那毕竟是洋人自己来讨的：在洋人看来是好奇，在叶名琛则是教化——让这些蛮夷见识点中华文化。

我没有为叶名琛翻案的意思，作为历史人物，叶名琛其实无案可翻，他做的事情，没有被历史给添加过什么，有过多少污蔑不实之词。只是，在那个时代，他没有做错什么，他的被人笑骂，除了他自我的不甘平庸之外，仅仅是由于暴露了在那个文化碰撞的时刻，因为隔膜所致的可笑，这种可笑，任何一个民族都在所难免，只要你赶上了那种时刻。

在叶名琛的故事发生后不久，洋人打进了北京，我们的“天朝上国”终于在刺刀下放下了架子，被人强拉进了人家的世界体系。不仅允许外国使节驻扎北京，而且成立了第一个专门应付西方的“外交机构”——总理各国事务衙门。从那以后，如何跟西方打交道就成了国人长期的难题，李鸿章的“打痞子腔”和曾国藩的“以诚相待”，用在洋人身上其实都有点不合时宜。由这个难题而引出的现代性变革，波澜起伏，起起落落。其间，叶名琛的故事一直是作为笑话存在的。不知道有没有人想过，那其实不是一个笑话，而是一个遗传了百多年，至今在我们身上阴魂不散的悲剧。

来了假冒的孙天生

辛亥革命武昌起义爆发后的一天，扬州城里来了一队散兵游勇，为首的用一匹白绸裹身，手里拎着一支手枪，大摇大摆地冲进盐运使衙门。清朝的命官早已不知去向，兵勇们乃喝令衙门里的胥吏打开库房大门，士兵每人抓了几个元宝，四散而去。剩下为首者和几个随从没有走，端坐高堂之上，看着眼前的元宝发呆。这时候，以为是革命党人破城的扬州绅士，派了几个代表前来打探，一通作揖并恭维之后，见为首的人整个话说不出几句，不像是个有来头的，但又不敢造次(怕万一真是革命党)，出于对城市秩序的担心，于是要求为首的人出安民告示，免得秩序混乱。为首者觉得有理，遂一把拉过来随绅士代表来的巡官，硬是让人家来办，巡官无奈，只好胡乱写了个告示，没有大印(盐运使已经带走了)，就拿巡官的木戳顶杠。——市面上哄传，扬州就这样革过命——“光复”了。

没过几个时辰，有好事者查出了为首者的底细，原来他不是什么革命党，仅仅是城外的一个闲人，名叫孙天生，在城外妓院做茶壶(杂役)。那时节革命党习惯在妓院里筹谋革命，孙天生大概是由此听说过革命党的只言片语，知道孙中山是革命党的首领，刚结识了几个巡防营的老总。武昌起义炮响，沿江震动，孙天生贼心陡起，于是跟这些老总谎称他是孙中山的族弟，奉命前来光复扬州，大家可以一起发财。老总们哪管真假，一哄而起，抄起家伙，就跟着孙天生进了城。

巡防营的士兵们发了财，一哄而散，有的钻进了妓院，有的去大吃大喝，有的回了家。孙天生毕竟是首领，不像这些丘八这样短视，他没有走，虽然安民告示出得不伦不类，但并不耽误他抖威风。——每天骑着高头大马裹着白绸子巡行街巷，还把盐运衙门里的家具什用之类的东西丢出来，让市民拣，说是革命嘛，我发大财，你们发点小财。

就这样，一个俗称龟奴的闲人，做起了扬州的都督。

可惜，孙天生的幸福生活没过上几天。大概处在高处之后，他做茶壶的历史暴露得比较充分，或者这种手下没几个兵的都督（他也不知道招兵买马）难以服人，或者干脆是扬州的绅士们对这个小流氓当政不放心，反正有好事者请来了昔日横行江上的盐枭（贩盐的首领），已经被招抚为官军，但依然横行江上的徐宝山（绰号徐老虎）。徐老虎带兵进扬州，孙天生做了阶下囚。在各地纷纷独立的声浪中，徐老虎没有当为朝廷平叛的英雄，而是接茬做扬州都督。当然，第一任的都督孙天生被砍了头，临刑前孙天生大叫："老子也做了三天的皇帝，够了！"不失为一条江湖好汉。辛亥革命扬州的光复，从今天的角度来看，无疑是场闹剧。不过即使是闹剧，也确实是对清朝政府的一个打击，只是这个打击居然仅仅来自于一个街头无赖，委实让人感到滑稽。一个长江上的重镇，一个号称盐商大本营的财赋之地，竟然在革命党连影还没有的时候，一个妓院的茶壶带几个散兵一嚷嚷，就变了颜色。当时扬州最大的官（也是清朝最著名的肥缺）两淮盐运使增厚（满族正红旗人），闻听有革命党进城，从西花园翻墙而遁，一溜烟跑得无影无踪。同为满族同胞的扬州知府嵩峒，还算有点志气，据说投河自尽了，可惜没有死成，获救之后也不知所终。需要一提的是，这两个人，或"死"或逃，都是连孙天生的影子还没见到就做出的选择。

辛亥革命扬州的光复，相比起武昌起义、革命联军攻占南京，不过算件小事。可是恰是这件小事，却告诉了我们，这场革命和当时政局的某些不易为人觉察的内容。首先，我们发现，在那个时候，时局相当动荡，人心也相当不稳，清朝统治的合法性，受到严重质疑，但是一般被认为是受挑战者的革命党的影响，却没有后来人们想象的那样大。扬州所处的长江三角洲地区，距离上海如此之近，风气开化，不缺乏新学堂和新知识，但是一般市民（包括绅士）对于革命党是怎么回事，几乎一无所知。大家（包括冒充的孙天生）都以为革命党就是白盔白甲，为崇祯皇帝戴孝、以反清复明为宗旨的洪帮（虽然革命党经常借助帮会，而且各地的起义，也经常有人身穿白衣，打着白旗，但很少听说有人宣称自己是为崇祯戴孝的)。市民们显然没有将以孙中山为代表的革命党人，跟一向号称反清复明的洪帮区分开来，大概也没有能力分开。不仅如此，甚至还有人传说，革命党就是大伙“合一条命的党”；而且在传说中，革命党往往变得非常地厉害，说是他们可以将炸弹吞进肚子里，到时候一按机关，人弹齐炸(将现时中东的人体炸弹提前了近百年，而且更神)。市民们(包括部分的绅士)将革命党传得很神，虽然说对破坏满人官僚的神经大有作用，但对自己的分辨真伪，却没有什么好处，结果是让孙天生这样的混混钻了空子。当然，流氓无产者，一般都不会放过这种机会的，他们的动作往往比革命者更快。

其次，扬州城的满人官员，也实在是废物得出乎人意料。作为一方政府首脑，身边怎么说也有几个兵，还有若干民壮和捕快，怎么会连革命党的影子还没见到，就闻风跳河或者逃之夭夭，连起码的责任都不想负，也不敢负。要知道，当时的天下，毕竟是他们满人的天下，闻警即逃，怎么对得起祖宗？可是，综观辛亥革命的大局势，类似的事情还真有不少，类似的饭桶官员，还不止这两个。处于很关键位置的湖广总督瑞澂，起义的新军士兵一发炮，马上挖墙逃出总督府(大概由于总督府的院墙比较高)，一溜烟上了停在江上的军舰。瑞澂一走，第八镇统制张彪心里发慌，他本是张之洞的娈童(张之洞雅好男风)，本事有限，装模作样地抵抗了一下，也溜了。其实，当时的起义者根本就是群龙无首的一群乌合之众，稍微像点样的革命党领袖，已经因汉口租界的据点暴露，非死即逃。士兵们之所以起事，不过是因为传说革命党据点的暴露，使新军里革命党的名单已经落到了总督手里，总督将按图索骥，搜捕党人，因此所有跟革命党人沾边的人，都人心惶惶，正赶上有军官态度不好，面露狰狞，结果激成事变。如果总督大人能够稍微坚强一点，坚持几个小时，等叛军自溃都不是没有可能的。这个瑞澂，据说是鸦片战争中背了卖国黑锅的琦善的孙子，乃祖虽说名声不佳，其实倒算是个有见识、有胆略的明白人，至少人家还敢跟洋人打交道，也敢负责。不想到了孙子辈上，竟然如此废物，活生生断送了大清江山。当然，瑞澂草鸡不中用，别个满人官僚的作为也好不到哪里去。革命中，原本作为弹压各地的驻防的将军和副都统们，大多非死即逃，只有杭州和西安的满城，才在种族灭绝的威胁下，做了一点抵抗。荫昌贵为陆军大臣，受命镇压起义，连前线都不敢去，军队不战，则束手无策。号称能吏的端方，带兵入川，镇压保路运动，结果半路上就被自己带的士兵抓了起来；端方不仅没有一点满人大员的骨气，反而拼命求饶，说自己本是汉人，姓陶(他的字为陶斋)，原籍浙江，先辈后来才投旗效力的。但是依然没有用，起事的士兵手起刀落，端方大人丢了性命又丢了人。革命党人彭家珍一颗炸弹炸死了良弼，结果朝廷上下风声鹤唳，满朝的满官，如鸟兽散，连个上朝的人都没有了。在事关满人命运的紧要关头，上上下下的满人官僚们，居然连一点像样的挽回努力都不愿意做。当瑞澂弃职逃跑的消息传到北京，内阁总理大臣奕劻力主将之拿办，隆裕太后不同意。奕劻说，这封疆重臣，弃城逃跑，在祖制是要杀头的！谁想隆裕却说，庚子那年，咱们不也是逃走的吗？这些满人亲贵，不仅没用，而且自己原谅自己，江山想不丢都难。

过去学近代史，到辛亥革命这段一直感到诧异。同一年内，春天，革命党人倾尽全力准备的广州起义，孙中山在外筹款，使尽了浑身解数，黄兴在内筹划指挥，也用尽浑身解数，全国各地革命党的精锐，齐聚羊城(号称八百先锋，实际来了五百)，身为革命党第二号人物的黄兴亲冒矢石，带头冲锋，浴血奋战；结果呢，一败涂地，只留下了黄花岗七十二烈士的美名。秋天，一群群龙无首的士兵，一哄而起，居然拿下了九省通衢的武昌，然后全国响应，清朝统治如汤泼雪般地瓦解。这其中的道理何在？有人说，这是因为中部革命党人新军的工作做得扎实，所以才能一举成功。可是为什么做扎实工作的人自己都跑掉了，等到大事已毕才回来，结果群龙无首的士兵已经推举跟革命一点关系都没有的黎元洪做了大都督，真正的革命党只好屈尊于这个黎菩萨之下(黎元洪最初一言不发，人称黎菩萨)，难道他们连自己都对自己的工作没有信心？明知道党人名册已经落入敌手，却连布置撤退的起码工作都没做，丢下自己的兄弟不管了，这工作无论如何都不能算“扎实”。还有人说，由于保路运动使得武汉新军被抽调了两个团(标)前去镇压，所以使得驻汉新军中的革命党人势力增加，因此得以一举成功。可是历史的事实是，恰是调走的两个团革命党人更多，也正是因为如此，带队的端方才丢了性命。

其实，辛亥革命的成功，最主要的功劳是清政府。本来，自1903年开始的新政，虽然行进艰难，但还是有成效的。尤其是清政府宣布预备立宪，让朝野温和的改革派(立宪派)和地方实力派(这两者有难解难分的关系)很是欢欣鼓舞，以为不仅可以稳步推进改革，而且可以正当地分享权力。然而，在这个过程中，1908年光绪和西太后相继死去，朝政中枢由一班满族少年亲贵所控制，这些少不更事的纨绔子，上台伊始就做了两件大事，正是这两件事断送了清朝的性命。这两件事，一是将散在汉人官僚手里的权力，收到满人手里，改变自同光中兴以来汉重满轻的权力格局；一是将地方的权力收归中央，改变外重内轻的政治格局。具体表现为将袁世凯赶出朝廷，成立满人皇族内阁，以及收回地方的路矿权(激起包括四川保路运动的收回四川铁路修建权的行为)。

驱逐袁世凯，以往的史学家往往沿袭晚清笔记的说法，以为纯属摄政王载沣为自己的哥哥光绪的复仇之举，其实未必。如果载沣真的有心为哥哥报仇，何不在西太后的安葬问题上做点文章？不至于鞭尸，但削减规模总是可以的。如果载沣这样做了，政治上肯定得分。光绪的最大政敌其实是那个老太婆，正是她让光绪过了十年人不人鬼不鬼的生活，不到四十岁就饮恨黄泉，居然死在七十多岁的西太后前面。袁世凯戊戌是否告密，是个没有档案确证的事情，何以见得光绪就真的恨死了袁世凯(野史上的话，怎见得句句是真理)？载沣拿袁世凯开刀，其实无非是看上了他手中的军政大权，必将之夺到满人自己手里而已。原来都认为是袁世凯死党的庆亲王奕劻,之所以没有从中特别地作梗,而且后来得以贵为皇族内阁总理大臣,显然也有满人遵行满人政治的逻辑。无疑,这是这些满人少年亲贵们所犯的最大错误之一。当时中外公论,张之洞和袁世凯并为晚清中国最重要的政治人物,张之洞行将就木,而袁世凯年富力强,批评他不学也罢,好玩权术也罢,但毕竟人家还有术,而且也有人望。驱逐袁世凯,而且找不出任何像样的理由,硬说人家有"足疾",强令回家"养疴",不仅难以服人,寒了一大批汉人官僚的心(虽然袁的政敌感到快意,但其中也不乏狐悲兔死之感),而且导致中枢失去了重心。年轻的时候读《三国演义》,读到袁绍兄弟组织讨董卓联盟,由于袁家兄弟处事不公,先是孙坚走了,金圣叹批道:走了一个有用的人。接着曹操也走了,金圣叹又批道:又走了一个有用的人。晚清此时的局面大体类似,袁世凯走了,张之洞不久也死了,一干满人亲贵完全掌控了中枢,权力是收回了,但局面却不可收拾了。

至于皇族内阁,则伤了更多的人,立宪派的一腔热血,被劈头浇了整整一大桶凉水,凉到底了,不仅是粉碎,而且是羞辱了他们立宪的期盼。至于收回路矿权,更是将连立宪理想都没有的地方实力派一并伤掉了。在晚清这种动荡的局面下,这样的政策大手笔,只有满人亲贵得到了利益,而其他所有的集团和阶层,统统亏本。满人集团想不众叛亲离,亦不可得矣。辛亥年革命党广州起义的时候,一来皇族内阁还没有成立,收回权力的政策也没有特别明确地施行,二来广州当家的还是汉人的能吏张鸣岐和李准,所以撑住了。而到了10月,一来政策效果开始彰显,二来又赶上瑞澂这个草包,闻警即逃,结果土崩瓦解。

清朝是满人少数民族统治的朝代,其统治集团的代表面相当窄。其统治的稳定,主要凭借军事实力和由征服行为所带来的政治威势,在这种实力和威势还比较强的时候,满人(包括入旗的蒙人和汉人)在政治权力方面是处于垄断地位的。可是随着统治集团自身的腐化,军事实力和政治威势的消减，满人统治集团势必要做出让步，逐步扩大汉人参政的面。待到统治出现危机，不得不依靠汉人绅士集团挽救危局的时候，整个政局的满汉格局颠倒，则是大势所趋，即使西太后、恭亲王奕䜣这样政治经验丰富、权谋老到的满洲强人，都无法扭转(事实上，纵使康熙、乾隆再生，恐怕也得承认现实)，何况载沣、载涛、良弼、荫昌和载振之辈的纨绔子！这些人中，只有良弼一个好歹还算是从日本士官学校毕了业，虽然被满人捧上了天，一天仗没有打过，就算有本事，也需要个成长的过程。其他的人，即使朝廷花大钱送出了国，也不过在国外做了一回两回早期的留学垃圾(载涛、荫昌均留学德国)，连个起码的学位都拿不到。

辛亥革命中满人官僚的表现，不过是满人统治集团腐化堕落的集中爆发而已，这个腐化过程，已经绵延了百年。当年骁勇的八旗战士，早就堕落成了除了花钱和玩，其他百无一能的北京大爷。只是在同(治)、光(绪)时代，朝中还有几个明白人，最后几年搞改革(新政)，预备立宪，合法性尚未彻底消失。西太后死后，如果继承者能够老老实实按着既定方针走下去，不妄想强化一己集团的权力，既开罪不了袁世凯集团，也不至于得罪立宪派和地方实力派，而且通过他们的效力和彼此间的制衡，随着政治的逐渐改良，满人集团断不至于有如此下场，这么快地就丢掉了政权。革命中，在南方的一些地区，满人还遭到了清算甚至屠杀。武昌起义后，占领武汉三镇的革命军，曾经大肆搜捕满人，据说曾设置路卡，碰到可疑的行人，就要他说“六十六”，只要有京腔就拖下去杀掉。当然，这种事情，我但愿它仅仅是传闻而已。

最后，特别需要指出的是，当年孙天生这样的流氓无产者，还属于盗亦有道之辈，抢钱夺权，大有古风，虽然趁乱发财，大抖威风，但并不伤及无辜。然而，随着时代的流变，当年大盗小盗的道行，早已经沿着另外的方向进化到了不可思议的地步。如果历史再给他们这样的时机，能出什么样的事情，纵然诸葛再生，恐怕也难以逆料了。

八国联军中的中国士兵

晚清的中国，是个出新鲜事的时代，给喜欢看热闹的国人，提供了非常多的机会做看客。鸦片战争英国人打破大门进来，战争间歇，大着胆子溜出来看热闹的中国人发现，在黄头发蓝眼睛的英国军队里，夹杂着大量肤色很杂的人。这些身上穿得跟白人差不多，但头上却裹着一个大头巾，显得头特大。中国人管他们叫大头兵，或者大头鬼。当时的国人不知道，这些人其实是英军中的印度锡克士兵。由于印度做殖民地的资格比较早，因此印度人，尤其是剽悍的印度锡克人，就有了跟主子一起出来教训别个不听话民族的资格。

由于印度士兵的加入，这场战事给了做看客的中国人更多的眼福。在他们眼里，洋鬼子肤色很杂，也很斑斓，有白夷、黑夷、红夷，以及不黑不白之夷等，好看煞人，边看，边增加自己的种族优越感——觉得鬼子不像人，像动物。印度士兵的头巾，也给人印象深刻，因为它多半是大红的，高而臃肿，凡是看到而且喜欢记录的中国人，总是忘不了记上一笔。后来，在上海租界里，英国人用印度人当巡捕，上海人称之为“红头阿三”。这个戏谑的称谓，显然跟头巾有关。不过，在鸦片战争当口，缠头巾的印度兵，命运并不好，中国人抓到了白人，很可能会优待，但是抓到了地位低下的印度人，不由分说就是虐待，连打带骂，还不给饭吃（我们中国人，对等级无师自通地敏感）。而英国人方面，一旦出现了军纪问题，一般都是拿印度兵开刀，当众绞死，用以安抚占领地的中国人。远不及后来在上海的印度巡捕，虽然在白人面前是孙子，但见了中国人，却是霸道的爷。

缠头巾是印度锡克人的风俗，也是他们的教规，聪明的英国人为了让殖民地的人做炮灰，在变革他们上下身服饰的同时，容忍了他们的头顶。殊不知，这个特别的头顶，到了中国，却变成了二等洋人的标志，让中国人很是厌恨。

然而，时代总是在前进，谁也没有想到，到了19世纪末，在中国"租借"了山东威海的英国人，居然把他们在印度的经验搬到了中国，在威海建立了一支"中国军团"，这支军队的服装跟印度的锡克兵一模一样，头上也顶着一个大头巾，或者说是头巾形的帽子。据资料记载，"中国军团"，训练有素，装备精良，长枪队、炮队、机枪队、骑兵队一应俱全，这支军队的士兵，大概是中国第一个接触并使用马克沁机枪的人。从这支军队留下来的老照片来看，这些来自山东各地的小伙子们，虽然头上裹着头巾显得有点怪异，但军容严整，浑身上下透着精神，甚至可以说是有点趾高气扬。只是虽然号称"中国军团"，但军官却都是英国人，列起队来，每个排的旁边，都站着一个戴着大檐帽的英国军官。

作为殖民者的白人，很少做亏本的买卖。他们招募中国兵跟招募印度兵一样，都是要用他们打仗的。"中国军团"刚刚练好，打仗的机会就来了——中国闹义和团了。山东是义和团的发源地，但威海附近却没有闹出多大动静，因为被"中国军团"剿了。不久，威海的"中国军团"北上，加入西摩尔联军，不仅跟义和团，而且跟中国的正规军交上了手，参加了进攻天津和北京的战斗。据说，这支中国人的军队打得很不错，在进攻天津的战斗中尤其突出，接连攻下几个军火库。战后，为了表彰这支军队，英国人特地设计了一种带有天津城门图样的徽章，作为"中国军团"的徽记。一位当年"中国军团"的英国军官写道："中国军团远征作战的次数比任何部队都多。即使不算解决威海卫出现的麻烦，天津之战有我们的份，解救北京有我们的份，以及1900年8月到独流和没有行成的北仓，这些远征都是我们干的，没有其他军团参加。"（巴恩斯：《与中国军团在一起的活跃日子》，转引自邓向阳主编：《米字旗下的威海卫》）参加八国联军的"中国军团"计400余人，进攻北京的联军中的英国军队一共才3000人，中国人占13%强。而联军中法国军队才800人（以越南士兵为主），奥军58人，意军53

人。如此说来，所谓的八国联军，其实应该是九国联军才是。只是这第九国的士兵比较隐蔽，服饰跟印度兵一样，以至于当时被打的所有中国人，都没有觉察，一直当他们都是印度兵。

使用中国人来打中国人，不是打普通人，是进攻自己国家的首都，打自己的皇帝和太后，居然没有任何问题，而且这支中国军队打得相当卖力（中国军团为此阵亡23人），特别能战斗，同样的中国人，在中国阵营里几十万义和团，几万武卫军，都不济事，而在对方阵营里，几百中国人却所向披靡。令我们在佩服殖民者的“以华制华”策略高明的同时，不能不反观一下我们自己的百姓。传统的忠君爱国的观念，在晚清的乱世，很明显靠不住了。在同一个地方，一伙人跟洋人势不两立，嚷着杀洋灭教，虽然刀大多都落到了信教的中国人头上，但对洋人的敌意无疑是明显的。另一伙人（他们其实也不是信教的教民）则跟着洋人杀中国人，杀到了皇帝和太后的头上。19世纪末，世界还真是有点乱。

最后提一句，后来，英国人为参加八国联军的中国士兵阵亡者立了一块碑，碑文中英文双语，但碑的样式，却是地道的中国式，云头龙纹，跟中国政府为在义和团时死了的德国公使克林德建的牌坊一样，绝对中国，但却是对中国的……什么呢？——羞辱。

不幸的是，这羞辱多半是我们自己给自己找的。

露胳膊的女人与武人的风化

民国时期的军阀,说起来净是些粗人。虽然自清末以来,政府大力推行军事教育,不仅在国内兴办军事学校,而且花大钱往外送人留学,不过,经过几番混战之后,真正混出名堂的,大多是些识字不多的速成的讲武堂毕业生,或者干脆就是像张作霖、陆荣廷、张宗昌这样大字不认得几个的土匪流寇。曾经叱咤风云的日本士官学校的毕业生,大浪淘沙之后,大概只剩下一个山西王阎锡山,其余的不是折戟沉沙,进了租界做寓公,就是像刘文辉、刘存厚那样守个偏远的小地方,做小诸侯了。至于少数几个美国西点和法国圣希尔军校(那是戴高乐的母校)的毕业生,只有给人做参谋的份儿,能混到校官就已经不错了。

粗人当家,行事难免粗糙,或者说粗野。打仗的时候,会许诺攻下城,自由行动三天;统治地方,也往往以催科是务,打军棍、杀人;有断案喜好的,则言出法随。胡帅张作霖有话,刘邦约法三章,我只一章:犯错就杀。全无前朝士大夫的繁文缛节和多愁善感。不过,粗人也有不高兴的时候,令他们最不高兴的事,除了吃败仗,就是世风的日下。所以,大多数军阀,对维持风化都相当在意。

前朝的士大夫也留意维持风化,不过他们的重点多半放在兴儒学,禁淫祀,甚至不许唱戏方面。军阀是粗人,心思没有这么细,他们的维持风化,眼睛只盯住女人的胳膊。

民国是个女性服装变革的转折时期,一方面是西俗东渐,西式的裙服传入,一方面是中国(应该说是满人的)旗袍改良,两者都在曲线和身体暴露方面有所表现。当然,也仅限于袖子变短或者变无,露出或多或少的胳膊。大概当时中国的男人,多数都是鲁迅说的那种,看见白胳膊就会想到裸体的联想狂。所以,一时间,这些露出的白胳膊,很是刺激了国人特别是某些男人的神经，让他们在吞咽口水的同时，认为有伤风化。

军阀的眼光和心思，与当时多数的男人所见略同，但是他们手里有枪，而且有权，因此他们的反应，往往变成严厉的禁查。于是，露出胳膊的女性晦气了。从南到北，到处都有军阀派的警察、宪兵和执法队奉命禁查，满大街找白胳膊。张作霖查，孙传芳查，陈济棠查，韩复榘查，甚至连那个狗肉将军张宗昌也查。不仅命令部属去查，而且在日理万机之余，亲自上大街围追堵截。韩复榘特别讨厌穿短袖或者无袖旗袍的女人，只要碰上，上去就是一顿耳光，然后关禁闭。一次，把一群穿半袖学生服的女中学生也打了一顿，关了起来，直到山东教育厅长何思源告诉他，这些学生穿的是校服，是中央统一规定的，这些哭肿了眼睛的女孩子才给放出来。

热衷于找女学生晦气的军汉们，也同样喜欢找女学生当老婆或者小老婆。凡是有驻军的城市，女中学生总有一些变成了军官家眷，以至于有的女子中学校长感慨道，学生都进了兵营，学校没法办了。这种时候，女学生露出的胳膊，又没有关系了，从某种意义上说，很可能是这些露出的白胳膊，刺激了他们对女学生的兴趣。

大凡转型时期，人们，尤其是握有权力的人们，对女性服饰的变化都比较敏感，在担心秩序失控的同时，对那些其实很让他们赏心悦目的服饰变化，表示自己的痛心疾首。那些脑袋里仁义道德和男盗女娼搅成糨糊的军阀，当然也不例外。对这些人来说，维持世道人心的唯一法门，就是再一次把这些露出点什么的女人包裹起来。

有兵便是草头王

做官要做带兵的官，这话是谭延闿发明的。只是，尽管谭延闿从来不做空头的省长或者督军，尽量挂上些司令、军长之类的兵头衔，但由于自家是个纯粹的文人，而且心慈手软，所以一直也做不成名副其实的军阀，当然也就抖不起武夫的威风。可是，有些纯粹的武人，一旦混上去了，官做大了，名义上带的兵更多了，但醒过味来，却发现自己其实一个兵也没有，段祺瑞的例子是一个典型。在北洋系统，除了他的主公袁世凯，大概资格、位置没有超过他的，虽说位列北洋三杰龙、虎、狗的第二，但实际的地位却是公认的老大。北洋军阀将官如毛，绝大多数都是他的门下。袁世凯在练北洋军的时候，他是最早的统制(师长)；袁世凯做了民国的大总统，他是最有实权的陆军总长；袁世凯死后，他成了民国总理。虽说张勋复辟其实是他一手导演的活剧，无非是借此驱赶跟他不和的总统黎元洪，可是当他打算再驱张勋，"再造共和"的时候，发现自己手里居然没有可供调遣的一兵一卒。没办法，只好收买第八师师长李长泰的小老婆，用枕边风吹动了一个师，然后再以许愿封官的方式说动了第三师师长曹锟，前第十六混成旅旅长冯玉祥(虽然不在任，但仍能控制这个旅)，才马厂誓师，杀回北京。再次掌控北京政权之后，马上借参战(参加第一次世界大战)之机，编练属于自己的参战军，这才算有了所谓皖系的核心武力。

位列北洋三杰末尾的冯国璋，在这方面比段祺瑞要强。袁世凯死的时候，他坐镇南京，后来做副总统，依然在南京遥领，就是不肯跟他的部队分开。黎元洪下台，他以副总统接班做总统，实在没法再赖在南京，上任却带着一万多人的前御林军，上任后改编成两个师，还是由总统亲自统率。甚至冯下台之后，这两个师依然属于他的私产，由大总统徐世昌下令：两师交由前总统冯国璋统带。

春秋战国是民为邦本，军阀时代则是兵为将本。山西王阎锡山说得最明白，没饭吃，宁肯饿死老百姓，不能饿死一个兵。兵对于军阀，就是孙悟空的金箍棒，贾宝玉的通灵宝玉，棒没得弄了，玉丢了，也就神气不起来了，甚至连性命都不保，不知道什么时候就会冒出个仇家，敲掉你的脑袋。孙传芳、张宗昌就是这么死掉的，那些替父报仇的人，到底是什么来路，其实谁也说不清。

不过，跟自己带的兵牢牢捆在一起的将军，无论在什么时代，都只能是军阀；只听从个人的军队，无论装备多么先进，也都只能是前现代的私军；仅仅靠军队才能维持的政权，也只能是军阀政权。当年美国总统尼克松将要受到弹劾的时候，黑格将军说，调两个师来，守卫白宫。尼克松说，在刺刀围绕下，是做不成美利坚合众国总统的。但是在第一次建立共和国的中国，总统必须带两个师自随，否则，就是个空头总统。当然，这样的总统，其实跟那些割据地方的大小军头没什么两样，都是草头王而已。

瞄准射击

瞄准射击是步兵进入火器时代的基本要领,可是这个要领,中国人掌握起来,很是费了些工夫。引进洋枪洋炮是中国现代化的起点,在这个问题上,国人一直都相当热心而且积极,即使最保守的人士,对此也只发出过几声不满的嘟囔,然后就没了下文。闹义和团的时候,我们的大师兄二师兄们,尽管宣称自家可以刀枪不入,但见了洋枪洋炮,也喜欢得不得了。不过,国人,包括那些职业的士兵,对于洋枪洋炮的使用,却一直都不见得高明。淮军接受了洋枪队的全部装备,也接受了洋操的训练,连英语的口令都听得惯熟,唯独对于瞄准射击,不甚了了。19世纪60年代,一个英国军官来访问了,在他的眼里,淮军士兵放枪的姿势很有些奇怪,他们朝前放枪,可眼睛却看着另一边,装子弹的时候,姿势更是危险,径直用探条捣火药(那时还是燧发的前装枪),自己的身体正对着探条。

过了三十余年,洋枪已经从前装变成更现代的后膛枪,而且中国军队也大体上跟上了技术进步的步伐,用后膛枪武装起来,可是,士兵们的枪法,却进步得有限。闹义和团时,攻打外国使馆的主力,其实是董福祥的正规军,装备很是不错,从现存的一些老照片看,董军士兵大抵手持后膛枪,而且身上横披斜拉,挂满了子弹。可是,据一位当时在使馆的外国记者回忆,在战斗进行期间,天空中经常弹飞如雨,却很少能伤到人。由此看来,一万多董军加上数万义和团,几个月打不下哪怕一个使馆,完全是可以理解的了。董福祥的军队如此,别的中国军队也差不多。庚子前五年,中日甲午之战,北洋海军的表现大家都骂,其实人家毕竟还打了一个多少像点样的仗,而陆军则每仗必北,从平壤一直退到山海关,经营多年的旅顺海军基地守不了半个月,丢弃的武器像山一样,威海的海军基地周围,门户洞开,随便日本人在哪里登陆。当时日本军人对中国士兵的评价是,每仗大家争先恐后地放枪,一发接一发,等到子弹打完了,也就是中国军队该撤退的时候了。当年放枪不瞄准的毛病,并没有多大的改观。

进入民国,中国士兵脑袋后面的辫子剪了,服装基本上跟德国普鲁士军人差不多了,建制也是军师旅团营连排了,可不瞄准拼命放枪的喜好却依然故我。张勋复辟,段祺瑞马厂誓师,说是要再造共和,讨逆军里有冯玉祥的第十六混成旅,曹锟的第三师,李长泰的第八师,都是北洋军的劲旅,对手张勋只有五千辫子兵。英国《泰晤士报》记者、北京政府顾问莫里循目睹了这场战争,他写道:"我从前住过的房子附近,战火最为炽热。那天没有一只飞鸟能够安全越过北京上空。所有的枪几乎都是朝天发射的。攻击的目标是张勋的公馆,位于皇城内运河的旁边,同我的旧居恰好在一条火线上。射击约自清晨五时开始,一直持续到中午,然后逐渐减弱,断断续续闹到下午三时。我的房子后面那条胡同里,大队士兵层层排列,用机关枪向张勋公馆方面发射成百万发子弹。两地距离约一百五十码,可是中间隔着一道高三十英尺、厚六英尺的皇宫城墙。一发子弹也没有打着城墙。受害者只是两英里以外无辜的过路人。"最后,这位顾问刻毒地向中国政府建议,同意一个美国作家的看法,建议中国军队恢复使用弓箭,这样可以少浪费不少钱,而且还能对叛乱者造成真正的威胁。

中国军队,自开始现代化以来,所要对付的对手,基本上是些处于前现代状态的叛乱者,双方碰了面,只要一通洋枪猛轰,差不多就可以将对方击溃。可是碰上也使用洋枪洋炮的对手,这套战法就不灵了。问题在于,屡次吃过亏之后,战法并没有多少改善,轮到自己打内战,双方装备处在同样等级,仗也这么打。讨逆之役,双方耗费上千万发弹药,死伤不过几十人;1920年直皖大战,动用二十多万兵力,打下来,也就伤亡二百余,真正战死的也就几十人;四川军阀开始混战的时候,居然有闲人出来观战,像看戏一样。不过,打着打着,大家逐渐认真起来,终于,枪法有人讲究了,毕竟不像清朝那会,对手净些大刀长矛。洋枪洋炮对着放，成者王侯，甜头不少，所以，在竞争之下，技术自然飞升。到了蒋介石登台的时候，他居然编了本步兵操典之类的东西，重点讲士兵如何使用步枪，从心态、姿势到枪法，尤其强调瞄准射击。

从士兵的枪法来看，中国的现代化真是个漫长的过程，非得自己人跟自己人打够了，才能有点模样。

不可不读的檄文

檄文本是古来国人开仗的时候,用以给自家壮胆,同时吓唬敌人的小把戏,其实用处不大。但古往今来,喜欢玩的人还真是不少。说某人文武双全,就说他上马杀敌,下马草檄,而且下笔千言,倚马可待。说来也怪,古来流传下来的檄文妙品,往往属于失败者一方,陈琳为袁绍拟的《讨曹瞒檄》,以及骆宾王的《讨武曌檄》,都是可以选入中学课本的佳作,连挨骂的一方见了,都击节赞赏或者惊出一身冷汗,医好了头风病。看来,文章和真刀实枪地干,的确是两码子事。林彪说,枪杆子,笔杆子,夺取政权靠这两杆子,巩固政权还要靠这两杆子。在实际政治中,笔杆子不及枪杆子多矣,往往越是枪杆子不济事,才越要耍笔杆子吓唬人,而笔杆子耍出来的玩意,多半是给人消闲的(包括对手)。

前一阵在香港讲学,闲着无聊,乱翻清人笔记,居然发现了一篇这种吓唬人的妙文。此文简直妙不可言,足以跟《讨曹瞒檄》和《讨武曌檄》鼎足而三,丢下一句都可惜,抄在下面,供同好者欣赏:

为出示晓谕事,本大臣奉命统率湘军五十余营,训练三月之久,现由山海关拔队东征。正、二两月中,必当与日本兵营决一胜负。本大臣讲求枪炮,素有准头,十五、十六两年所练兵勇,均以精枪快炮为前队,堂堂之阵,正正之旗,能进不能退,能胜不能败。湘军子弟,忠义奋发,合数万人为一心。日本以久顿之兵,师老而劳,岂能当此生力军乎?惟本大臣以仁义之师,行忠信之德,素不嗜杀人为贵。念尔日本臣民,各有父母妻子,岂愿以血肉之躯,当吾枪炮之火?迫于将令,远涉重洋,暴怀在外。值此冰天雪地之中,饥寒亦所不免。生死在呼吸之间,昼夜无休息之候,父母悲痛而不知,妻子号泣而不闻。战胜则将之功,战败则兵之祸,拼千万人之性命,以博大岛圭介之喜快。今日本之贤大夫,未必以黩武穷兵为得计。本大臣欲救两国人民之命,自当开诚布公，剀切晓谕：两军交战之时，凡尔日本兵官逃生无路，但见本大臣所设投诚免死牌，即交出枪刀，跪伏牌下，本大臣专派仁慈廉干人员收尔入营，一日两餐，与中国人民一律看待，亦不派做苦工，事平之后，即遣轮船送尔归国。本大臣出此告示，天地鬼神所共鉴，决不食言，致伤阴德。若竟迷而不悟，拼死拒敌，试选精兵利器与本大臣接战三次，胜负不难立见。迨至该兵三战三北之时，本大臣自有七纵七擒之法。请鉴前车，毋贻后悔，特示。(大岛圭介为甲午战时的日本驻朝公使，当时中国舆论认为他是导致中日开战的一个阴谋家。)

这篇檄文出自中日甲午战争期间，湖南巡抚吴大澂之手(很大的可能是他幕僚的手笔)，时间是光绪二十年底(1895年)。当时，北洋水师已在困守刘公岛，离覆没不远。而陆军则从平壤一直退到海城。吴大澂在晚清，也属于比较开明而且务实的"廉干人员"。在危难时率军出征，而且带的是武器装备以及训练都远不及淮军的湘军，居然能够发出如此气壮如牛的檄文，要在战场设立"投诚免死牌"，并要约日军"接战三次"，让人家"三战三北"，自己则可效诸葛亮，有七擒七纵之法。

当然，吴大澂的部队，接战还是真的跟日军接战了，并没有说了不练，只是战绩跟淮军一样，打一仗败一仗，三战三北的不是日本人，而是他老人家自己。开战的时候，我估计什么"投诚免死牌"之类的也没有立起来，投降的日本人，一个都没有，一天管两顿饭，以及用轮船送回自然都谈不上了；倒是被围在刘公岛的北洋水师，全体被俘，被人徒手装在一艘卸除了枪炮的训练舰上，送了回来。

湘淮军也是中国学西方搞军事现代化的产物，中日开战之前，中国的士大夫一致认为，日本军队不及湘淮军远矣。就连世界舆论，也大多看好中国。没想到真的动起手来，如此不中用，两军轮番上阵，结果连一个小胜仗都没有打过。所谓"精枪快炮"，而且"素有准头"，只是嘴上说说而已，手里不比日军差的洋枪洋炮，起的作用，倒更像是过年放的鞭炮(据说吴大澂自己枪法倒是不错，在战前练了许久，不知为何没让带的兵练出来)。

穿长衫的军人

清末的中国，是个多灾多难的地方，外国人打上门来，总是吃败仗，灰头土脸，割地赔款。在败给近邻日本之后，国人深刻总结教训，认为原因在于人家尚武我们崇文。洋鬼子也跟着起哄，说中国的政坛上，尽是些文学之士，跟我们打仗，安得不败？

于是国人开始改辙，有识之士投笔从戎，奔外国学军事去也。当然，首选的地方是日本，不仅由于人家打我们打得最疼，而且据说日本跟我们文化相近，学西方学得最像，有现成的经验。于是日本士官学校就塞满了“清国留学生”。为了减轻压力，日本不得不专门为中国人建了一所振武学校，作为士官学校的预备班，学制三年，平白让中国学生比日本人多花一倍的工夫，也害得蒋介石没有来得及进士官学校，就因“革命需要”回了国，造成一生的遗憾。在派出留学的同时，国内的军事学校也纷纷开张，陆军大学、陆军中学、陆军小学，各种专门军事学校，再加上各地的讲武堂、将弁学堂、弁目学堂，一时间军校遍地开花。不仅军校，这个时期办的普通新式学堂，学生也大多军校生打扮，校服像军服，一律大檐帽；无论中学还是小学，跟习武有关的体操课(即今天的体育课)，特别吃香，体操老师比格致(数理化)老师还难找，待遇也更高。总之，在清末民初的一段时间里，国人，尤其是那些昔日穿长衫、戴方帽子、走路迈方步的读书人，很是发了一阵狠，说是要一改过去重文轻武的积习，从“东亚病夫”变成让世界吓一跳的醒狮。一身戎装，马靴、皮鞭、东洋刀，如果再配上一匹高头大马，是男人最酷的装扮。

过了若干年以后，这些学成回国或者毕业的武人们，没有机会在“吞扶桑”的战事中施展拳脚，反而将本事全用在了打自家人的内战上面。大打、中打、小打，联甲倒乙，联乙倒甲，无日不战，无地不战。

这时候我们发现,这些学军事的武人们,包括昔日日本士官学校的高才生们,倒喜欢起了长衫,只要有机会,一律长袍马褂,而这种从前读书人和乡绅服装的变种,一直被立志强兵富国的人们讥为“病夫服”,上不得马,打不了仗。更过分的是,这些将军们,不仅长袍马褂,而且不骑马,坐轿子,即使行军打仗,也坐在八抬大轿里走,有的人甚至带着家眷(多半是小老婆)一起。军情紧急的时候,经常发生抬轿的士兵丢下长官四散逃命的事情。好在,那个时候军阀打仗有条不成文的规矩,就是打胜打败,对将军们的身家性命尽量保全,杀俘的事很少。在留下来的军阀照片上,我们看到的都是一个个赳赳戎装的尊容,不过那多半是为了展示官阶和勋章照的,在私下里,他们基本上都是长袍马褂,一副富家翁的样子。

只要在某个地方驻扎下来,很多军队,凡营以上的军官,都自设公馆,在当地找房眷属,然后躲在里面烟炮吹吹(吸鸦片),麻将打打,基本上不到部队上去。有个湖南军阀的旅长,好不容易来趟自己的旅部,由于穿着长衫,而且总也不露面,卫兵见面不相识,就是不让他进,吵到旅部里的参谋副官出来,才算弄明白原来是旅长大人到了。这个旅长,当年也是日本士官学校的毕业生。

其实,当年脱下长衫投笔从戎的人们,原本就是打算通过强兵让民族崛起的,为了多学甚至偷学一点东西,可以吃任何的苦,受任何的罪,甚至忍受日本军曹的折辱。没想到,这些热血青年,却在日后的政局转换中,莫名其妙地成了据地自雄的军阀,或者军阀的工具。随着内战的频仍,昔日脱下长衫的军人,再一次脱下戎装换长衫,不仅意味着他们意志的消退,而且标志着中国第一轮的军事现代化努力的失败。不是橘越淮北而变枳,不是播龙种而收获跳蚤,更不是军队没有国家化的悲剧,而是整个一代精英寻路目标的迷失。

失了手的警察头子

赵秉钧是中国历史上第一位死在任上的内阁民政总长，死得不明不白，成了千古之谜。不过，赵秉钧本色其实是个警察头子，对于警察来说，不明不白的死，也是应有之义，不算太奇怪。辛丑议和之后，列强欺负中国人，天津不许中国人驻军，袁世凯灵机一动，派了军队以警察名义进驻，负责人就是赵秉钧。后来，朝廷新政，设置警察也是新政之一，赵秉钧水涨船高，爬上了巡警部侍郎的高位，实际上成了中国警察的开山祖。辛亥革命之后，孙中山把大总统让与袁世凯，袁政府的第一任内务总长还是赵秉钧。

赵秉钧很有意思，说他的姓，是百家姓上第一名，说起名，是天子脚下第一人(秉国之钧)，排行是老大，生辰八字是甲子年元旦第一时，其实个中的真伪，恐怕连他自己都不清楚。这位书童出身的人物，身世早已无考，本是慧眼识英的袁世凯将之拔于草莽的，一直是袁世凯夹袋中的智囊式人物，深受袁的信任。赵秉钧的确也很能干，在一个没有警察的国度里，从无到有，制度、规则、训练，把个警务建设搞得井井有条。几年下来，英国《泰晤士报》记者莫里循惊奇地发现，北京的大街上，警察居然帮一个推粪车的老乡将翻倒的车抬起来。他惊叹道：在过去，你能想象这种事吗？当然，我们的洋记者看到的是首善之区的北京，在其他地方，警察还是跟过去分担警察职能的捕快和士兵一样，对老百姓，大概还是免不了欺凌和敲诈。不过，中国毕竟在他的手上有警察了，有了案件，不再由那些捕快和仵作们包办。顺便提一句，1905年著名的吴樾刺杀五大臣案件，就是赵秉钧承办的，看那验尸报告，像模像样，硬是通过炸得稀烂的吴樾，查出了事情的真相。

办警务办得很像样的赵秉钧，忽然有一天做了中国的内阁总理。这是因为第一任的总理唐绍仪，虽然也是袁世凯的夹袋中的人物，但不幸的是留学过美国(第一批留美幼童),多少染了美国民主的毒,因此跟总统袁世凯怎么也弄不到一起,只好自己开溜。遗下的位置,袁世凯交给谁都不放心,老实巴交的职业外交官陆征祥过渡了几天之后,昔日的警察头子就变成了总理。

做了总理的赵秉钧,做的事情还像是警察,而且是不好的警察——秘密警察。当时,交出了政权的革命党人,尤其是实际主持党务的宋教仁,特别热衷于通过国会的选举,获得议会多数,从建政党内阁,再次掌权。为了这个目的,革命党人拼命扩大组织,吞并小党,拉人入伙,拼凑了一个大党——国民党,赵秉钧也成为被拉的对象。出人意料的是,对"党"一窍不通的赵秉钧,居然一拉就动,肯欣然加入。于是,袁世凯告诉国民党人,好了,你们希望的政党内阁实现了!党人一时也欢天喜地,乐不可支。可是,过了一段,发现这个身为党员的总理,根本不听党的话,依旧唯总统马首是瞻,心里未免凉了半截,总算明白天底下没有天上掉馅饼的好事,政党内阁,必须得自己做成。

第一届国会选举,由于袁世凯和赵秉钧们还不知道怎样操控,结果让国民党占了便宜,捞去了近半数的席位,成为国会第一大党。宋教仁踌躇满志,准备进京做总理了。没想到,半路杀出个武士英,对着这位国民党最能干的领袖开了两枪,未来的宋总理伤重不治身亡。消息传开,举国震动,中央政府当然要江苏地方严查,务必缉拿凶手,江苏警察厅也就真的严查,结果还就真的查出了凶手,一步步追上去,发现背后指挥者为应桂馨,并查出了应跟内务部秘书的洪述祖和总理赵秉钧的往来函电多件。就这样,赵秉钧有了嫌疑,然后,武士英不明不白地死了,应桂馨不明不白地死了,最后,赵秉钧也不明不白地死了。

行刺宋教仁这件事,唐德刚先生认为不是袁世凯干的,而是底下的人,包括赵秉钧揣摩袁世凯的意思,自作主张。当然,赵秉钧肯定有事,但袁世凯也脱不了嫌疑,否则,我们的赵总理干吗要死?不过,话又说回来了,赵秉钧安排刺杀这活虽然干得不怎么样,但办警察办得还是蛮有成效,连中央首长作的案,地方警察居然都能查出来。

合法化的黑社会

立志要推翻清政府的革命党人，大多跟帮会关系密切。孙中山在檀香山加入致公堂成为红棍，仅仅开了个头，后面就一发不可收拾。同盟会中，原来光复会的人和原来兴中会的人闹意见，陶成章和陈英士彼此视同水火，但在联络会党方面，却异曲同工。在两广，则三合会，在两湖，则三点会、洪江会，在西北，则哥老会，在四川，则袍哥，在江浙，则洪帮或者青帮。或者跟帮会头目称兄道弟，或者自己直接投身其中，甚至干脆成为某个地方帮会的龙头老大。帮会和革命党人不分彼此，也不知道是革命党加入了帮会，还是帮会同人加入了革命党。

有研究者说，革命联络会党，只是革命党初期的策略，到了后来，就把工作重心转移到争取新军上面了。可惜，事实上没这么回事，跟联络会党相比，争取新军只占革命党工作的一小部分。不少新军将领虽然原来跟革命党有过联系，但回国做官之后，能否带他们的部下投身革命，本就是个未知数。不过，在新军起义成功之后，各地帮会的起哄也很重要，不然的话，不会有那么多的地方宣布独立。

如果说，檀香山的致公堂还不够“黑”的话，国内的会党，无论是洪帮系统，还是青帮系统，都是地道的黑社会，无论他们打还是不打什么“反清复明”的招牌。当然，在那个时代，即使是黑社会，也属于道亦有道，有组织，也有规矩，轻易不会打家劫舍，扯旗造反。但他们毕竟是游离在正常社会之外的另一群人，一群跟犯罪活动有密切关系的人，一群令正常社会的老百姓感到害怕的人。

革命成功了，会党和革命党人一起成了革命的功臣。用袍哥的话来说，就是哥子做皇帝了。于是开山堂，散海底，招摇过市。军队里，旅团营连排的序列，跟帮会老大、老二、老三的等级重叠，衙门大堂，变了帮会的山堂、公口。从此以后，中国进入了一个黑社会合法化的时代，原来处在秘密状态的帮会，纷纷翻上地面。上海的青帮，在清朝统治时，只能在租界的庇护下，靠给洋人做巡捕，寻点机会，可是进入民国之后，居然摇身一变，成了大亨，甚至闻人。政界的大人物，蒋介石、戴季陶等人跟青帮搅在一起；商界的头面人士，像阿德哥虞洽卿、王晓籁，同时也是帮中的兄弟；文化界的名流，也跟帮会夹杂不清。在四川，嗨袍哥的人下至贩夫走卒，上至达官贵人，无论在城在乡，想找到一个不在帮的人，竟然是件很难的事。但是，帮会并没有因合法化从根本上改变自己的生存之道，无论是青帮、哥老会还是袍哥，都依旧包娼包赌，走私贩毒，甚至跟土匪勾结，干些不要本钱的买卖。以至于为了跟那些依然杀人打劫的袍哥有所区别，袍哥在这个时候分成了清浊两系，当然在实际生活中，彼此间有时也很难截然撇清干系。

黑社会合法化，虽然不见得意味着没有秩序，但是这个秩序，却是参照黑社会的规则建立的秩序。这样的秩序，无论百姓还是政府，是不会感到舒服的。为了从这个秩序中解脱出来，先前跟帮会关系密切的国民党要人，开始撇清跟老朋友的关系。抗战之后的青帮闻人杜月笙十分困惑，感到尽管对蒋介石有从前的恩惠，一直也十分顺从，但蒋对他依然打压有加。他不明白，其实不是老朋友不够朋友，而是形势比人强。

土匪绑票的特别赎金

绑票是匪类生财的古老门径，土匪、黑帮，以及零星的见财起意的人们，无论智商有多么低，都很容易想起这桩不花钱的买卖来。绑票的目的，就是要赎金，不要赎金，绑票何为？不过，天下之大，例外的事儿总免不了，民国年间，有一桩大的绑票案，绑票的土匪，还就是不要赎金。

1923年5月5日深夜，津浦路一列北上的列车，进入山东境内，经过临城附近的时候，突然遭遇拦截，车头出轨，几百土匪，明火执仗，涌将上来，车上两百余名中外旅客（其中26个洋人，一说35人），除个别逃脱外，扫数被掠走，全部成为"肉票"，这就是当时震惊中外的临城劫车案。

临城劫车案的黑手，是抱犊崮的土匪头子孙美瑶。孙美瑶得手之后，将肉票押上抱犊崮，然后放掉几个洋人女票，下山传信，提出条件，不要金不要银，只要求招安收编，弄个官军的师长旅长干干。抱犊崮是沂蒙山区很著名的一崮，山势险峻，但山顶却有地可耕，只是耕地之牛得在牛犊时抱上去才行，成年的牛，无论如何是赶不上去的，山故此得名，其易守难攻，可见一斑。雄踞于高崖险山之上，押着有二十几个洋票，孙美瑶自信手里有牌，官军不敢把他怎么样。在此后的一系列谈判中，孙美瑶的价码一会儿高一会儿低，翻云覆雨，弄得当时的曹锟政府很是狼狈。

那个时候，国际上对于这种"恐怖主义"行为，还没有像今天那样态度坚定，一致取不妥协主义，而且也没有反恐的特种部队，有各种先进武器可以使。西方各国在事发之后，对自己国家公民的性命很是在意，一个劲地对中国政府施加压力，只许妥协，不许弄强，事件涉及国的公使，一日三次跑中国的外交部，像是下命令一样，要求不惜一切代价，保障人质的安全。说起来，当时当政的直系政权，算是北洋军阀统治时期对西方最硬气的一届政府（因为民族主义情绪颇浓的吴佩孚的缘故），因此也是得到外援最少的一届政府，害得政府上下闹穷，政府各部几个月开不出工资，北京大街上，尽是讨薪的政府官员在游行示威，驻外使馆因经费不继，纷纷下旗回国。尽管如此，洋人依然得罪不起，对土匪，不能打，只能谈。毕竟，自晚清以来，洋人不仅代表着强大，而且意味着文明，洋人的命，无论如何都是金贵的。山上的土匪，也十分清楚，他们所倚仗的是什么，他们可以时不时地杀几个中国的肉票（土票）加压，却不动洋票一个指头，洋票在山上，住的条件都比土票好，还允许洋票有"通信自由"，让他们写"匪窟通信"，交到上海报上发表，让外国舆论压政府，外国政府再压中国政府。不过这么一来，一时间，办报的和读报的，都兴奋莫名。

唯一让外国人放心不下的是，当时的北京政府，真正能管的地方并不多，山东地方，说起来并不是直系的地盘，压力加在北京政府头上，到底有多大用处，其实是个未知数。反过来，这一点也成了北京政府跟外国人谈判的价码，抵制他们要求对绑匪无条件妥协的压力。利害相关的洋人，面对如此错综复杂的局面，知道全指望中国政府估计也不行，自己也在想辙，最后还是在上海租界的中国通们厉害，说动了上海黑道很有势力、后来成为青帮三大亨之一的黄金荣，让黄亲自出马，带上各位黑道老大的亲笔信，上抱犊崮跟孙美瑶谈判。

黑道的面子要比白道大，事实上，在当时，没有土匪傻到跟帮会为敌，否则，他们贩毒走私的买卖就没戏了（这可是土匪的最大宗的收入）。黑道中人，沟通起来很容易，黄金荣上山之后，谈判渐入佳境，孙美瑶不再漫天要价，山东军阀田中玉却得以就地还钱，孙部编成一个旅，由山东地方解决给养，先送上大批的粮食和2000套军服。1923年6月12日，最后一批洋票被释放，孙美瑶下山接受改编，一场塌天大案，宣告结束。

不过，孙美瑶的旅长没有做上几天，到了年底，他就被新任的兖州镇守使在枣庄中兴公司设下鸿门宴(中兴公司有个北方著名的富豪俱乐部,吃喝嫖赌,一应俱全,孙美瑶也是常客),当场,一个石灰包打在孙美瑶的眼睛上(韦小宝的伎俩),被熏得昏头的他,被一顿乱刀给捅了无数个透明窟窿,脑袋还给切下来传命各处,孙美瑶的部下群龙无首,在重兵包围下,也只好缴械解散,四散而去,估计大部分还是当土匪去也。

从晚清到民国,是乱世。其实兵和匪的界限不是十分清晰,一个地方,当官兵不太能控制局面的时候,就会有匪类出来“帮忙”,官兵要当家,匪兵也要当家,争斗的结果,往往达成一个均势,各收各的“保护费”,维持一个虽说是畸形的,但也是一种秩序。不见得凡是土匪,就一律烧杀抢掠,道理很简单,都烧杀掉了,他们吃什么去?土匪的烧杀,往往针对那些不肯服软的地方,尤其是那些有地方武装,抵抗过他们的村镇,烧杀主要是为了杀一儆百。尽管如此,做土匪的,不管规模多大,最大的心愿还是受招安,从非法状态的收费,转到合法状态来。从晚清开始,也的确不断地有地方官在剿匪不成的情况下,有意招抚一些匪帮,让他们变成官兵,再去打别的土匪,一如《水浒传》上,受了招安的宋江,去打方腊。这些受招安的土匪,也在战斗中逐渐成长,变成一方具有官方身份的霸主,比如北边的张作霖,南边的陆荣廷,都是这个模子,当时有谚曰:若要官,杀人放火受招安。当然,这种情形下的秩序,肯定不会太好了,无论官兵还是土匪,有时纪律都差不多地坏,说匪来如梳,兵来如篦,可能有点夸张,但驻兵与驻匪都时常扰民却是真实的。那些由匪变兵的军队,比如张作霖的奉军,一直到小张(张学良)时代,还以纪律差闻名,在老张时代,就可想而知了。

不管怎么说,南有干帅(陆荣廷字干卿),北有雨帅(张作霖字雨亭),榜样的力量是无穷的。各地的土匪,都纷纷效法,也有条件效法。事实上,袁世凯死后,由于混战不止,各地军阀,都在招抚土匪,借以扩展势力,只是各地有各地的高招,招抚的方式,有收抚的,也有打抚的。不知出于什么原因，反正在1923年，山东督军田中玉跟抱犊崮的土匪之间，从原来的相安无事，各管一边，变成了真刀实枪地对打，两个混成旅开到兖州，其实，真实意图是剿是抚，还是以剿逼抚，还真说不清楚，可是，不幸的是，在冲突中，孙美瑶的哥哥孙美珠一个没留神丧了命，所以，激得孙美瑶使出了拼命的招儿，酿成一场大案。

不过，在那个大家都怕洋人的时代，这招虽然很灵，足以让官方满足他的条件，拿到一笔做土匪的都想要的特别赎金，却犯了大忌，不光是白道的大忌，也是黑道的大忌——不动外国人，免惹大麻烦，黑道白道，殷鉴不远，都还记得义和团的教训。所以，事过之后，孙美瑶非死不可，官家即使用上韦小宝的下三烂的招数，也得让他死。

孙美瑶绑了一笔大票，要到了他想要的赎金，然后全赔了。以后，这种赔老本的买卖，土匪就再也不做了。

流氓大亨的脸面

黄金荣和杜月笙是民国年间上海青帮最有名的两位流氓大亨。按当年上海的规矩，有名到了这个程度，就应该叫"闻人"了；不过，闻人这个称呼，除了民国时期的上海之外，大家都不大明白其真实的含义，所以，只好委屈二位，依然称他们为大亨。虽然有点对时下有关电视剧跟风从俗之嫌，为了通俗计，也顾不得那么多了。

两位大亨之中，黄金荣出道较早，实际上属于杜月笙的师辈，黄在法租界做华探、黑白两道通吃的时候，杜还是上海滩的瘪三。可是最后却是杜后来居上，不仅名声，而且实力远远高于黄金荣之上。害得原来一起混过的蒋介石跟北伐军杀回上海，要对付共产党的上海工人纠察队，都不找黄金荣，而偏劳杜月笙和张啸林(当然，也因为这个缘故，解放的时候，黄待在家里不跑，而杜明知道蒋介石不待见他，也得开溜，只好待在香港，客死他乡)。

在一般人看来，做流氓都是不要脸皮的，坑蒙拐骗偷，什么都能干，进了监狱，出来还是冯妇再做，要什么脸哪。鲁迅先生说他到天津，碰上青皮(天津的流氓)，非要帮着提行李，一件两元(那是银洋)。你说行李轻，他要两元；你说路近，他要两元；你说不要他提了，依然是两元；似乎不要脸到了家了。其实，在那个时代，流氓也是讲脸面的，而且有时候讲得还挺凶，只不过，人家脸面的含义跟一般人有点不同。就说青皮吧，上街去混赖当然浑不论，可两下较量起来，如果装熊喊叫，如果是小人物的话就算栽了面，再也别想在地面上混。大人物吃了瘪，如果不想法找回来，也算是栽面，从此在圈子里没了脸面。天津如此，上海更是如此。黄金荣事业走下坡路，据说很大原因是因为他作为当时气焰熏天的青帮大亨，栽过面子，而且栽得很大。那还是20世纪前10年的事情，有天，黄金荣在看戏，女主角是他相好的红角，色艺俱佳。正看到兴处，猛听得观众里有人大声叫好，很是放肆。黄金荣怎么能容得了这个，当即派人将叫好的小子很揍一顿。他不知道，挨揍的人刚好是当时上海护军使卢永祥的公子卢筱嘉。军阀手里有枪，怎么会吃这个气，在租界里不敢放肆，但出了租界，就是他们的天下。没几天，卢公子带着一排人，找机会把黄金荣照样再加利息揍了一顿。糟就糟在，黄金荣尽管手眼通天，却就是惹不起军阀，这口气一直就出不了，面栽大了，从此在上海滩就不那么有面子了。

有了前辈的教训，杜月笙聪明多了，有枪的人不惹，不仅不惹，而且倾力结交。无论东西南北大小军阀，差不多都跟他有点关系，甚至下了野丢了枪，只要到了上海，要借钱，也给。蒋介石作为北伐军总司令到了上海，要清共，他不仅出人跟工人纠察队闹事，给蒋介石提供下手的机会，甚至不惜破坏青帮的规矩，出卖自己的徒弟、上海总工会会长汪寿华，将他骗出来杀掉。其中很重要的原因，是他不想惹蒋介石这个最大个的军阀。不过，他也有不太能完全摆平的时候，比如1932年驻守十九路军的“一·二八”抗战，跟日本人打了起来，杜月笙本能地出钱出力，可是蒋介石却并不十分高兴，因为在他看来，这种抗战，破坏了他的通盘部署，因此也连带着对杜月笙有点不满。在以后的岁月里，蒋介石这个老相识，出于洗白自己跟黑社会关系的考虑，对杜月笙越来越不客气，不给官做，不给名誉，甚至1948年小蒋到上海整顿金融秩序，竟然把杜公子抓了起来。即便如此，杜月笙依然没有跟蒋介石撕破脸皮，因为撕破了这层脸皮，他的脸面就有危险了。

杜月笙的“维权”生涯

杜月笙是旧中国上海的青帮老大，也是上海滩著名的“闻人”。按著名报人徐铸成的说法，流氓首领，帮会领袖，不管你有多大声势，只能叫做“大亨”，上海滩够得上“闻人”的只有有数的几个人，而杜就是其中之一。

作为帮会头子，走私贩毒、包娼包赌，这些活计肯定是要做的，而且手眼通天，人脉极广，全国的军政要人、帮会同道并土匪马贼都买他的账。据说当时如果丢了特别紧要的东西，只要杜老板肯帮忙，不管丢在什么地方，都是可以物归原主的。在上海，无论什么时候，杜老板进到哪个舞厅，所有人都会停下来恭敬地看着他，乐队马上改奏迎宾曲。当然，如果杜月笙的本事仅限于此，那么他就担不起“闻人”二字。杜月笙的本事在于，他经常能做点好事，上海几乎所有大学，他都是校董，免不了要大笔地捐钱；凡是像点样的公益活动，都有他的身影，慈善募捐，认捐的头几名，肯定有他的名字。无论是失意政客还是落魄文人，只要你有名，到了上海，他都养着，给房给钱，而且给得相当巧妙，不让你有吃赏饭的感觉。大名鼎鼎的段祺瑞、杨度，都吃过他的饭，而且，就是在吃杜老板供养期间，杨度变成了中共的秘密党员。

杜月笙之有名，还在于他在跟上流社会打交道的同时，并没有忘了帮会原初的宗旨，以特殊的方式为某一部分下层百姓讨利益。因此，在上海的普通民众眼里，杜老板的口碑也是相当不错的。当时的上海，不管你是街头的小贩，还是四马路的流莺，受了欺负，只要运气足够好被杜老板知道了，他就会管，而且肯定会给你一个说得过去的说法。在国民党政府控制下的黄色工会，不再替工人说话，或者组织罢工时，杜月笙和他的门徒就承担了这个惹事的买卖；20世纪三四十年代的许多工人罢工,都有帮会的背景,特别是那些处于社会最底层的码头工人、人力车夫的“维权活动”,都无一例外地得到了杜月笙的支持。为了支持这些罢工，杜月笙甚至不惜冒跟政府当局搞翻的危险。从某种意义上说,杜月笙之所以在抗战以后,在国民党政府那边越来越失势,1948 年连儿子都因所谓破坏金融秩序的罪名抓了起来,很大程度上是他这种替工人“维权”的行为所致。事实上,20 世纪二三十年代,共产党人还热衷于工人运动的时候,也必须借助杜老板的力量,早期上海总工会的会长汪寿华还拜山入了杜月笙的山堂,只是后来蒋介石搞“四一二”政变的时候,受到各方的压力与诱惑,杜月笙又出卖了他。这件事,后来成了杜月笙一生悔之不尽的憾事。1949 年以后,当他逃到香港,和在京剧界有“冬皇”之称的孟小冬一起生活的时候,还不断地提及此事。

一个国家,当政府尤其是警察和司法部门不能维护秩序,不能还下层百姓一个起码的公道的时候,下层百姓就会去求助黑社会。黑社会也自然会以下层社会的执法者面目出现,在很多场合充当裁判,尽管他们的本身，在某种程度上就是秩序的破坏者和下层百姓的压迫者。凡是有人群的地方，都需要某种秩序，都有人在寻求公道，如果政府失职,那么自然会有替代者。旧中国的种种乱象,在很大程度上源于此。

文人的脾气

顺人章士钊

一个人活在世上，不顺心事，十之八九。用叔本华的话来说，就是长时间的痛苦中间夹杂着瞬间的快乐。大概只要某人快乐之间的间隔稍微短一点，大家就会认为他命很好了。不过，这个世界上，事情总是不平衡的，在大多数人埋头苦熬的时候，总有那么一些人，不知道什么原因，能在各种环境和条件下，都混得很好。下面我们要谈到的章士钊，就是这样一位。

章士钊刚出道的时候，运气并不太好，赶时髦弃文从武，不过进了江南陆师学堂，如果一直学下来，日后的出息肯定比不上北洋系的武备学堂。不过还好，章士钊很快就脱离那个培养兵头的地方，掉过来弃武从文，接手办《苏报》；当惹出事来，明明他是主编，最后倒是邹容和章太炎两个进了监狱，前者还死在了狱中，他却平安无事。这里就有点运气了。

章士钊真正的时来运转是在1904年到日本留学期间。到日本后，原来的热血愤青章士钊不再热心革命，改埋头读书了，连同盟会也不肯加入。章太炎、张继这些昔日的朋友，怎么劝都不行，没办法，有人出主意说章士钊很喜欢一个新近来日本的美女，而这个美女恰好很倾向革命，不如让她去劝劝试试。这个美女名叫吴弱男，是当年淮军名将吴长庆的嫡孙女，清末四大公子之一的吴保初的掌上明珠。结果呢，美女吴弱男去劝了，没有劝动，反而把自己搭了进去了，从此，吴弱男成了章士钊的枕边人。

革命党赔了夫人，章士钊抱得美人归。这个天上掉下来的好事，对章士钊来说，却是一个命运的关键性转折。吴家在当时的中国可是非同小可，李鸿章、吴长庆和袁甲三原本同属淮系，而吴长庆又是袁世凯的恩公，所以吴家跟清末民初势力最大的北洋系关系甚深。无怪乎吴弱男张口闭口就是我们官家如何，在那个时候，吴家的确属于中国最有权势的“贵族”，要不吴保初怎么能入选四大公子呢。有了如此美人相伴，章士钊从此变了模样，过去那个当过私塾先生的湖南穷小子，开始跻身于上流社会。无论办杂志、办学校还是做官僚，都带着三分贵族气。军阀、政客、革命党甚至青红帮，都对他高看一眼，给官，给面子，给大头(光洋)；请饭，请花酒，请留洋(欧洲)。欧洲游学当时是费用最昂贵的，人家章士钊可以一去就是若干次，一待若干年，还带着家眷、仆人，而且据说还拥有整屋子的社会主义的德文书(陈西滢语)。

章士钊日子过得顺，不仅是命好，识时务，关键是性格上顺。历史上此公做金刚怒目状只有两次：一次是在编《苏报》的时候，那时还是“愤青”；一次是在段祺瑞政府里做老虎总长，镇压北京女子师范大学的学潮，撤鲁迅的职。除此以外，跟谁都混得不错。章士钊自己说，平生见过最难交的人有三个，其中一个是陈独秀，可是章士钊还是跟陈独秀交上了。平心而论，章士钊是讲交情的，为人并不势利，但他比一般人讲得柔，讲得顺，无怪乎能讨那么难讨喜欢的人喜欢。

性格决定命运，信夫！

由哭而惹出的案子

金圣叹是明末清初江南有名的才子。不仅批点过《水浒传》、《西厢记》、《三国演义》这样的才子书，而且写过《不亦快哉》这样的妙文，今天读了还令人忍俊不禁。不过，此人却是因为“哭”而身陷大牢，进而丢了性命的。

事情是这样的，顺治十七年，也就是这位传说去了五台山出家的皇帝死的前一年，金圣叹所在的吴县县令催缴钱粮甚急，稍有拖延，则尺宽的毛竹片伺候，县衙班房，天天哀声一片，鲜血淋漓。虽然说，吴令所为，大体上不过是执行上级的指示——为了惩罚江南地区对清朝征服的反抗行为，清朝规定，此地的钱粮征收额要比他地高出几倍到十数倍不等，但这位县太爷在横征暴敛的同时，也没忘了给自己多弄点外快，据说前脚征粮，后脚有的就顺到自己家去了。事有凑巧，就在县太爷率领众衙役大抡毛竹片正起劲的时候，顺治皇帝翘了辫子。按规矩，各地官绅可以设皇帝的牌位前去哭，于是，吴县的诸生，也就是那些见了县太爷可以不下跪的秀才们，跑到文庙(孔庙)开哭。哭可是哭，大家在哭皇帝的同时，大骂县太爷，这一骂，把个平日苦于征课的百姓也引来了，据说有千人之多，哭声震天，骂声也震天，街上甚至出现了揭贴(大字报)。

这种恶毒攻击领导的聚众闹事，马上被县太爷上报，巡抚朱国治正巧是个痛恨读书人的杀手(正因为如此，才被派到文士多如牛毛的江南来)，闻言大怒，立即派兵镇压，当即有11名诸生被抓，连夜刑讯，牵连甚众，金圣叹也在其间。最后结案是“不问首从，一律处斩”，家产抄没，妻子儿女流放黑龙江，不算流放瘐死的，死案者121人，吴县像样的文人消亡殆尽。

说起来，哭庙事件，只是一个小小的“学生运动”，而且这种学生运动，至少在表面上是有着习俗上的合法性的。在案发之前，秀才们聚众到文庙孔夫子牌位前抗议，是他们的习惯，也是他们的权利。尽管也有过秀才因此丢了头衔的，但官方如此大动干戈，要了这么多人的身家性命，还是破天荒的第一次。这里，有清朝当局作为异族统治者的敏感，有朱国治这种酷吏的阴狠，也有那位县太爷出于担心自家劣迹暴露的别有用心。然而兴大狱的真正用意，实际上是拿金圣叹一干秀才的人头，吓唬江南所有对前朝怀有思念的士人，彻底铲除遍布江南的文人结社(一结社，就难免说三道四，对政府不恭敬)。据说，吴县的这种结社，金圣叹属于领袖人物。满清征服江南以来，虽然屡次下令严禁结社，但文人诗酒酬唱，由来已久，禁不胜禁，查无从查，现在正好有了这么个机会，于是下了黑手。

尽管如此，像这样“排头砍去”，按大清律也是没有依据的，所以，结案实际上最后是把诸生篡入一件近期发生的海盗案，做成造反“逆案”，才遂了从朝中的执政诸公(当时康熙还没有亲政)到巡抚、知县等诸位大佬的心愿。

在死亡面前，金圣叹依然保持了自己名士的风范，临刑前留下一封家书，狱卒担心里面有诽谤不敬的话，将之呈送长官，官打开一看里面写的是这样一句话：“盐菜与黄豆同吃，有胡桃滋味，此法一传吾死无恨焉。”

官哭笑不得。

一个跟乌鸦有关的文字狱

如果不算土匪流氓等“第三社会”中人，文人跟监狱的距离想必要比其他人近那么一点，越是有才华的人，危险似乎就越大。有人反过来说，这种危险其实成就了这些才气乱冒者，让他们写出传世的诗文，所谓“文章憎命达，魑魅喜人过”。但是受难的当口，当事人似乎没有这样自觉的受虐意识，几乎没有不想早点摆脱苦难、过平常人的日子的。

在中国文坛上，苏轼几乎就是才华的同义词。虽然文人琴棋书画都要弄一点，但在诗、词、书、画上都有成就的却并不算多。就当时而言，苏轼在歌伎舞儿中大红大紫，哪个不唱苏子瞻的词？如果有幸运儿得到品题，自会身价百倍，缠头不知要多得多少。苏轼的诗词歌赋值钱，书画也宝贝，当时就能拿来换钱换物。有个朋友嗜羊肉，一馋了就找个借口到苏轼那里骗幅字，去换上几十斤上好的羊肉。

才华横溢而且有幸在生前暴得大名的人，往往都有点多嘴的毛病。在政坛，则表现为对政事的挑剔，甚至“非议”乃至“横议”，令当局者满是不痛快。苏轼尤其如此，此公中年以后，发福得紧，肚子很大，据说里面是一肚皮的不合时宜。此公为官一生，始终不知道“站队”为何物，一任嘴巴痛快，总有话说。朝廷不变法他不满，变了法他更不满(等到反对变法的一派上台，尽废新法，他还是不满意，当然这是后话了)，摊上文字狱，委实也是“罪”有应得。

北宋神宗元丰二年(1079)，“王安石变法”已经推行了十年。这个以富国强兵为目标的变法，其是非功过，史家仍在聚讼不已。但有一点可以肯定，由于变法本意就是强化行政干预的力度，因此给了官吏们太多的上下其手的机会，所以实行过程中，老百姓就不大可能欢天喜地。这一年，苏轼由杭州调任湖州知州。

前面说过，对变法苏轼是不满意的，属于经常说三道四的反对派。不过，跟大批因反对变法而遭到贬斥的官员不同，苏东坡由于其耀眼的文名，居然得以留在江南的鱼米之乡享福，这让许多新党人士很是不平。因为苏轼“诽谤”新政的诗文的杀伤力，实际上并不弱于旧党领袖司马光的长篇奏折，用御史舒直的话说，苏轼讥讽新政的诗，“小则镂版，大则刻石，流布中外，自以为能”，也就是说政治影响极坏，不动动他难以“平民愤”(应该是官愤)。所以，苏轼在湖州任上屁股还没有坐稳，御史老爷的弹章就接二连三地递到了神宗皇帝的手里。先是御史何正臣，继而御史舒直，再则御史台的领班御史中丞李定。

于是，苏轼被逮到了东京汴梁，关进御史台受审，人称“乌台诗案”。典出于《汉书·朱博传》，汉朝的御史府柏树森森，常有成群的野乌鸦栖居其上，朝出暮归，人称御史台为“乌台”(估计这里也有骂御史们乌鸦嘴的意思)。苏诗人进了乌台，严刑拷打倒是不多，不过审讯官们不是吃素的，昼夜连轴提审自是免不了，在触及灵魂的同时，偶尔也要触及一下皮肉。苏轼在仅能容身的临时牢房里一直待了4个月零12天，几乎每天都被逼要交代他所写过的所有可疑诗文的出典、用意以及去向(一本参考书都不给，全要凭诗人的记忆)。一时间，苏轼的诗几乎成了今文经学家眼里的《公羊传》，御史老爷们拼命从里面寻找微言大义，以便罗织苏轼谤讪朝廷的罪名。说苏轼诽谤新政已经远远不够了，审讯者所想要的是将此狱锻炼成诽谤皇帝的重罪。虽然宋朝祖制不杀士大夫，但犯“大不敬”罪是例外的。为此，苏诗中所有涉及“龙”字的诗句，都被反复追究，上挂下联。审讯者的想象力居然大到这样的程度，苏轼有首咏老松的诗，其中两句“根到九泉无曲处，此心惟有蛰龙知”，其实无非是说松树的根子非常深。但是审讯的御史老爷却认为这是影射，讲蛰龙的实际用意就是蔑视“飞龙在天”的皇帝。当然，在寻找大罪名的同时，苏的生活细节也没有被放过，从道德上把被整者搞臭，是所有政治案件的惯例。因此，连苏轼借朋友的钱没来得及还，托朋友裱画没有付费这样的斗屑小事都被挖掘了出来,作为罪状上报。

因言得罪,株连必广。苏轼为当时的文坛领袖,平时诗酒唱和,鱼雁往来,有文字交往者不知凡几。到了这时,凡是和苏轼有过文字交往的人,都只好自叹晦气,因为必须得交出苏的诗文和书信,如果找不到就有有意包庇的罪过。一时间,翻箱倒箧,鸡飞狗跳,众文人被搅扰不说,还要被罚铜(俸)。连已经死去的欧阳修的家人也不能幸免,一样要因老子与苏轼的交往受到惩罚。身为驸马的王诜和苏轼的弟弟苏辙,因与苏轼的关系太深,有通风报信之嫌,因而被贬官。

乌台诗案,是北宋开国以来第一个文字狱,兴狱者深文周纳,必欲置苏轼死地而后已。由于没有先例,狱里狱外,大家都不晓得结局将会如何,一时空气相当紧张。苏轼遭难,儿子苏迈一直在外面为父亲打探消息。苏轼跟儿子约定,如果没有什么事就送肉和菜,有事就送鱼。一次,苏迈因急事外出,托朋友代为送饭,朋友好心,做了几条鱼送进去。苏轼一见,以为自己难逃一死,不仅鱼没有吃,连绝命诗都作好了。当然,此案的结果并没有这么悲惨,皇帝最后否决了御史老爷给苏轼定的最严重的罪名——针对皇帝的恶毒攻击罪,仅仅以反对新政的罪名将他贬为黄州团练副使。品级虽然降得不多,但从实权的富裕地区地方长官变成了虚衔的军职,而且不许签署公事,等于“挂”了起来。在黄州,苏东坡很是闲了一阵,在四处闲逛、跟渔夫酒徒厮混之余,还在江边的东坡上开了一块地,由此自命“东坡居士”,还烧出了著名的东坡肉。

苏东坡的牢狱之灾,在文学史上一向是作为文人遭嫉的典型来解读的。木秀于林,风必摧之,自古皆然。三苏自走出巴山蜀水以来,文名满天下,而苏轼又是三苏中的翘楚,早早地就接替欧阳修成为文坛领袖,遭人嫉恨,原是应有之义。更何况苏轼一肚皮不合时宜,一肚皮赤子之心,口无遮拦,看不惯就说,交结的人多,得罪的人也多。连一向稳重的理学大师程颢、程颐之辈都对苏轼颇有微词,嫌他“轻浮”。而且,文人相轻,并不只是庸俗者的毛病,往往越是出色的人才,彼此就越容易暗生妒意，道德上稍有放纵，难免就会干出些嫉贤妒能的事来。看过《梦溪笔谈》的人，大多会认可作者沈括的才华与见识，但还在御史老爷们弹劾苏轼之前，他担任两浙察访使期间，在杭州与时任杭州知州的苏轼交往甚密，临走前特意向苏讨要了几首近作，说是作为纪念，回过头来却详加“注释”附在考察报告里，交给了皇帝。虽说没有即时兴起大狱，但对后来苏轼的遭难，也不能说没有一点铺垫作用。对此苏轼自己也十分清楚，在谪居黄州时，爱妾朝云为他生了个儿子，三朝洗，他给儿子作诗一首：人皆养子望聪明，我被聪明误一生。唯愿孩儿愚且鲁，无灾无害到公卿。

不过，在我看来，虽然苏轼的遭遇跟他的恃才傲物和别人对他的嫉妒不无关系，但事情并不如此简单。苏轼固然恃才，但远没有傲到世人皆曰可杀的地步。换言之，他离一个狂士还有相当距离。朝中大佬，嫉恨他的固然有，但欣赏其才华的也大有人在。乌台诗案案发，不仅旧党人士连声抗议，连偏向新党的宰相吴充也劝神宗皇帝赦了苏轼，甚至连王安石都表示不满(王时已罢相，但新法依旧在推行)，上书营救，新党的另一中坚人物章惇也出来为苏轼说话。其实神宗皇帝自己，对苏轼也是相当赏识的。在此案之前，尽管明知道苏轼反对他所钟爱或者说迷信的变法，但依然优待这位才子，让苏轼在江南温柔乡里过了许多年倚红偎绿、浅斟低唱的日子。实际上，导致乌台诗案的主要原因有两个：一是属于新党的御史中丞李定等人讨厌苏轼反对变法，骨子里则有公报私仇的因素，因为苏轼曾经攻击过李定不为母亲服丧，这在那个时代的确过于有杀伤性；二是苏轼利用诗歌对变法的冷嘲热讽，的确让迷恋变法的神宗头痛，或者说，影响了变法大局。

北宋冗官、冗兵和冗费的“三冗”问题，由来已久，恶性循环，早就到了非改不可的地步。对于这一点，所谓的新旧党人其实是有共识的。他们的分歧实际上在于怎么改，而不是改还是不改。在现在看来，新党人物王安石以下像吕惠卿、章惇等人，对于改革所引起的民生问题，心理承受能力要比旧党的司马光和苏轼他们大得太多，在他们看来，这些都是实现国家强盛所必然要付出的代价。不幸的是，神宗恰是一个对着国家强盛有着执著追求的皇帝，他不甘继续忍受朝廷对外战争中的耻辱，急于展示大国和强国的面貌。王安石变法的快速增强国家能力的思路，实在很对他的心思，所以，他不惜代价也要推行下去。但是，北宋一朝，在制度上，君权最弱，为了防止军人暴政而形成的优待士大夫、不以言罪人的政治传统，使得皇帝推行变法的"乾纲独断"往往流于形式。为了打破这种局面，神宗需要对传统的政治文化有某种突破，这个时候，恰好御史台盯上了苏轼。监察部门从来都是皇帝制约和平衡行政体系的一个重要工具，在北宋，这个工具的作用尤其突出。如果说，个别御史的意见还可以无视的话，那么，御史台的整体声音，是皇帝必须要重视的。更何况，这个声音恰好又是皇帝所需要的。所以，尽管整个皇室对苏轼非常喜爱，皇帝本人也未必不看重苏的才华，但为了大局的需要，苏轼也只好做牺牲了。

应该说，放在历史的长河里看，苏轼还是幸运的。如果他早生几年落在五代的武夫手里，或者晚生几十年落在蒙古人的马蹄下，可以肯定地说，他就没有机会发明东坡肉了。只是，有着历代最宽松的政治文化的宋朝，自乌台诗案之后，改革越来越变了味道。改与不改，只是两派或者多派势力的权力角逐，直到蒙古人把最后一个小皇帝追得跳了海。

别把诗人的话当真

诗人的话当不得真，据说这是古训，说是唐朝一位诗人作诗云："舍弟江南没，家兄塞北亡。"上司见了，很是哀怜，说：想不到君家不幸如此。不想此公答道：没的事，我只是作诗而已。后人嘲笑这位仁兄，说：既然是作诗，何必把兄弟全搭上，为什么不写"娇妻伴僧眠，美妾入禅房"？

不过，尽管如此，还是有拿诗人的话当真的。同样是唐朝，唐宣宗时，令狐绹为相，推荐诗人李远为杭州刺史。唐宣宗说，我听说此人有诗云"长日惟消一局棋"，这样的人，能治理好地方吗？令狐回答说，诗人的话，当不得真的。两下僵持了半晌，最后唐宣宗说，先让他上任干着，紧看着点，以观后效。乖乖，差点因为一句诗，丢了好大的一个肥缺。

唐朝毕竟是唐朝，皇帝虽然把诗人的话当了真，也不过是担心诗人光顾着下棋耽误了公事。可是到了宋朝就不一样了，王安石变法，大才子苏轼写了几句诗发牢骚，结果被御史摘出，说他诽谤新政，用今天的话说就是反对改革，于是逮捕下狱。好在宋朝祖制不杀大臣，苏轼最终得以保全小命，发往远恶潮湿的黄州做团练副使。诗人的话，撞到了政治的枪口上，终于惹出祸来。

转眼到了明朝，朱元璋一做了皇帝就大兴文字狱。不过，倒霉的大多是些地方上的小知识分子，上书写什么"生民作则"之类的话拍马屁，不幸拍在了马腿上。朱元璋用凤阳话把"作则"误会成了"作贼"，结果拍的人纷纷掉了脑袋。真格的诗人，因为作诗丢命的好像还没有。大概是因为明朝采用特务统治，锦衣卫、东西厂特务密探神出鬼没，诗人的诗兴未免稍减，大家一哄而起写小说去了。洪武十五年，朱元璋刚刚兴完大狱，杀了宰相胡惟庸并三万余大小官员，废了宰相，自己既当国家元首，又做政府首脑，天天累得半死，不得已从翰林院找来几个老儒，帮他处理公务。其中一个名叫钱宰，年事虽高，但办事写东西还算让皇帝满意，算是最得朱元璋宠爱的一个“秘书”。一天散朝回家，忽然吟诗一首：“四鼓咚咚起着衣，午门朝见尚嫌迟。何时得遂田园乐，睡到人间饭熟时。”第二天上朝，见过皇帝，朱元璋说：你昨天作的好诗，不过，我并没有嫌你呀，何不改“嫌”为“忧”呢？老钱宰吓得一个劲地磕头，余生估计一个字的诗也写不出了。

到了清朝，皇帝进步了，自己就有爱诗如命的，像乾隆一个人作的诗传下来的据说就有四万余首。不过他一爱诗不要紧，诗人的脑袋可就有点危险了，几十上百的文字狱出来了，连“清风不识字，何必乱翻书”这样的风月诗句，也被上纲上线为恶毒攻击清朝皇帝的“盛世修书”。诗人的话，还就是被真真切切地当了真。

诗人的话被当真，诗也就没了。

文人的舌头

文人的舌头是惹祸的根苗，也是谋生的工具。姑不论众多三家村学究、私塾的教书先生，无日不赖这根舌头为自家换取衣食，就是那些混到庙堂之上的士大夫，无论晋升还是保级，舌头都是离不了的。我们曾经有过游说得官的年代，那时候的张仪，在被人暴打一顿之后，醒过来说的第一句话就是：我的舌头还在吗？有了舌头，就挡不住人家滔天的富贵。后来得官之途改道了，从推荐变成考试，但做官的人，还得要会说话。

做官首先要建言，对政务提出建议和看法。建言当然可以通过文字的方式，但开会的时候，总要说话，这时候面对面地对话，显然更要紧些。其次是拍马，拍马也一样可以有文字的形式，但直接拍，当面拍，毕竟立竿见影，喜笑颜开。其三是“忽悠”，想法让别人相信你，同意你的看法。这当然非得直接而且当面才会有效。

不过，但凡要说话，就有风险，马屁也有拍到马腿上的时候。某些居心叵测的皇帝，比如朱温和朱元璋，还经常设套引诱臣子来拍，然后安个欺君的罪名杀了。比如朱温就曾经跟臣子说，柳木做车轴好。臣子马上附和道：当然好。朱温马上大怒：你们玩我，柳木怎么能做车轴，车轴必须用枣木做！于是附和的倒霉鬼就真的变了鬼。至于建言和忽悠，危险就更大，尤其是面对君主的时候，伴君如伴虎，不知道什么时候碰了哪根龙须，人家龙颜大怒，自家吃饭的家伙就没了。所以，清朝的三朝元老曹振镛说，做官要多磕头，少说话。少说话还是得说，为了防止说错，唐朝的苏味道告诉你要“模棱”，含含糊糊，藏头缩尾，到处留下活扣，见机行事，看风转舵。这些说话的“经验”，一提起来大家就痛心疾首，大批特批，说实在的，其实这些招数，多半是皇帝老儿逼出来的，又要让人说，说错了就要挨整，不想点辙可怎么混呢。

最惹祸的舌头，是跟领导过不去的那种。上司说东，他偏说西，上司说西瓜好，他偏说南瓜也不错。中国文人因为管不住舌头活生生就下了拔舌地狱的，不知有多少，但是，不吸取教训的，就是断不了根。这样的人，大体上可以分为两种，一种是自己觉得皇帝做得不对，给皇帝提意见的，学名叫诤谏；一种是自说自话，发非常奇异可怪之论，不仅皇帝听了不顺耳，连一般人听了都受不了。第一种比较常见，在明朝之前，朝廷里设有专门官员，专职干这个。但别的官员如果想要说点什么，在理论上也是可以的。这种事情，平常往往不显山不露水的，只有在非常时期，或者赶上了非常之人，就动静特别地大。比如东汉后半段，外戚、宦官换着专权，把官爵拿出来当街叫卖，于是自命清流的士大夫受不了，前赴后继地出来说话，太学生们也跟着起哄，闹学潮，一浪接一浪。害得朝廷不得不动用专政工具，打的打，杀的杀，抄的抄，赶的赶。明朝中叶以后，宦官再一次专权，这一次更厉害，干脆做了“立皇帝”，士大夫又嚷了起来，结社集会，不依不饶。当然朝廷也更有办法，干脆扒了裤子当庭打屁股，一直打到稀烂，断了气。

然而，真正令统治者感到不舒服的舌头，是那种虽然未必就具体的朝政说三道四，但是却对统治意识形态不敬的，所谓“得罪名教”者。东汉的王充，非孔刺孟，由于当时法网不严，让他滑了过去。接下来孔融仗着自己是圣人之后，浑说什么父子之间有什么亲情道义，当爹的制造孩子，当初无非是出于情欲，而子之于母，就像瓶子里面盛东西，东西出来了就两不相干。结果被曹操办了，连家中未成年的孩子，一并提前见乃祖去也。明朝的李贽，读了几本佛经，就浑说乱道，说《论语》、《孟子》无非是圣人门下的懵懂弟子胡乱记的笔记，有头无尾，残缺不全。更令人不堪的是，虽然历代都儒表法里，行申(不害)、韩(非)之政，但却不能说破，偏这个李贽，公开说申、韩的好话，硬是扯下了政治的遮羞布。于是，李贽以古稀之年，被捉将官里去，断送了老头皮。清朝文字狱最盛，但绝大多数无非是皇帝自己神经过敏，白日见鬼，只有吕留良、曾静案，才是真的“大逆不道”。吕留良在讲学中高扬民族大义，鼓吹反清，虽然未必得罪名教，但在华夷之辨上，戳了雍正皇帝的肺管子，于是，已经死掉的吕留良被锉骨扬灰，吕氏一族，满门抄斩。

看来，文人最大的祸患，在于有一条不合时宜，而且又能说出点名堂的舌头，把这样的舌头割了喂狗，天下就太平了。

上了梁山的《苏报》

1903年的《苏报》案，无论在当时，还是在后来历史学家的视野里，都算是很大的政治事件。几个特别善于舞文弄墨、也特别能战斗的革命党人，接办了租界里一张影响并不大的小报，公开抨击政府，指名道姓地骂街，说光绪皇帝“载湉小丑，未辨菽麦”(章太炎)，要与“爱新觉罗氏相驰骋于枪林弹雨之中”(邹容)。骂得刚回銮不久的西太后无论如何坐不住椅子，指示当时的两江总督魏光焘，无论如何要将这一干乱党捉拿归案。

可是《苏报》办在租界里，一干“乱党”，章士钊、蔡元培、吴稚晖、章太炎、邹容等，也在租界和华界之间出没，稍有风吹草动，就溜到租界去，让清朝的官员望界兴叹。还好，由于西太后雌威尚在，施加的压力足够地大，而且章太炎们骂得也忒出格，加上此时的西方列强，对已经服帖而且表示要改革的清政府也多少要给点面子，所以列强的领事们同意查办这些革命党，只是只能在租界内审办。清朝官场徇私玩忽的积习，在这个时候，起了非常正面的作用。办案的江苏候补道俞明震，跟这些党人有着千丝万缕的联系，兵马未动，风却早就放出去了，明白地暗示这些人赶紧开溜(此公后来做了矿务学堂的总办，给学生出国文题，有“项羽拿破仑论”这样的好题目。这个学堂最有名的学生叫周树人，即后来的鲁迅)。章士钊、蔡元培、吴稚晖，加上报纸的老板陈范，很识趣地走开了，只有骂了皇帝的章太炎不肯走，几乎是自投罗网似的被捉了进去。讲义气的邹容不忍心让老大哥独自坐监，也投案自首。在名为中外合议、实际上是洋人当家的会审公廨上，章太炎发挥自己文字学的学问，硬是考证出“小丑”的古义本是小孩子，因此他没有骂人。邹容则辩解说，他那号召推翻清政府的《革命军》，根本就是别人的盗版，他写是写了，但没有发表。尽管两位经过高人指点，通晓西方法律的革命党，在法庭上辩得让人直晕，但是原本就打算给清政府面子的法官，还是判他们二人有罪，分别服刑两年和三年(不引渡，在租界服刑)。

《苏报》原是一介普通的小报，在风气渐开的19世纪末，上海这个华洋杂处的所在，集聚了太多的有闲和有闲钱的人，学洋人办报，是这些闲人和闲钱的一种出路。《苏报》的创办人胡璋，不过是为了拿这个报纸生钱，跟办工厂、开钱庄差不多，只是胡某人办得不好，赔累不起。转给陈范之后，虽说陈有政治倾向，同情变法，但也跟银子没仇(不挣钱的报纸办不下去)，所以，也得谋经营之道。谈政治虽然危险，但在那个年月，却是时髦，有市场。据阿英研究，在19世纪和20世纪之交，中国的通商口岸，讲政治是最受欢迎的，连小说不讲政治都没有人读。只是《苏报》最初谈政治，完全是康党(康有为)的口吻，可是随着朝廷政治颠三倒四地开倒车，戊戌政变，直至闹到庚子之变，杀教士和教民，打使馆(外国舆论以为我们在搞恐怖主义)，闹完之后，又迟迟不肯认错，《苏报》也逐渐地走向激进，倾向革命了。当然，这里也有市场的原因，因为在这个时候，越是激进的言论，才越是引人注意。其实，《苏报》案的一干主角们，跟孙中山不一样，当初也都是康党，或者倾向维新的，章太炎就参与过《时务报》的事务。由改良转为革命，也都是由于对清政府的失望。

《苏报》上梁山，有清政府的催逼，也有市场的拉动，当然，一个很关键的催化剂是存在租界这种国中之国。《苏报》案的“重罪”(按大清律是要凌迟处死的)轻判，对于后来的舆论界的形成，起了很正面的作用，游荡于租界内外的知识分子实际上受到了鼓舞。从那以后，舆论界一发不可收拾，形成了对清政府改革(新政)的巨大压力，起了改革的推进和校正器的作用，主持改革的政府，稍有不慎就会被骂得狗血淋头。

吴稚晖两次"冤"的际遇

吴稚晖是个民国怪人。在国民党内,他无疑属于元老级的人物,但其政治表现,却总是二丑模样,半是名士派头,半是玩笑洋相,总也正经不起来。日俄战争期间,留学生在东京开会,吴稚晖上台大骂西太后,骂着骂着,肚子一鼓,裤子掉了下来,提上之后,面不改色,依旧是骂。北伐成功,国民党当了家,吴稚晖成了元老中的元老,而且年逾耳顺,奔七十了,却依然为老不尊,疯癫如故。喜欢穿土布大褂,坐三等车,睡大车店,还特别喜欢在住所周围的空地上方便(吴《斗室铭》有句云:"耸臀草际白,粪味夜来腾")。极其健谈,话匣子一开,就关不住,所讲的话庄谐杂出,格外喜欢在脐下三寸左右徘徊,越是有女士在场,就越是卵蛋、精虫的说个不停。为文,最喜欢的东西,一个是嘲笑瘌痢头的《瘌痢经》,一个是一开首便"放屁,放屁,真正岂有此理"的鬼话《何典》。西太后死的时候,吴稚晖写文章去骂,要李莲英伸手扪西太后"干软的乳头",全不顾人家看了会不会呕吐。

不过,一生嘻嘻哈哈,老不正经,拿肉麻、下流当有趣的吴稚晖,也有不爽的时候。第一次是甲午之后,知识分子闹变法,康有为叫得最凶。公车上书之后,同为举人的吴稚晖慕名去见康有为,说起中国之病,公推"八股"、"鸦片"和"小脚"(缠足)为三害,由是约定,大家不再参加科举考试。三年后,吴稚晖老实地遵守了约定,没有下场,可是康有为和弟子梁启超却照考不误,康有为还中了进士。吴稚晖一怒之下,一度愤而"反动",故意跟进步潮流唱反调,为难追求新思潮的学生(时吴在北洋学堂教书),好不容易才回过味来,死活也不肯在北方跟康梁们一起干了,跑到家乡,另起炉灶。后来吴稚晖从康党变成革命党,估计跟这次"上当受骗"很有关系。

吴稚晖的另一次不爽的经历,跟《苏报》案有关。亦宦亦商的陈范接手《苏报》，半出于对朝廷的不满，半出于销路的考虑，将报纸交到了爱国学社里笔和嘴巴都很厉害的一干人手里，吴稚晖也算是其中的一个。这些人在报上大骂皇帝，骂得北京的西太后坐不住椅子，动用国家力量来惩办“乱党”，具体的经手人却是很开明的俞明震。俞明震兵马未动，却先托关系找到了吴稚晖，在出示了朝廷要将《苏报》同人拿办正法的谕旨之后，却连说“笑话，笑话”，并说他们以后可以多联系，告知了联系的方式，最后暗示，吴稚晖可以出国避一避，去欧洲、美国均可。对于俞明震的卖好，吴稚晖和《苏报》的同人蔡元培、章士钊、章太炎和邹容等人，开始是当笑话听的，由于有租界的庇护，他们根本没把北京那个老太婆的雷霆之怒当一回事。在此之前，租界当局已经找过他们若干次，并保证说，只要他们不私藏军火，仅仅是批评清政府，没有关系。但是，他们没有估计到的是，即使是西方国家，国家的利益和言论自由的理念比起来，后者依然脆弱得很。当西太后很是认真的时候，已经跟清政府达成了协议，而且有四万万白银的赔款厚利要拿的西方国家，多少都是要给点面子的，尽管这个西太后，刚刚很不人道地把一个“持不同政见者”杖毙掉了。于是，《苏报》案发了，章太炎和邹容进了租界的监狱，虽然在清政府看来是重罪轻判，但毕竟有人受了惩罚。在《苏报》同人大多避开的同时，吴稚晖走得最远，真的去了英国，全不在意英伦居大不易的花费。

案发后，有消息传出，说章太炎和邹容的入狱，是吴稚晖告的密。当然，这是冤枉的。尽管吴稚晖走得远了点，如果仅仅为了避难，似乎没有必要，但章、邹二人的落网，的确跟吴稚晖没有任何关系。因为当时办案的人，无论是中国方面的官员还是租界的巡捕房，都没有任何的热情，事还没办，空气早就放了出去，咋呼得地球人都知道了。章与邹的被捕，完全是这两人自投罗网，找上门去的，大概就是想弄出点事来，好扩大影响。这里面，抓人的和被抓的，没有丁点的秘密可言，当然也就没有密可以告。至于为什么俞明震偏要找上吴稚晖，很可能是因为这些人里，只有吴稚晖是江苏人(还是绅士)，而俞恰在江苏做官，身家事业都在江苏。

吴稚晖这两次际遇，的确有点冤，以至于事情过了很久，这位党国的“稚老”，依然愤愤不平。不过，这个“冤”，也反映出吴稚晖其实并没有人们想象的那样潇洒和狂放，对于自己没有拿到进士的头衔，多少还是有点惋惜，对于清政府，或者说对一切大权在握的人，也有相当清醒的认识。一个《苏报》案，章太炎自投罗网(还是有风险的，毕竟沈荩刚刚被杖毙)，而吴稚晖却远走欧罗巴；回来以后，虽然身属革命党，信仰无政府主义，但暴动暗杀的事情(这恰是欧洲无政府主义者的拿手戏)却一点也不沾边，既比不上幕后策划的蔡元培、陈独秀，更比不上亲自动手的吴樾和汪精卫。再以后，我们发现，嬉笑怒骂皆成文章的吴稚晖，对于最有权势的那么几个人，却连小骂都没有，无灾无害地做着国民党的中常委。1949年江山易色，蒋介石周围像吴稚晖这样专门舞文弄墨的人，戴季陶自杀了，陈布雷也自杀了，可吴稚晖却活得好好的，吃得下，睡得香，躲到台湾，活到自然死亡。

文人打手的故事

张继是国民党元老，属于文官，不过他的这个文官，在年轻的时候，却以能打闻名。张继当年也是公派留日生，但很早就因受不了日本人的嘲笑，剪了辫子，很为留学监督姚某看不惯，总是说三道四，说得张继性起，约了同为剪辫党的陈独秀、邹容，找个茬子，一个抱腰，一个捧头，一个挥剪，把监督大人的辫子也给咔嚓掉了。监督大人官做不成，张继也只好做革命党了。

说起来，革命党起事的资格，要比康有为、梁启超等人的保皇党老得多。但自从保皇党流亡海外，康有为拿着一个假的衣带诏，以一介冒牌的帝师的身份，在海外华人华侨中招摇，居然后来居上，很有市场，要钱有钱，要人有人。双方各开大会，往往是保皇党的会人多势众，这次第，令革命党人很是气闷。这个时候，教科书上说，革命党和保皇党开展了一场大辩论，在辩论中，由于主持《清议报》的梁启超这支笔，敌不过主持《民报》的章太炎的那支笔，所以，革命战胜了改良。其实，要论宣传，梁启超的时务体绝对天下独步，怎么可能输给为文古奥的章太炎？原来，这里面另有内情。

在章太炎跟梁启超打笔仗的同时，张继也上场了，他的武器不是羊毫，而是一柄粗大的枣木手杖。每逢保皇党开会，张继便领了若干健将，杀将前去，二话不说，挥杖便打，梁启超们开始还欲与之理论，可是枣木杖招招见肉，秀才遇见兵，只好落荒而逃。只要保皇党人开会，张继不知道便罢，知道便去打，非打得人家鸡飞狗跳而后止。保皇党人虽多，但架不住张继之勇，所以每打必败。当时，同盟会和保皇党人的基地都在日本，而日本警察虽然效率很高，但对这种中国人之间的内讧，根本没有兴趣理会。久而久之，保皇党人的活动在日本都没办法进行了，又过了一段时间，至少在声势上，革命战胜了保皇。

当时,同盟会有四大打手,张继排行第一。

张继打手的英姿，到了老年，又得到了一次施展的机会。那是1935年,国民党在南京开大会,上海的洪帮受某些势力的指使,派出刺客化装成摄影记者，行刺国民党要人。结果临场的时候蒋介石不在,刺客便对汪精卫下手,刚开一枪,便被两人制住,一人抱腰,一人卡住手腕夺枪。夺枪者为张学良,抱腰者,乃年逾七十的张继。能当刺客,当刺杀国民党要人的刺客,大抵都有两下子,居然被张继一抱而不能动,可见昔日打手不减当年之勇。

革命不是请客吃饭,打人当然不在话下。不过打的对象,不是满清亲贵,而是同为流亡海外的文弱同胞,似乎胜之不武。况且,革命也好,改良也罢,不过是手段,目的都是为了国家的富强,人民的康乐。手段、道路的选择,其实真是需要辩论的。辩论是讲理,不是动蛮,如果靠动粗打架取得了胜利,这个胜利,对于国人意义其实不大。何况,无论主张革命还是改良,保存帝制或否,双方都是在以西方政治为蓝本,区别只是学美国还是学英国,手段是暴力革命还是和平渐进,而目标都是建立西方的代议制政体。可是,在革命和改良的争论中,在革命党和保皇党的角逐中,双方都不能坐下来讲理,辩论实际变成了谩骂,背后还有棒喝党的开打。彼此在对方的眼里,都是最凶恶的敌人,甚至比他们共同痛恨的叶赫那拉氏还要可恨。比较起来,激进的革命党人,似乎又更显得理直气壮。

显然,张继虽然勇,但他不是流氓痞棍,只是一个文人。就当时而言,是自以为他们对,真理在握,才这样勇往直前的。在握的真理,给原本不正当的行为蒙上了一层道德的面纱。

文甘草的故事

在帝制的中国，明清两朝，士大夫能够中进士而且点翰林，是科举途上最荣耀的事情。一般做了翰林之后，仕途最顺，不仅可以有机会外放考官，收若干门生，而且升迁特快，用不了多少年，就可以位列卿相。不过，清末，却有两位翰林公参加推翻帝制革命的，一位是蔡元培，另一位是谭延闿。今天要讲的，就是这位谭延闿。谭延闿本是贵胄公子，父亲谭钟麟，本是清末的地方大员，不过面目相当保守，戊戌变法时任两广总督，不唯抵触革新，而且连前任兴办的水师鱼雷学堂也给裁撤了。谭延闿是谭钟麟的晚年得的儿子，虽然以今天的眼光看来，似乎不利于优生，但这个老来子却非常聪明，书读得好，是光绪三十年会试的第一名，即会元。湖南名士王闿运闻之大喜，说是破了湖南的天荒（谭延闿是湖南人，湖南清季二百年没人中过会元）。

在中国近代历史上，老子和儿子唱反调的事特多，老子保守，儿子往往就激进，越是有出息的儿子就越有激进的可能。中进士入翰林之后，谭钟麟死了，回家守制的谭延闿，很快就跟鼓吹改革的立宪派搅在了一起，高票当选湖南咨议局议长。接下来辛亥革命，"山大王"焦达峰做了湖南都督，没多长时间就被刺杀，谭延闿被推上都督的椅子，从此落入"革命阵营"，二次革命反袁（世凯），国民党阵营的四个省督独立，也有他一份。此后在湘督位置上几番上下，率领残余湘军跟随孙中山东奔西走，参加北伐，时而省长，时而督军，时而总司令，时而军长，最后做到国民党政府的"行政院"院长。

谭延闿在国民党内，人缘极好，因他是文官，人称文甘草。中药配伍各有禁忌，唯有甘草跟什么药都能配合一起用。凡被人叫做甘草的人，往往有副特别好的脾气，谭延闿为人之随和，是出了名的。湘督三易上下，每次都安之若素，走之从容，做官时，下属进门不用报告，有座便坐，有烟自取享用，而谭延闿不论什么时候，都和颜悦色，了无怒容。即使被当面羞辱，则装作不闻，即使被部下卖阵，差点做了俘虏，也不过是苦笑着摇摇头而已，所以，他的第二个外号，叫谭婆婆。谭延闿人有名气，字也写得好(要是开门卖的话，完全可以卖个好价)，一直做着大官，按道理字不太好求，但湖南各地饭铺酒店，到处都有他的墨宝，随便一个马弁副官，都可以替人求字，谭搭纸费墨，没有二话，也许有些是秘书长之类的代劳，但都得到他的首肯，肯将名义假借的。大革命时期，国共时有摩擦，左派右派，壁垒分明，但是唯有谭延闿，左派当他站在左边，右派当他站在右边，两边的攻击炮火，都擦不到他的边。反过来说，这种人的用处也不大，做到行政院长，也不过是国民党内各个实力派都能接受的作为缓冲用的沙袋，一个军人政权的点缀。

谭延闿登上政治舞台的时候，赶上了一个武人当家的时代，遍地烽火，到处打仗。“左也是东洋刀，右也是东洋刀”(袁世凯语)，帮会、土匪、教门也各逞威风，有枪就是草头王，枪多气粗，各以实力说话。谭延闿一介贵胄公子，不幸又是读书种子，中过会元，点过翰林，虽然据说在第一次做都督的时候曾经在武人面前露过一小手——可以双手使枪，而且枪法极准，但依然没有武人拿他当自己人，因为他不是士官系(日本士官学校毕业)，也不是保定系(保定军校毕业)。而他自己，也没有亲自下部队，带兵打仗，实现从文人到武将的转变，所以，尽管他当过的官尽是些“武职”，督军、司令、军长之类，但始终成不了一个带兵官，顶着那么多貌似军阀的头衔，却从来掌不了实权，实际上却是秀才遇见兵，不仅有理讲不清，而且很容易被人架空，甚至赶走。

在那个时代，文人混在武人堆里，做幕僚也好，做“长官”也罢，往往带有很大危险性，弄不好就会被上下左右的野心家们给牺牲掉。可是由于谭延闿的好脾气，左右圆通，这种危险对他来说却似乎不存在。下面的武夫可以架空他，出卖他，驱逐他，但却没有人敢冒湖南乡里舆论的大不韪杀掉他。至于上面和左右的武人，由于他的圆通，对人不构成威胁，也会安全得多。从某种意义上说，谭延闿是近代的冯道，苟安于乱世，靠的就是心平气和，处世圆通。据说，谭五十岁那年，有人做祝词曰："茶陵谭氏，五十其年，喝绍兴酒，打太极拳，写几笔严嵩之字，做一生冯道之官，立德立功，两无闻焉。"谭氏闻后，不仅没有生气，反而连称奇才。说实在的，这祝词虽然刻薄了一点，但对于谭，确实再贴切不过了。

谭延闿的时代，是中国现代的转型时期，可是，转型转成了文官沦为骄兵悍将的摆设，只有像冯道一样，心平气和，唾面自干，才能文运长久，无论如何，都是一种悲哀。

名士与老妈子之间不得不说的事

在过去的时代，大家对读书人的道德要求，一般说来还是相当高的，不过，如果一个人被视为名士，情形就变了，好像是有了某种行动的自由，别说出点格，就是荒唐一点，人们也以为当然。凡是名士，好像一齐约好了似的，大抵都将“特权”用在男女之事上，通过纵情声色，放浪形骸，来展示自己的名士风范，所谓自古名士尽风流是也。不过，做名士的风流，往往是牺牲掉仕途前程换来的，也就是说，大凡一个人被人看成是名士，他也就甭打算出将入相，在政界官场一逞身手了。从这个角度说，做名士，往往意味着某种的无奈，不是文名大著而科场蹭蹬，就是别的什么原因断了上进的路，比如像明代的唐寅，一个好好的解元，被莫名其妙的科场案搅了进去，从此再也别想考试做官。当然也有这样的事情，人还没有踏入仕途，就玩得过火了，文名与青楼薄幸之名一样大，大到了上达“圣听”的地步，比如宋朝的柳永，当然只好不再应考，做“奉旨填词的柳三变”则个。

晚清的王闿运，属于仕途受到挫折，愤而化为名士中的一个人。王很早就中了举(26岁)，踏入高级士人行列，虽然几次会试不售，也属正常，那个年月，科考联捷的跟白乌鸦一样稀少。他的霉运在于才华早露，而且上达中枢，为咸丰皇帝的智囊肃顺看上，收入帐下，成了大清智囊的智囊。而咸丰恰属于那种气性过小，又偏偏赶上多灾多难的皇帝，长毛没有平，英法联军又打上门，两下夹攻，一口气没上来，窝囊死了。咸丰一死，肃顺一时大意，被由于肚皮争气、生下唯一皇子的叶赫那拉氏，联合咸丰的兄弟恭亲王奕䜣搞掉，跟着知遇的先皇去了，王闿运则从此被打上了“肃党”的烙印，不得超生。在中国就是这样，跟错人与站错队，对于文人来说，都是政治生涯中最致命的失着，王闿运站错了队，没有搭上小命已经属于皇恩浩荡了，要想出头，只好等西太后死掉。可是，偏偏这个对头命特长，活了又活，一直统治了四十多年。在这期间，王闿运就只好做名士了。除了传说他曾经劝说过曾国藩自立为帝之外，基本上没有参与过政治活动。

跟其他名士一样，王闿运也有大量的风流韵事，不过王的韵事无关于名妓或者名媛，只跟老妈子有关。大概是由于晚清的名妓，早就没了前朝柳如是、李香君辈的文韵风华，纵然八大胡同的头牌苏州小妞，也不过会点弹词小曲罢了，所以，王大名士不屑在她们身上下工夫。大概是由于龚自珍的前鉴，为了一个顾太清丢官丢命，或者是清朝高门大户，门禁过严，没机会下手，反正王闿运在传统名士施展风流技能的两个方面，都没有任何成绩，力气都使在了身为佣妇的老妈子身上。

跟那个时代的绅士一样，王闿运享过齐人之福，有妻有妾，不过都较早地死掉了。丧偶的王闿运，根本没有续弦或者再讨个妾的意思，不过，此老虽然七老八十，却有一个年轻人才会有的癖好——每夜非有妇人侍寝不可，否则就难以入睡。王闿运既不打算再要妻妾，又对青楼女子没有兴趣，那么，侍寝的事，就只好由老妈子来承担了。

王闿运的老妈子，最有名的是周妈。其实在周妈之前，也有过别人，可是自从周妈来了以后，“后宫”就是她一人的天下了。王闿运不仅睡非周妈不香，饭非周妈不饱，而且头上的小辫子，非周妈梳理侍弄不舒服，梳理完了，还扎上一个大红的头绳，进入民国之后，依然如此，成为湖南的一景。关键是，此老跟老妈子的事，从不避人，不仅在日记里写（日记都是写给人看的，王闿运自也不能免俗），而且双入双出，甚至当着自己的弟子亲亲热热。清朝完结，袁世凯做了大总统，请王闿运进北京做国史馆的馆长，王偕周妈上路，途经武汉，湖北督军王占元请饭，周妈上席，吃的陪坐的大人先生们一脸尴尬。到京之后，袁大总统设宴招待，周妈也有座位，而且就在王的旁边，席间，王闿运旁若无人，一个劲地把好菜往周妈碗里夹，连跟总统说话都有一搭无一搭的。

可是周妈也有麻烦，不仅她的儿子和兄弟老上门来要钱（不是应得的佣金，而是额外的钱），而是她自己，有事没事，总要弄出点动静来。此妇虽然仅仅是个乡下的中年寡妇，大字都不认得一个，但天生对政治，尤其是家庭政治，无师自通的门清，如果摆在皇后的位置上，估计又是一个西太后。周妈的政治才能，在王闿运在家做名士，开门授徒的时候，不过展现在把持家政，操纵馆务上，问题还不大，可是一旦王闿运进京做了官，主持一个机构，事情就麻烦了。首先是在国史馆的杂役人员的安排上，周妈要插手——要用自己家乡的亲戚。这倒也情有可原，照顾乡亲和族人，毕竟是国人的通病，只要有人出息了，大家自然会贴上来，要求利益均沾。周妈成了国史馆馆长大人的内宠，虽然无名无分，但"出息"二字还是谈得上的。湖南的老妈子成千上万，有谁能让我们的王大名士睡安稳觉的？可是，糟糕的是，周妈的手越伸越长，有人见识了周妈跟王闿运的亲密，也见识了周妈的神通，于是，只要有事求到王闿运，用得到国史馆，就走周妈的后门，结果害得个原本还算本分的周妈，在京城大出风头，为了方便跟人打交道，据说还有名片，名片上是王闿运的亲笔，上面六个大字：王氏侍佣周妈，虽说名头不响，但管用。世面见得多了，胆子未免越来越大，甚至敢假借王闿运的名义，写信替人求官，率众大闹妓院。闹得京城上下，有点头脸的所在，无人不知有个周妈。终于有一天，周妈纳贿的事败露了，王大名士生了气，要周妈把吃进去的吐出来。开始，周妈还抵赖，想顾左右而言他混过去，后来实在赖不过去了，遂就地打滚，又哭又闹，一如泼妇，弄得王大名士无可奈何，只好不了了之。周妈吃的贿赂吐不出来，周妈引进的人就退不出去。摸着了王闿运的软肋，知道自己只要一哭二闹三上吊，王大名士就得让着他，周妈胆子还大了，最后，一个泱泱大国的国史馆，居然是大字不识一个的周妈当了家。

幸好，就在王闿运感到有点为难的时候，由他的学生杨度带头闹起来的帝制风潮，已经有点成气候了。有意思的是，在帝制的鼓噪中，有些遗老遗少错会意，以为袁世凯这么闹，是为了让清帝复辟，未免得意忘形，放肆乱叫，其中就有王闿运的学生宋育仁。为了不让帝制运动乱了方向，宋育仁被抓了起来，或者说客客气气地被请到了警察局，然后解递原籍，对于冒冒失失闯祸的弟子，王闿运没有话说，只有叹息，还让周妈送了二十元钱给他。这种捉放曹的把戏，通晓帝王术的王闿运，大概是看出了其中的猫腻，也看出了其中的危险。老谋深算的他，可不打算糊糊涂涂地蹚这趟浑水，于是拿周妈说事，上书袁世凯说自己"帷薄不修"，约束不了家人，辞掉了国史馆的馆长，没等老袁照准，就夹起行李走人。周妈丢了作威作福、索贿纳贿的机会，很是恨恨，但也没有办法（不识字，没有看住自己的床上人写辞呈），只好跟着王闿运回家。

在晚清和民国，王闿运属于那种才大志高、目无余子的人物，连曾国藩、左宗棠都不在眼里，何况其他。无奈，命运不济，站错了队，只好去做名士，既做名士，心中块垒难平，夺他人之酒杯，无论怎么浇，都是老套子，难解心头那点遗憾，非得有点惊世骇俗之举不足以自显，亲老妈子，实际上算是一种。事实上，王闿运抬举老妈子，除了满足自家性欲之外，还附带有笑骂官绅贬损官场的意思，管你什么大场合，什么高贵的人出席，咱就带周妈一起，款待我，就得款待这个乡下来的粗鄙的仆妇，关键是，我带这个粗妇，还没有任何名义，任何名分，仅仅是贱人老妈子而已。达官贵人，夫人名媛，包括民国总统，一并被捉弄了，又无可奈何，王闿运也正好借此，一出自己不得施展的恶气。从某种意义上说，抬举周妈，跟他找三个匠人做弟子（木匠齐白石、铁匠张仲飏、铜匠曾招吉），道理是一样的，就是偏要找这些底层的人来和士子做伴，抬举了他们，就贬低你们。骨子里，他并不真的看得起这些人，比如在日记里，就嘲笑齐白石的诗是薛蟠体（而在齐白石自己看来，他的诗是第一流的，而画倒在其次）。

王闿运讨厌当时官场的一切，尤其讨厌春风得意的大人物，但却从来不出恶声，一切厌恶，从嘲谑出之，在近乎恶作剧的戏谑中，发泄着自己的不平。只有在自己亲人遭受磨难的时候，他才会偶尔显露出金刚怒目的本来面目。晚年，他最喜爱的女儿所托非人，女婿不仅吃喝嫖赌，不务正业，而且大搞家庭暴力，对女儿大打出手，女儿写信向他哭诉，他在信旁批道："有婿如此，不如为娼"，愤愤之情，溢于言表，这样的话，大概也只有他王闿运能够说得出来。显然，无论是游戏人生，还是金刚怒目，在骨子里，他老人家心气还是不平衡，没有看开。可是话又说回来了，古往今来，谁又能真的看得开呢？那个时代，作为士大夫，一生志向，大而言之，是治国平天下，内圣外王，说得实在一点，则是学成文武艺，货于帝王家。所以，科考成败，人称得售与否，也就是说，卖没卖出去，当然真的卖出去，还要看以后的官运如何，或者说卖出了个什么价。既不得售，或者穷守乡里，郁郁而终，或者煮字疗饥，卖文为生，再就是做名士了，比较起来，做名士如果做得巧，做得有水平，日子还算过得最舒服的。不过，做名士必须有条件，条件就是自家得有点本事，而且社会上还要承认，否则脾气和疯气，就都要不起来。

留辫子的大师

民初的学界，有两位大师级的人物是留辫子的，一位辜鸿铭，一位王国维。两位对于脑袋后面的辫子，都还挺在意，打死都不肯剪了去。王国维的辫子，每天早上都是夫人给梳，据他女儿回忆，有次她娘梳烦了，说："别人的辫子全剪了，你还留着，多不方便。"王国维半晌无语，过了一会冷冷地说："留着便是留着了。"辜鸿铭更过分，不仅自己脑后拖着小辫子，连自家雇的黄包车夫，都必须是留辫子的主儿；车夫拉上辜先生跑起来，前面一条大辫子，后面一条小辫子，一左一右，甩得好看煞人。

两位留辫子，从表面上看，都跟前清有那么点关系，可是，洋文说和写都比中国话顺溜的辜鸿铭，留辫子，无非是表示自己特立独行，凡事跟别人不一样。别人喊共和，我偏保皇；别人穿西装，我偏马褂；别人留洋发，我偏留辫子；别人提倡一夫一妻，我偏纳妾，而且还有理论：男人如同茶壶，女人如同茶杯，一个茶壶必须配几个茶杯，而不能一个茶杯配几个茶壶。王国维却不同，他留辫子，真的说明他对前清有感情。民国最初的一二十年，有类似感情的读书人并不在少数，主要是因为民国搞得不好，国家混乱，生民涂炭，大家有点怀旧也是正常的，怀旧不见得是希望复辟，也不见得都是遗老遗少。作为旧学浸润颇深的饱学之士，王国维有怀旧之思，更是情理之中。不过，静安(王国维的字)先生跟一般人的怀旧还有不同，他做过清废帝溥仪的师傅，陪着"皇上"在故宫的南书房读过书。小皇帝不仅对王师傅很尊重，而且还有点感情。静安先生高度近视，吃饭的时候，只能看见眼前的菜，溥仪就替他把其他的菜夹过来。按说，从小受惯了端架子教育的小皇帝，是不大可能如此伺候人的，可是，当时的溥仪已经被洋师傅庄士敦教坏了，而且见过新派人物胡适，会作新诗"匹克，尼克，来江边”,所以,对师傅有点表示也正常。不过这么一来,我们这个天天关在书斋里读书,忠厚到了迂腐的老实头静安先生可就受不住了。小皇帝虽然已经退位,但在法理上,他还是皇帝,并没有变成平民;况且,在那些对清朝有好感的人眼里,皇帝头上的光环并没有褪色多少。所以,小皇帝的这点表示,在静安先生心里,想必分量不轻。

我们知道,1927年6月2日,在北伐进军的凯歌声中,静安先生在颐和园投水自尽。关于先生的死,历来有各种解说,罗振玉说是殉清,还张罗着给王国维请谥号;陈寅恪说是殉文化;梁启超说是由于革命的刺激;甚至建国后还有人说是被罗振玉逼的。其实,罗、陈和梁说的都有道理,王国维的遗书上说,“五十之年,只欠一死;经此事变,义无再辱。”事变应该指的就是大革命,1924年冯玉祥逼溥仪出宫的时候,王就在现场。皇帝被逼出宫,肯定算是一辱,而眼下北伐革命又快要到了,所以不能再辱。丈夫不能再辱,典出于李陵,这里,虽然没有君辱臣死的执拗,但要说跟前清没有一点关系,恐难服人。当时大革命的声势,的确有些吓人,叶德辉被处死,固然罪有应得,但此人毕竟是个读书种子,远远听了,未免兔死狐悲,物伤其类,心里发毛。王国维是书斋里的人物,内向而寡言,对外界的事情,一向不大明白,可内心的敏感度却相当高。冯玉祥逼宫,据当事人回忆,并无凶险可言,冯也绝对没有伤害废帝的意思,可在王的眼里,却是惊涛骇浪,白刃炸弹。所以,把北伐的到来想象得过于可怕,也是自然的。

后来的人们,大概是出于对王国维的爱护吧,总是回避其对清朝的感情,回避其对大革命的厌恶之情,甚至有意让他跟罗振玉划清界限。因为,在这些人的眼里,如果不如此,这些就是先生的污点。其实,一个真实的王国维,要比加上如许多好心的遮羞布的大师,要可敬得多。

新时代的旧式拜师礼

在历史上，刘师培要算是一个怪人，他很早就投身革命，而且还相当彻底，连名都改了，叫“光汉”，取光复汉家之义。不仅彻底，而且“进步”神速，在大伙还在张罗排满建立合众政府的时候，他就信仰起社会主义和无政府主义来了，别说政府啦，连婚姻家庭都可以取消。可是后来又变节，投到满人权贵端方门下当幕僚，不再打算“光汉”了。四川保路运动起，端方带兵入川镇压，他也陪着。路上，武昌革命炮响，端方被所带的士兵杀掉，如果不是跑得快，他的小命也没了。辛亥革命后，他又上了杨度的贼船，成为袁世凯帝制的鼓吹者，列名筹安会，结果是名声臭上加臭。

导致刘师培臭上加臭的原因很多，但其中主要的一个，据说是他家有仙妻，仙妻名叫何震，是位中国觉悟最早的新女性。不过，这位新女性对于革命不甚了了，但对于自家的享乐却在意得紧。刘师培是吴中才子，具有江南文人容易犯的毛病，懦弱得一塌糊涂，惧内，对何震这位具有新女性之名的河东狮，百依百顺，而且思想上还跟着走。信仰无政府主义，本是何震拖着刘师培，两人妇唱夫随。废除家庭的高调，原本不过是何震为了名正言顺地红杏出墙，明目张胆地在刘师培眼皮底下，跟情人双入双出，据说刘师培一点脾气都没有。刘师培后来之所以变节，实际上也是何震的情人给牵线搭的桥。

黄侃也是一个怪人，黄的怪，方向主要是狂，世界上没几人他能看得上眼。在北大做教授，上课必骂海内名人，连同属章太炎门下的钱玄同，都被他骂得狗血喷头。自家的名言是“八部书外皆狗屁”，意思是说，历史上的著作，除了《毛诗》《左传》《周礼》《说文解字》《广韵》《史记》《汉书》和《文选》这八部书，统统不入流。跟《新青年》同人，很是过不去，害得大家都认为他是保守派，其实，他只是狂而已，对站在

《新青年》对立面、写文章骂阵的林琴南，他也一样不客气。就是这样一个以狂狷闻名的怪人，在刘师培被主掌北大的蔡元培请来当教授之后，居然登门拜访，请求刘收他为徒，而且择日行了隆重的磕头拜师大礼。

原来，刘师培虽然政治上名声不佳，个人生活中又甘戴绿帽子，可是这个人学问却很好。仪征刘家，治《左传》海内独步，刘师培有家学在身不说，于小学(文字学)也颇有造诣。如果要讲“国学”的话，刘师培是名副其实的嫡传。

正因为如此，蔡元培才请他出山，到北大任教，而黄侃才屈节隆重地拜他为师，虽然两人当年都是革命者。

在当年的一代学人眼里，学问是学问，政治是政治，他们很自觉地将两者分开。断不会因为某人政治上不正确，连其学问也否掉了，不仅不否，只要其人有真学问，他们还真的佩服。黄侃一生之狂傲，恐怕没有几个人能比得上，但是他却偏偏能跪倒在刘师培脚下叩拜。显然，他拜的不仅仅是这个人，而是他的学问。

时代有新旧，学问无新旧。越旧的学问，在新的时代很可能越是值钱。

因“病”而囚的章太炎

稍有近代史知识的人都知道，二次革命失败之后，章太炎被袁世凯囚禁了。这件事，在历史上，既算是章太炎反袁的光荣，也算是袁世凯虐待党人的暴行。不过，章太炎的这份光荣，实际上却是他自己找上门去，从袁世凯手里逼来的。

说实在的，当孙(中山)、黄(兴)等人发动二次革命反袁的时候，章太炎早就跟这些当年的同志分道扬镳了。在民国的最初岁月里，政党分分合合，章太炎虽然都是热心分子，但却一直站在先是同盟会，后为国民党的对立面。他厌恶孙中山，对黄兴不感兴趣，甚至跟原来光复会的同志也貌合神离，倒是对那个被造反的新军士兵从床底下拖出来的黎元洪，有着绝大的热情。所以，在袁世凯压迫国民党的时候，章太炎和他身属的共和党，如果不是帮凶的话，也是袖手旁观的。可是，当袁世凯如愿地当上了正式大总统，不再需要国会这个选举机器了之后，借追缴国民党议员的证书，实际上把个国会废了(构不成半数，无法开会)，到这时，醉心于议会政治的梁启超和章太炎等人才如梦方醒，但是木已成舟，悔之莫及。

不过，章太炎不是梁启超，不可能这么轻易地善罢甘休。他要“为中夏留一线光明”，“挽此危局”(章给弟子和夫人的信)，于是新婚不久的他，毅然离开了自己的温柔乡，北上北京，找袁世凯算账来了(时为1913年12月)。于是出现了他的学生鲁迅描绘的一幕：以大勋章为扇坠，大闹总统府。虽然据章太炎当时的新婚夫人汤国梨女士后来说，章太炎并没有大勋章，上京也没有带勋章，但章太炎的闹，确实非同凡响。据当时的《申报》(1914年1月14日)记载，章太炎手持团扇一柄，下系勋章，足踏破官靴，大嚷着要见总统，承宣官(传达)挡驾，则“疯言疯语，大闹不休”。另据官方记载，章太炎则不仅骂了人，还砸了家具什物。

结果不问可知，章太炎被警察带走，在内务总长朱启钤和有“屠夫”称号的京师宪兵头子陆建章的关照下，章太炎被以“疯病”为由，遭到软禁，开始了长达两年多的囚禁生活。

当然，章太炎并没有疯，他虽然有“章疯子”之名，但谁都知道，那只是一个带有戏谑意味的外号，并不是说他真的精神有问题。章太炎此行，其实真的就是想见袁世凯谈个明白，所以，进总统府的时候，还先投了名片，请承宣官转达。虽然名片一尺五寸长，上书三个斗大的字“章炳麟”，但这是他的个人风格；至于足踏破靴之类，不过是章太炎不修边幅的名士派头，向来如此，更不足以说明他的“疯”。他之所以遭到囚禁，既由于他的身份——不仅跟国民党有老关系，而且属于共和党内的对袁不满的人士，还由于他这一闹——不仅不满，而且有了给政府找麻烦的行动。

不过，章太炎之囚，以后来党人的待遇观之，还是相当优厚的。据刘成禺讲，袁世凯曾经对陆建章定了关于囚章的八条规则，规定起居饮食用款不限，而且毁物骂人，听其自便。东西毁掉了，再买就是。只是除了限制自由外，对见客、谈时局，都有限制，尤其不许有谈时局的文字。章夫人汤国梨也说，章太炎在被囚期间，每月的费用是500元(当时一个警察每月薪水4元左右，大学里最牛的教授，每月不过400元)。这一段，肯定是他一生中最阔气的时光。

尽管待遇优厚，但囚禁毕竟是囚禁，这既是对章疯子闹事的一种惩罚，更是袁世凯对未来可能的“不安定因素”的一种防范。虽然很有违法嫌疑，但作为独裁者来说，倒也常见常用的。当然，章太炎不可能很痛快地就范，他必然也必须反抗，也就是说要接着闹事。作为一个文人，反抗的最佳方式当然是用笔，可是这种文字一个字都出不去，写了也白写。所以，闹，只好找别的办法。办法之一，是拿看押的警察开涮。章太炎是个穷书生，一辈子没钱，生活极其简朴，可是他在软禁期间，居然一口气雇了十几个厨子和仆人(他当然知道这些仆人都是警察改扮的)。而且，大摆其老爷的谱，强迫这些人称呼他为“大人”，他的客人来了，要称呼为老爷，见面要垂手低头，每逢初一十五还要向他磕头，犯了错，还要罚跪罚钱。为了将这种羞辱落实到位，他甚至强迫这些仆人(警察密探)照这些条件跟他具结，签字画押，害得我们的警察老爷，个个像是签了卖身契。

涮警察密探，解气虽是解气，但毕竟伤不到袁世凯，甚至连陆建章、朱启钤也碰不着；被关着做大人老爷，虽然耳边听取奉承一片，时间长了，也一样气闷。所以，章太炎又开始绝食。不过，章太炎虽然又疯又倔，但此时的绝食，似乎却并非真的以死抗争。无非是借此闹出点动静，制造一些不利于袁世凯的舆论，让这个奸雄难堪。因此，章太炎的绝食，时断时续，一年多下来，也没有死掉，但却让袁世凯头痛不已，派了若干人马来劝，甚至派人打算强行将章夫人汤国梨接来(未果)。

我们知道，章太炎之囚，一直到袁世凯称帝失败、自己翘了辫子才告结束。这期间，虽然袁世凯少了若干公开骂街的聒噪(一个梁启超已经够受用的了)，但章太炎也因此而洗白了自己。民初上当的经历，不再有人提了，自家的形象，复归到昔日的光辉。他的学生在总结他的历史的时候，这段经历，已经带点传奇色彩了。

狗血淋头的文人们

古来文人之厄，莫过于文字狱。大约文人所依仗着的，不过一支秃笔，不弄点什么在纸上，甚至刻成书，就难受。当然，这一不难受就容易出事。在皇帝的治下，政治上的忌讳是免不了，白纸黑字的议论，如果政治上不正确，又恰好碰上个过敏的主子，再加上若干条鼻子特好使的狗，那么就有可能倒霉。有明一朝，在开始的时候，朱元璋识字无多，文字狱往往都是阿Q式的，自家秃头，忌讳人家说光，偏有那么些小文人对拍马屁特别有兴趣，自投罗网，结果一个接一个地莫名其妙就丢了性命。到后来，随着皇帝的文化水平的提高，文字狱的水准也水涨船高，稍微像点样了。比如李贽放言无忌，捧秦始皇，赞美私奔的卓文君，说伺候了四朝皇帝的冯道的好话，连对孔子都敢说三道四，宣称不一定以其是非为是非。虽然“文革”时批儒评法的当口，很让江青和梁效们受用，被树为法家的典型，著作还被印成大字本，广为发行，但在李贽活着的时候，给他带来的却是灾祸。——被捉进宫里，断送了老头皮。

历朝历代，论起来，还是清朝文字狱最红火，康、雍、乾盛世百多年，就闹了百多年的文字狱。不仅传统的政治不正确的话题依然，而且又新添了许多敏感领域，不仅“狄夷”这种字眼犯忌讳，连“明”、“清”、“朱”、“红”都碰不得，如果你不小心说出了一个以前看起来是常见的词组：浊清，皇帝肯定会龙颜大怒，说你把“浊”字加于国号之上，是何心肠？甚至如果你在诗文里多用了几个日月，也可能被人告发，说是别有用心——念念不忘明朝。

不过，要我说，文人最倒霉的，还不是在文字上遭灾，如果真是在文字上触犯了忌讳，尽管断送了老头皮或者不老的头皮，在后人，还多少能赢得几分赞誉，被夸成有勇气，甚至有见识。可是那些被以另外一种名义修理的文人，不仅当时很惨，过后也得不到后人的好评，在今天看来，属于晦气到家了。

清初的吴兆骞就是这样一个倒霉蛋。吴兆骞是明末清初之季，江南有名的才子，这样的才子，在明社为屋之际，尽管没有顾炎武、傅山、张煌言、夏完淳那样的恢复之志，但多少不免有些家国之慨。虽然很快就出来应试，做了顺民，但对于清朝皇帝来说，这种人还是有欠修理的地方，至少为了惩罚江南地区士大夫的不安分，也要弄点名堂杀一杀这些人的傲气。于是，科场案出来了，凡是被举报的考官考生，统统丢了吃饭的家伙，而取中的举子，则被押到北京，俩兵丁拿着大刀看一个，让他们在皇帝面前当场考试。江南才子吴兆骞就是被押解到京，在杀气腾腾的考场上考试的一个倒霉鬼。

一种说法是，从来都娇生惯养的吴兆骞哪里见过这样的阵势，不免浑身颤抖，握不成笔，结果交了白卷。还有一种说法是，吴兆骞被押进考场之后，傲气陡起，说我吴兆骞考个举人还用受这种气，一字不写，交了白卷。不管哪种说法是对的，反正吴兆骞交了白卷，而且因此被流放到了极边之地，到宁古塔(今黑龙江宁安)给披甲人为奴了，再重一点，就是绞刑了。尽管吴的文名早已上达天听，皇帝应该知道，此人的白卷不代表他只能靠走后门才能考上，但处分依然是这么重。

吴兆骞在宁古塔的冰天雪地里，背着考试作弊的罪名，一待就是23年。最后还是一班儿老朋友看不下去，托关系托到当时的权相明珠的儿子纳兰性德头上，纳兰惺惺相惜，伸以援手，这才让吴兆骞在暮年回到了家乡。

大学者的“呆气”

但凡有成就的学者，多少都有几分呆气，往往越是在一般人都不成问题的日常小事上，他们恰恰显得十分笨拙，甚至可以说是弱智。比如出门不辨起码的方向，分不清左右，不会接电话等，若让补白大王郑逸梅说起来，可以有一本厚厚的书。

在中国，这类呆气表现最为严重的，据我所知有两位：一位是章太炎，一位是金岳霖。因为他们两个，一个出门忘了自己家住哪里，一个忘了自己的名字。

章太炎晚年住在上海，靠卖字为生，平时轻易不出门，出门必定有接有送。有次，不知怎么回事老先生自己走了出去，想要回家的时候，叫了辆黄包车，车夫问他去哪里，他想了半天，不知道自己家在什么地方，于是对车夫说，我叫章炳麟，就到我家。车夫说，我不认识你。章太炎急了，说，连我你都不认识？你拉上走好了。

金岳霖某天早上起来，突然忘了自己叫什么名字，怎么想也想不起来。没办法，只好去问他的车夫。车夫也大有金先生之风，回答说，我也不知道。金急了，说，那你知道别人都怎么称呼我吗？车夫说，他们叫你金博士。金岳霖到此方恍然大悟：哦，我原来叫金岳霖。

过去，国人看待学者的“呆”，大抵有两种态度。一种是觉得可笑，常常以嘲讽的态度面对学者们闹出的笑话。孔夫子率弟子周游列国，凄凄惶惶，有人嘲笑他们四体不勤，五谷不分，实际上就是这种态度的鼻祖。这种态度如果机缘凑巧，跟文人的反智主义倾向结合起来，后果可能非常可怕。“文革”后期，白卷英雄张铁生冒出来的时候，当权者有一段时间作兴考专家考教授，就是拿一些日常事务来考那些大教授、大专家，结果还真是考出了很多笑话。据说，由此证实了伟大领袖读书越多越愚蠢的论断。

另一种态度是羡慕。因为他们把这种“呆”的表现，当成了有成就学者的象征，是一种值得骄傲的名人逸事。甚至还有人刻意效法，故意制造出一些逸事来，表明自己也属于名学者或者是名人之列。他们忘了，这些大学者的呆事之所以变成了逸事，关键在于他们有成就，而且因为这成就变成了名人。如果光有呆事没有成就，那么只好做呆子。所以，西施捧心是谓美，而东施效颦则不仅是丑，而且是呆了。

其实，这些有名的学者，都是平常人，跟我们大家没有太多的区别，可能智商要稍微高点，但也有限。他们的特别之处，在于精神比较集中，总是把注意力凝聚在一个或几个点上，也就是集中在他们所从事的学术事业上面。显然，人的精力是有限的，当一个人格外地把精力尤其是注意力，投放到某些方面的时候，其他的方面尤其他们所不在乎的日常琐事，心思投放过少，就未免显得“弱智”了。俄国作家高尔基说过，所谓的才能，其实就是一种对事物的爱好。需要补充一点的是，只是当爱好变得专注，才真的变成才能。那些名学者之所以能成功，就是因为他们对某些方面的学问有兴趣，而且能把这种兴趣固化专注起来。当然，也因为这种专注，牺牲了一般人都有的日常生活能力。

我们看学者逸事的时候，哈哈一笑之余，应该有点平常心。

有一种儒者是这样生活的

儒者应该怎样生活？这肯定是个问题。漫说从有儒者之名起，就有小人之儒和君子之儒的分别，就单算君子之儒，各个朝代也各有不同。西汉的时候，儒者近乎方士，董仲舒是独尊儒术的始作俑者，最擅长的不是写文章，而是指挥大批的巫婆求雨。当时朝廷征求地方人才，贤良、文学、治剧(善于断狱)和孝廉并举，真正吃香的，其实是那些具有法家特征的人才，这些人，进入官场，就变成了酷吏，那时的酷吏，都是能吏、廉吏。儒者真正走红是在西汉末年，自汉元帝起，皇帝开始把原来当幌子的儒学当了真，君臣一起比着儒家的信条操练政治，操练到驴唇不对马嘴的时候，就有点像演戏了。王莽篡汉，原本就是一场大戏，演得过头了，新朝也就谢幕了。

王莽演砸了，但他所提倡的儒学却留了下来，东汉开国，做官者通经成为一种必要条件。儒家经典不仅变成官僚的前提，而且渗透到日常政务之中。如果说，当年董仲舒依据《春秋》断狱只是个别事件的话，那么到了东汉，引经书断案，已经成为理所应当的常事。依六经断案，虽然有点牵强附会，但只要标准统一，其实也行得通。而通经作为做官的前提，问题就比较大，一来经本身就不统一，各家所习，南辕北辙的时候也不是没有；二来啃书本总是比较难，出人头地就更难。大批的人拥向太学，皓首穷经，什么时候是个头？于是有人就想起走偏门——在道德行为上下工夫，如果被人认为在孝悌方面有出众的表现，同样可以博得一个儒者，甚至是有名的儒者的名声。那个时候，只要有这方面的名声，做官甚至做大官也就不难了。

父母死了，按规定应该守孝三年，有人一守十年。兄弟分家，做兄长的一点钱也不要，全给弟弟，弟弟得了家产，然后再转给哥哥的儿子，结果兄弟俩都博得了好名。那时候，乡里有“月旦评”，士大夫的行为举止都是大家议论的内容，一旦被评个好名声，终身受益。不过，采用此法博取名声，也并非易事，以守孝为例，那是要在父母坟旁结庐居住，身穿麻衣，足着芒鞋，不能吃好的，不能近女色，守三年已经很难熬，何况十年？所以守孝十年的人们中，有人被查出在其父母的墓道里，生了若干儿女。显然，在履行“不孝有三，无后为大”的训条方面，此公是比较有体会的。

虽然为了博得儒者的好名声，追求道德的完善，士大夫有的矫情到了作假的地步，但在社会上，大家并不因此而不矫情了。应劭《风俗通义》载，有老儒每逢想跟山妻那个了，就行礼如仪，请示道：为子嗣计，敦伦(做爱)一次如何？对自己要求严，对别人要求更严，《三国志》的作者陈寿，在为父亲守丧期间生病，母亲令一婢女送药给他，顺手替他倒了洗脚水，被人看见，从此抬不起头来。

其实，到了东汉名存实亡的时候，士大夫的矫情已经变成了对当权者的捣乱，比如孔融和祢衡，说话做事，不管不顾，动辄骂街。沿这条路走下去，魏晋南北朝士大夫自竹林七贤以来，走了放浪形骸的道路，礼教变成了粪土。原来规行矩步，竞相在儒家道德上求胜的风尚，一变为刻意乱来，蔑视礼法的士习。谁不这样做，谁就让人看不起。

儒者该怎样生活？历史上从来没有结论。自从儒学进了庙堂，儒者的生活就成了问题，聚光灯下，想不让人看出别扭来，难！

革命·诗·酒·佛·女人

将这样几个词堆在一起,无论从哪个角度来说,似乎都有点不敬。但我下面要说的事情,的确跟这些词都有关系,而且无论如何也提炼不出更合适的题目,所以,只好这样将就了。记得好像"诗·酒·佛"这样的堆砌,本是鲁迅先生打算做论述六朝文学的题目,既然我素来景仰的鲁迅先生都能如此用,我再堆上点别的,凑成一盘,估计也算不得什么。

南社是清末江南文人结的诗社,从一开始就是个大杂烩。上面讲的几个词语所代表的东西,南社里都有,而且革命,或者说反满的内容,尤其浓烈。这也没办法,谁让清朝皇帝在二百多年里,老是对江南的文人看不上眼,治了又治,压了还压,那么多文字狱,那么多科场案。眼看清朝大厦将倾,又有上海的外国租界做掩护,不抓紧时间捣乱,更待何时?捣乱的诗人中,喜欢佛的不少,既喜欢佛也喜欢女人,或者说更喜欢女人的更多。不过,真的做了和尚的却只有两个:一个是苏曼殊,一个是李叔同。

苏曼殊是先做和尚,然后光着头穿西装、闹革命、吃花酒、作诗弄画。李叔同是先穿西装(甚至穿西式的女装演"茶花女")、闹革命、吃花酒、作诗作画,然后出家当和尚。就做和尚的境界而言,苏曼殊做的是花和尚,而李叔同做的是戒律严格的苦和尚。虽然有这样的不同,但这两人相同点更多,都才华横溢,学什么像什么,于诗于画,均有可观者。当然,也都很有女人缘,走到哪儿都有女人围着,李叔同出家后,还有女人找上山来,在山门苦等。

从古到今,诗人和诗,都离不开女人。唐朝是诗的王朝,害得后世怎么作,都超不过去。其实,多亏了当时男女界限不严,男男女女凑到一块,浅斟低唱,帽落袜滑,不惟妓家,良家妇女也乐在其中。女诗人鱼玄机，跟男诗友唱和，可以涉及性器官(集句“山气日夕佳，众鸟欣有托”，说的是某诗人有疝气并用了疝气带)；公主可以带着相好，招摇过市，甚至为相好求考官行方便；进士及第，放榜日，得意者一窝蜂拥进妓楼，歌伎舞儿，不仅床上功夫了得，作起诗来也不让须眉，诗人浪漫的，居然有在妓女大腿上写诗的。这种事如果放在后来，不进大狱也得终身禁锢。都说悲愤出诗人，其实女人也培育诗人，如果没有女人，诗人多半是作不出诗来的。所以，苏、李二位招女人喜欢，对近代诗与画的繁荣，的确大有好处。

二位更有佛缘，毕竟他们都遁入了空门。无论是苏曼殊这种花和尚，还是李叔同这种苦行的律宗和尚，在佛教的某种境界里，都是可以成正果的，他们的确也成了正果。

当然，二位跟革命也有缘，他们都是反满革命的鼓吹者，甚至在诗画里，都不忘渗透着革命的意义。显然，革命从来都跟浪漫的诗人有着难解难分的缘分，只是，浪漫的诗人往往不知道革命完了之后做什么。

同样与革命、诗酒、女人和佛都有缘的南社诗人兼画家是钱化佛。此公没有出家，但特别喜欢画佛，只是所画的佛个个都闭着眼睛。人问为什么？他说：我佛慧眼，不要看人间的牛鬼蛇神！钱化佛在辛亥革命时是员勇将，参加过攻打南京制高点天保城的战斗，杀进去的时候，清军做的稀饭尚在，结果便宜了包括钱在内的敢死队。

既然革命后的世界是个佛都不忍看、不愿看的天地，那么诗人皈依佛门，也是一种不错的选择。

会武术的武侠小说家

平江不肖生这个名字，小的时候没书看，被逼无奈读鲁迅的时候，听鲁迅在提及电影《火烧红莲寺》的时候，提到过，不过很快就没什么印象了。再一次听到，时间隔了差不多有三十年，是我到湖南平江考察私塾的时候，在一位老平江的嘴里，这个名字不断地冒出来，说这个人是中国最早的留日学生，写了许多武侠小说，还拍了电影。

平江之行，是我文字上的自信大受打击的经历。在平江作诗的农民面前，总感觉自己像文盲，惶恐得很。回来大肆恶补的时候，记忆的线总算连了起来，于是我知道了一点关于这位平江不肖生的事情。此人姓向，名恺然，系清末就留学日本的留学生。据说在日本待了五六年，学成了什么不清楚，只知道此君装了一肚皮的留学生的风流韵事，憋得不行，写了本《留东外史》，在国内出版，一味拿在日本的“清国留学生”的糗事，用化名排铺起来。外头的人当然不见得明白说的都是谁，但当事者自然心知肚明，一肚皮不高兴，有人甚至放话，有权先杀向恺然。清末民初，恰是留日学生吃香的时候，占了各路要津，所以，向恺然找不到饭碗。没奈何，只好打卖文的主意，胡编了点武林侠客的故事，写了本《江湖奇侠传》，稿成的时候，已经潦倒到了没有饭吃的地步。据当时很有名的小说家包天笑说，向恺然这部开创了武侠小说先河的大作，千字一元就卖了。没想到书出以后，风行海内，一时洛阳纸贵。电影界还根据小说改编了一部电影《火烧红莲寺》，票房极佳，就像改革开放后《少林寺》放映一样，毛头小子个个迷上了“功夫”。向恺然也因此应书坊之约，接二连三地炮制出一本又一本的武侠小说，生活大为改观。可是后来书商高价催出来的小说，都没有当初千字一元的《江湖奇侠传》卖得好，一本不如一本，直至了无声息。

后来的武侠小说大师梁羽生、金庸、古龙之辈，虽然写的都是武林侠客，但这些人根本不懂武术，所有眼花缭乱的招数，都是闭上眼睛想出来的。向恺然不一样，他真的懂点武术，后来小说写不成了，还在长沙的国术(即武术)馆混过。在向恺然的家乡平江，现在还流传着一些他在武术方面的传奇，神勇了得。在这个世界上，大概既懂武术，又会写武侠小说的，只有他一个。可是，恰是由于这个原因，他也就没办法写出老百姓爱看的武侠，老百姓要的武侠，其实只是顶着武林头衔的成人童话人物(金庸们得其三昧)。一个《江湖奇侠传》其实要算是例外，因为那时穷困潦倒，急于将此换饭，没工夫讲究，信手胡编，想象力不免多些。歪打正着以后，正经把这劳什子当个营生做了，原来的武术招数、武林规矩就涌上来了，绊手绊脚，当然也就写不好，实际上是写不出读者心目中的武林奇侠了。

向恺然在写《留东外史》的时候，给自己设计了一个特正派的角色，其实呢，他跟那些清国留学生一样，有寡人之疾，有阿芙蓉(鸦片)之癖。在那个短暂的红火时期，此公跟他的后辈古龙一样，醇酒妇人，还加阿芙蓉，潇洒极了。后来，小说没人要了，去教国术，身体又不行，只好在国术馆当顾问。再后来，听说此公上了南岳衡山，出家做了和尚，追随禅宗怀让大师去也。从此，江湖上再没了消息。

皇宫里的隐秘

道光皇帝的考试规则

清朝自雍正以后的皇位继承制度，是所谓的“秘密建储制”，即在老皇帝还活着的时候，秘密定下储君人选，写好密诏，藏在乾清宫的“正大光明”匾背后，等到老皇帝翘了辫子，再由辅政大臣当众打开密诏宣读。此法一向为史家所称道，说它既让诸皇子有盼头，又弄不清到底是谁，及到宣布，想要造反也晚了，因此免除了困扰康熙多年的继承纠纷。不过，既然皇位的继承是靠老皇帝拍脑袋定下的，那么就免不了有人会打主意想要暗中影响老皇帝的脑袋。姑不论满打满算实行秘密建储的只有三代，即雍正传乾隆、嘉庆传道光、道光传咸丰——乾隆还活着的时候就把皇位传给了儿子，自己当掌握实权的太上皇，所以说不上是秘密建储，而咸丰只有一个独子，继承无秘密可言。自同治以后，余下的皇帝要谁当，统统由老佛爷西太后一个人说了算，全从她娘家妹子家里找，继承制度形同虚设——就是在实行秘密建储的当口，也不难窥见诸皇子暗中争夺的痕迹。

有一个传播甚广、而且被记录于《清史稿》的传说，说是在道光立意建储之前，在两个人选中犹豫不定，一个是皇六子奕䜣，一个是皇四子奕詝。就在这个当口，一次皇帝带领众皇子到南苑打猎。大家各逞手段，只见弓马飞飞，鸟铳声声，飞禽一个接一个地栽到地上，走兽一个接一个地横陈马前。算下来，奕䜣所获最多，而奕詝则一无所获。道光感到奇怪，就问为什么。奕詝回答说，现在是春天，是鸟兽繁衍的时候，因此不忍杀生以干天和。道光“闻而大悦”，说，这真是皇帝说的话！于是，皇四子奕詝就成了后来的咸丰皇帝。

看到这传说的记载时，总觉得它似曾相识，仿佛在哪里见过，仔细想了一下，原来《三国志·魏志》里有类似的故事。说的是魏文帝曹丕，还在他爹的魏王府里做世子的时候，跟抢来的袁绍的儿媳妇甄氏，生有一子曹叡。然而曹丕做了皇帝之后，很快就喜新厌旧，借故废了甄氏，并杀了她，结果，连带着原本该是太子的曹叡的地位也含糊起来。这时候，曹家父子有了一场围猎，很巧，有子母二鹿在前面奔跑，曹丕立马张弓，母鹿应弦而倒，而子鹿正好撞在曹叡马前。

曹丕大呼："吾儿何不射之？"

曹叡掷弓于地涕泣道："陛下已杀其母，臣不忍复杀其子。"

于是，曹丕感慨地说：吾儿真仁慈之主也！最后，没有了亲娘的曹叡反而继承了皇位，是为魏明帝。

跟汉人皇帝走围打猎只是消遣不同，满人以骑射得天下，什么伤天和呀，什么仁慈呀，都是过去农业民族的汉人才讲究的玩意。作为游牧和游猎民族，打猎杀生本是他们生存的必需，也是他们的传统，或者说传统优势。换句话说，正是因为他们不讲究汉人讲究的东西，才夺了天下。当年明朝的军队就是因为在战场上的马上功夫弱，才一次次损兵折将，只能缩在红夷大炮和厚厚的城墙后面，任凭人家在关内驰骋；待到人家也有了大炮的时候，就只好城破人降(或死)了。入主中土之后，满人虽然也讲究文治，但对于武功一直在乎得紧。他们所谓的圣主康熙、乾隆，都特别担心八旗子弟尤其是皇族入关之后接受汉化，丢掉了自己尚武的民族传统，不仅经常三令五申，而且以身作则，纵马持弓，习武相尚。对他们来说，围猎既是展示自身勇武的机会，也是校验子弟骑射功夫的一种方式。虽然说皇帝围猎的战绩，多少只的豺狼虎豹和熊罴，里面不免有掺假的成分。我们今天看到据说是康熙一鸟铳打死的硕大的黑熊，其实是事先捉到陷阱里，饿得半死，及到皇帝来时才放出来的。但是这种对围猎战绩的炫耀，却是少数民族政权所特有的。如果汉人皇帝这么干的话，估计多半会引来一群谏臣苦苦劝谏，赶都赶不走，死后还会被别有用心的史家记上一笔，像明朝正德皇帝那样。满人虽然也是自己打下的天下，但比起元朝的蒙古人来，毕竟在武功上面没那么自信。在关外就已经进入大半个农耕状态的满人，对于汉文化有更大的亲和力，一不小心，就会掉进汉人的汪洋大海被吞掉还不自知。虽然坐江山要靠文治的推行，靠礼仪的讲求，但如果没有八旗兵的武力在后面撑着，皇帝的龙廷还真就坐不踏实。所以说，上面讲的南苑围猎，本应是对皇子们的一场考试，自然是应该以多获者为胜，而奕詝等于是交了白卷。然而，由于他的那番应对，交了白卷的反而成了最终的赢家。

如果这个传说是真的话，那么肯定是作为现任皇帝的道光，擅自修改了考试规则。也就是说，不像许多史学家所认为的那样，由于奕詝的那番表白，道光选择他作为储君是理所当然的事情，其实原本当然的选择应是皇六子奕䜣，才合乎正理。

当然，道光改规则也有他的道理。入关以来，清政府的八旗政策，本意是保持其民族尚武的本色，发粮发饷，不务他业，一门子只管习武。然而结果却把昔日骁勇的八旗兵养成了除了玩什么都不行的废物，架鸟笼子满世界遛的有之，捏着嗓子装女声学唱戏的有之，大男人学汉人妇女裹脚者亦有之，总之是向尚武的反面走。还在乾、嘉之际，八旗兵的武功已经呈一塌糊涂之状，拉不开弓的有，拉开了弓，射出的箭还没到靶子就落下来得更多，就是射中靶心的没有，甚至还有上不去马，甚至畏马如虎的。当年十几万人就横行天下的骁勇健儿，早已不知何处去了。川、鄂、豫几省的白莲教造反，在清初也相当于几个毛贼，但却剿了十来年也剿不干净。国家年年耗大笔的钱粮，养着人口日增的八旗子弟，不仅什么用都没有，还每每因不善计算陷入破产的境地，隔几年就得皇帝掏银子来为他们还债。几任皇帝为此愁杀了身子，不是没有想过办法挽回，旗务也整顿了若干次，越整越糟。事实明摆着，原来依靠的，现在已经变成正在融化的冰山，说什么也靠不住了。既然原来指望的指望不上了，治国的招数多少得变变了，汉人的规则也就越发凸显了，汉人的份额也悄然增加了。于是，什么围猎啦，什么木兰秋弥啦，统统变成了走过场。不仅安心要在父皇面前显示“仁慈”的皇四子奕詝赢得了储位之争的胜利，而且即位之后的咸丰皇帝，也要高扬儒家道义，大批起用汉臣。他的亲信肃顺甚至公开贬斥满人，说汉人行满人不行，动辄对犯过的满人高官痛下杀手。为史家所公认的同光以后的满轻汉重的政治格局，其实在道光年间已经露出了端倪。

据说，奕订的这一招，是汉人师傅杜受田的主意。看来，杜师傅是看出了道光暗中改了规则的心思，才会出这种“交白卷”的险招。而貌似聪明的皇六子奕䜣，既无高人指点，又没有悟到情势的转变，一味逞强好胜，结果反而成为争位的失败者。历史小说的高手高阳先生，曾经对奕䜣的失败十分惋惜，因为在他看来，这个皇帝若换成奕䜣这个“鬼子六”来做的话，后来的中国也许会好些。跟高阳有同感的史家相当多，某些抱有大男子主义情绪的人，还把叶赫那拉氏的当权也归咎于奕订，甚至认为如果皇帝是奕䜣而不是奕订的话，中国的现代化可能会顺利得多。其实，就当时而言，真正高一筹的确实不是奕䜣，而是憨厚

的奕订，他能够听杜师傅的话，而且付诸实践，确有过人之处。继位之后，大胆起用汉臣，鼓励实学，在既有框架之内，他已经做到了他所能做到的，因此方能在如此的烂摊子之上，应付来自内外两面的危机。固然焦头烂额，但毕竟没有砸锅，给清朝保持了一点元气。如果我们要求道光和咸丰就能够吸收西方文化，实行改革，显然是一种苛求。事实上，只有经过了这种转折性人物的悲剧性失败，后来的执政者才有实行西式改革的可能，没有人能够做在他的选择框架之外的事情，即使这个人是皇帝。

清朝是少数民族统治的王朝，在王朝里，始终存在着满汉双轨的政治和双轨的逻辑。皇帝靠向汉人的逻辑，实际上是缓慢的和一步步的，而且这个过程还可能出现反复。不了解这一点，就无法理解清朝的历史。

雍正的天真

自从某专吃清史饭的大作家将作品改编成电视剧以来，清朝入关以来的第三个皇帝世宗胤禛，即雍正皇帝的知名度陡然上升，北京胡同里的老太太并她们手里牵着的小孙子，都知道咱大清国有一个雍正皇帝。

鄙人生性疏散，向来耐不住电视剧的冗长加唠叨，所以尽管《雍正王朝》几番热播，我却始终没有看过。不过，虽然眼睛没看电视，却依然逃不脱雍正的阴影，因为总是有人来问你，雍正到底是个什么……东西，是不是像电视剧里说的那样好。

说实在的，雍正是个什么东西，我现在也说不好，此公在历史上的名声一直不太好，又偏偏夹在两个名声过大也过好的皇帝之间，想不灰头土脸都难。虽然某作家给他平了一回反，也未必真的能翻过来。此公没有他的老爹康熙那样兴趣广泛，也没有他儿子乾隆那样诗兴泉涌，只有一笔字据说还说得过去（我见过的，无疑比到处题字的乾隆强多了），当政时间不长，又没有多少可说的事情。不过，在我看来，跟其他的清朝皇帝比起来，这个人多少有点怪，让后人面对他的时候总忍不住想说点什么，却往往说不出什么来。

正是这个雍正，登基做皇帝，空着正殿乾清宫不住，非要搬到偏殿养心殿忍着，弄得皇宫的政治地理大乱，大家都找不着北。

雍正在位的时候组成了一个机要的秘书班子——军机处，在他以后，军机处取代内阁成为国家的核心决策机关，但是，雍正自己有秘书却不爱用，总是自己亲自批奏折，往往批得很长，口吻就像个爱唠叨的老太太，不管臣子功劳有多大，让他抓住点小毛病就啰唆个没完，非让你灵魂深处爆发革命，将自己批倒批臭而后止。

批奏折批得长，不见得天天都那么忙，至少不像周公似的，吃顿饭要吐出来好几次。所以，雍正也有闲工夫看看戏。看戏可是看戏，别的皇帝看过也就罢了，顶多当时一喜或者一悲，高兴了赏几两银子给扮戏的太监，不高兴了赏他们一顿板子。可是人家雍正不是这样，看戏都能看出一段逸事来。说是一次他看《绣襦记·打子》，此剧是明人根据唐代传奇《李娃传》改编的，说的是名门公子郑元和名妓李亚仙的爱情故事。《打子》一折演的是担任常州刺史的郑父，看到儿子因迷恋娼家最后流落街头，以为人唱挽歌度日，一怒之下痛打儿子的情节。这段戏让雍正十分高兴，尤其喜欢扮演郑父的小太监（大概更多的是喜欢这种贾政似的人物），于是把他叫到身边赏饭。在吃饭的时候，小太监一时忘情，顺口问了一句，现在的常州刺史是谁？谁知雍正陡然翻转脸皮，勃然大怒，说你这优伶贱辈，怎么敢问国家的名器？当场下令将小太监杖毙廊下。

雍正不独性格乖戾，行事还有点天真。从来历史上轮到争位的时候，父子反目、兄弟相残都是免不了的事，胜利者对付政敌，或杀或坑都是应有之义，别人其实也说不出什么更多的来，君不见，李世民杀了两个兄弟，逼他父亲让了位，最后还不是得了明君之名。可是，雍正对付他的两个争位的兄弟，也不杀也不坑，却封他们为“阿其那”、“塞思黑”（猪和狗）。殊不知，这样的封法细究起来却大有不妥，自家兄弟是猪狗，那他自己呢，他的父亲呢？

其实，这还不算雍正行事中最天真的，雍正一生最自以为是的糗事，要算对曾静案的处理。

雍正六年（1728），湖南出了个反清案件，事主名叫曾静，是个屡试不第的儒生，因受到明朝遗臣吕留良诗文的影响，锐意反清。一日，不知从哪里听说现任川陕总督的岳锺琪是岳飞的后代，于是让他的弟子张熙前去投书，劝说岳反清。结果不问可知，即使岳锺琪跟曾静一样有华夷情结，也断然不会为了一个岳武穆的遥远虚名而甘冒身家性命之险，于是，这个送上门去的“反革命小集团”被连窝端掉，圣眷正隆的岳锺琪以诱捕曾静洗清了自己。

无论在哪个朝代，出几个谋反案件都不稀奇，更何况清朝以异族入主中原，虽然过了百十年，乡下的迂儒硬是坚持"民族大义"和华夷之辨，那也是没有办法的事情。不过这次情况大有不同，在查抄出来的"反革命文件"中，居然有大量宣传雍正争夺皇位的内容，说他如何谋父、逼母、弑兄、屠弟，贪财，好杀、淫色等，几乎跟当年的隋炀帝杨广差不多。

这样一来，曾静案就不再是一般反对异族统治的逆案，而是主要针对雍正个人的谋反行为，这样的逆案无疑更容易引起龙颜大怒。曾静等人被逮到京后，实际上是雍正亲自操纵案件的审理，即使到了今天，我们依然可以从当时的上谕中，窥见雍正恨恨连声之态。按照传统时代的常理，对于这样一个策动大臣谋反，并对现任皇帝进行恶毒攻击的"反革命小集团"的成员，凌迟处死并夷之九族本是应有之义，只有这样，才可稍解皇帝和拍马屁的臣子们之气于万一，可是，雍正对曾静案的处理，却出乎所有人的意料。

雍正下令将审讯曾静的记录整理成册，并在前面加上了长长的按语（上谕），起名为《大义觉迷录》。只是这个审讯记录过于整齐，明显透着有点"做"的意思。尽管雍正对曾静等人的"谣言"十分恼怒，认为自己连做梦都想不到，属于犬吠狼嚎，本不足以理会，但在上谕中还是花了很大的篇幅，论证自己对父母如何好，如何孝顺，对兄弟如何仁至义尽，总之是将曾静等人私下散布的所有对他不利的言语，一一详加驳斥。而且"审讯记录"更是采用一问一答的方式，先由审官代雍正的旨意质问，再由曾静作答，在稍做一点解释之后，将自己骂得狗血淋头，从而反证他散布的有关雍正争位的种种言语是如何荒诞不经。《大义觉迷录》印行之后，发往各个府州县，每个学宫（官方学校）都备一册，成为学子们的必读书。

与此同时，雍正还下令在曾静的家乡湖南成立观风俗使衙门，将曾静、张熙释放，派到观风俗使衙门效力，曾静倒也是个可人，十分配合，不仅自愿到各地宣讲雍正皇帝的"圣德"，而且还写了一篇《归仁说》,表达自己诚心忏悔之意。

雍正这么做的意图,事后看来应该是很明白的。他不是不恨曾静这些人,更不是心存仁慈,感化顽愚(像某作家说的那样),因为这个案件涉及那么多攻击他私德的谣言,他感到委屈,需要有个辩白的机会,否则心中的恶气无论如何也出不来,所以就颇费心思地设计了这样一种处理方式,《大义觉迷录》就是一种特殊形式的辩驳,一种最后将对方彻底而且无条件驳倒的辩驳。让曾静等人自己下去痛骂自己,现身说法,对皇帝的清誉而言,显然比杀了他们要有利得多。

然而,自以为聪明而且急于刷洗自己的雍正却忽视了一个很关键的问题,传统政治是黑幕政治,或者说是黑箱政治,上层的事情,既无必要,也无可能昭示于公众。尽管小道消息可以传得满天飞,但一般不允许有关部门出来解释澄清,时间长了,自然大家对所有的事糊里糊涂,将信将疑,这种状况,在多数情况下反而有利于政治的操控。雍正为了给自己刷洗干净,将最隐秘的宫廷斗争抖搂出来,昭示天下,甚至不知道分个保密等级,结果自然是越抹越黑,许多原来不知道这些谣言的地方,反而都知道了。那修整得过于整齐的"辩驳书",实际未必有雍正想象的那样具有说服力,说不定副作用更大。因为雍正没有也不可能改变政治黑幕化的传统,人们还是按照以往的惯例来分析判断事物,正事反看,反事正看,沿着字里行间,寻找微言大义,捕风捉影,发挥想象。事情的结果我们现在都知道了,在清朝诸帝中,关于雍正的传言和非议是最多的。

雍正的儿子乾隆的确是个聪明人,他上台之后,马上下令将曾静、张熙等人处死,收回所有散在地方的《大义觉迷录》,加以销毁,任何人不得收存,否则严加惩处。

如此说来,雍正作为皇帝,倒是有几分天真之处,只是这种天真并不可爱。

花儿与皇帝

皇帝的天下差不多都是凭刀枪打下来的，可是差不多像点样的皇帝都喜欢弄文作诗。刘邦当年不过一亭长，大队干部而已，斗大的字能认识几个都说不准，可是人家也有《大风歌》："大风起兮云飞扬，威加海内兮归故乡，安得猛士兮守四方。"虽说比薛蟠同志的哼哼调强点，大抵也就是不识字的王熙凤"一夜北风紧"的水平，可是历代都夸好，说有帝王气象。不过，拿皇帝跟皇帝比，刘邦的诗还就是不错。近一点，就说乾隆的几万首歪诗，挨个排过去，没一首能赶得上当年刘亭长的。

早就听说当年的放牛娃朱和尚也作过诗，一直没福见到，见到以后吓了一跳，原来是首咏菊诗，诗云："百花发时我不发，我若发时都吓杀。要与西风战一场，遍身穿就黄金甲。"虽是标准的薛蟠体，但却霸气得紧，听口气就是天字第一号，任谁都不怕，而且还要把别个干掉。不过诗意却好像似曾相识，仔细一想，哦，原来黄巢也曾经有过类似的货色："待到秋来九月八，我花开过百花杀。冲天香阵透长安，满城尽带黄金甲。"这首诗，在过去那个特别推崇农民起义的年月里，曾经非常吃香。黄巢跟朱元璋一样，都是农民造反的头，只是命不太好，仅仅做成了个草头皇帝。草头皇帝也是皇帝，皇帝抄皇帝，跟学者抄学者一样，本是自然之理，那时候又没有版权的说法，抄就抄了，断不会有好事者出来在媒体上说三道四。

本来，菊花秋艳，并没有杀掉百花的意思，要论杀气，本是秋风的事。自古以来，平头百姓家闺女，名菊叫兰的不知凡几，大户人家的婢女，被赐名秋菊者更是不知有多少，大家看到的其实都是菊的妩媚柔顺。大概只有黄巢、朱元璋这样舞刀弄枪，一路杀奔龙廷，夺了鸟位的人，才会赋予菊花杀百花的意义。实际上，这种寓意只是他们自家心理的一种投射。霸气和杀气，对于这些刀口舔血的人来说，本是应有之义。只是，令人奇怪的是，怎么两个大男人，而且都是舞枪弄棒的粗人，作起诗来，都以花来自喻？难道他们不能把自己比点别的什么？尤其是那个朱元璋，居然抄袭前辈笔意，可见对以菊花自况境界的向往。

按传统的周易解说，做皇帝的，都占个乾字，属于至刚至阳的东西。同样按传统，花无一例外地属于至阴至柔、属坤字的女人的象征。不过，中国文化，总是势不可当地要展现出自己阴柔的特性。不仅是审美方面，人们评价一个男性的美，总是以状若好妇来比喻，而且在政治甚至战争中，往往推崇斗智不斗力的境界。狠毒配上阴柔的功夫，才是谋略的善之善者；走刚猛路线的，只配叫做一勇之夫。如果碰上晏子，用两个桃子就能杀掉三个。黄巢是个不第书生，在自命是李耳后裔的唐朝皇帝治下，估计读过老子，读没读过韩非子很难说；而出身放牛娃，并在庙里混过的朱皇帝，肯定两者都没看过。不过，这并不耽误他们使阴招，弄诡计。比起来，什么都没有读过的朱元璋，活干得更漂亮，得天下十几年，就把昔日一起打拼的老兄弟杀得干干净净，连一点反抗都没有，古今中外，谁能做得到？

一个菊花，也被弄得这般阴鸷和戾气。碰上了皇帝和草头皇帝，任它什么东西，都只好自认晦气。

做皇帝的故事

古代的时候,中国想做皇帝的人很多,从农夫到将相都有。自从小亭长刘邦见了秦始皇说“大丈夫当如是焉”,和种地的陈胜喊出“王侯将相宁有种乎”之后,大家好像突然都醒过来了一样,只要有点机会,就幻想着能当上皇帝。曹操扫平中原之后,很有点自负,说是如果没有他的话,不知有几人称王几人称帝。这话其实不假,黄巾余党不说,袁术家四世三公,深受汉室大恩,还不是私藏了传国玉玺,一不留神就想当皇帝。而曹操自己也未必就心地纯正,按陈琳的说法,此公属于“阉竖遗丑”——宦官没有割干净生下来的,门第虽然比袁家差得多,但他之所以没有逼汉献帝“禅让”,只不过是因为时机还不成熟,怕孙权之流把他放在火炉上烤,只好自己做周文王,皇帝留给儿子做好了。明末清初的吴三桂,因红颜一怒,引清兵入关做了贰臣;做了贰臣之后反而不安分起来,为了保住自己藩王的地位跟新主子闹翻,打来打去,没成气候,眼看阳寿无多,临死前也要过一把皇帝瘾,在衡阳就地搭起竹棚,登基做起了皇帝,结果屁股没坐热就去见了地下的王——阎罗。

农民自陈胜、吴广之后,想做皇帝的人一直就不少。当然,有此非分之想的大多是那些不安分,又见过些世面,或者有点痞气的人物。太平天国农民起义的时候,北方中国也是遍地烽火,大小股的农民起义到处都是,称王称帝者不知凡几。不过多数的团伙都是从戏班子抢来戏衣,用唱戏的黄袍和王冠,装备自己的皇帝,用戏装的蟒袍玉带、铠甲硬靠,装备文武大臣。然后跟吴三桂一样,搭个大棚子就当是皇宫,然后就登基做皇帝。不过,这些草头皇帝登基之后头一项急务,都是大封三宫六院七十二妃,以便尽快享受美女环绕的艳福。至于到底能不能配齐三宫六院七十二妃,就要看这些起义者的实力,一般来说，十几二十几个总是找得到或者抢得到的。在这方面，他们显然比不上同时代的洪秀全，人家一口气大小老婆就娶了好几百，害得他总是摆不平小老婆之间的关系，争风吃醋闹得天王府翻了天，往往不得不求助东王杨秀清假装神灵附体，上帝下凡，为他处理家务事。

不光乱世，农民争着当皇帝，太平年景，偷着做皇帝的也不少。明清时节，宣称具有无边法力的民间教门很是不少，教首借着三脚猫功夫的气功，再加上一些从儒释道那里抄来、从戏词里趸来的货色，一蒙就能蒙上一群人，给他上钱上货，甚至贡献女人，大家夜聚晓散，好不快活。他们中间的某些人，觉得做教首没有做皇帝过瘾，所以往往有利用教徒对自己的迷信，做起皇帝的，不敢公开搭棚子，就在自己家的土炕上穿着借来的戏衣"登基"。地方虽然窄点，但一样不耽误大封群臣，尤其不耽误封自己的三宫六院。不过，需要指出的是，太平年景称王称帝的人，往往只是自己过过皇帝瘾，并不真的想打上金銮殿，夺了鸟位。只是若让真的皇帝知道了，还是一样抓了砍头——其实有点冤。

在汉人文化圈里，皇帝无疑是一个很核心的文化要素，即使穷乡僻壤，愚夫愚妇，有谁能不知道皇帝呢？有个笑话说两个农夫在田里割稻，累得不行，一个说，皇帝割稻肯定是用金镰刀。另一个说，蠢货，皇帝哪里还用得着割稻，还不是在大树下面，西瓜吃吃，蒲扇摇摇。其实，这只是笑话而已，人们编出来取笑农民的，当不得真。实际上哪个时代的农民，会一点都不知道皇帝是怎么回事？自从有了戏曲之后，戏里总是演帝王将相，即使在农村，年节农闲，也要唱大戏的。别的不晓得，谁还不知道做皇帝的高高在上，别人都要冲他磕头，三呼万岁，居有宫，出有辇，说话金口玉牙，让谁死谁就活不了；最妙的是有许多如花似玉的老婆——三宫六院七十二妃，都是天下最美的女人中挑出来的。所以，凡是农民想要做皇帝，就比照着戏上的操练。

当然，农民如果不满足于做草头王、野皇帝，而且真的得了天下，那就得讲究一些了。当年从沛县起义的刘邦，土的程度跟陈胜、吴广也差不了多少，最多当过几天“大队干部”，起义以后，事情还没有眉目，就拼命地找女人、吃猪肉。英布来见，他一边一个女人在给他洗脚，张嘴就是粗话，一点礼数都不讲。看见儒生，更是不耐烦，抢过人家帽子就往里撒尿，活脱脱一个乡里的无赖。然而后来做了皇帝，发现跟原来的一帮屠狗杀猪的兄弟喝酒撒疯不成体统，这就用得着儒生了。叔孙通为他制定朝仪之后，宫里殿外，兵卫齐列，铠甲鲜明，旗帜飘飘，所有文武大臣排成两列，天不亮就在宫外候着。赞礼官说声：“趋！”大家弓腰低头，一溜小碎步向前；说声：“止！”则乖乖站着谁也不敢动。东向文，西向武，分两列在殿前站好。于是皇帝乘辇驾临，诸侯王、群臣按班次奉贺朝拜。礼毕，皇帝赐酒，酒过九巡，赞礼者高叫：“罢酒！”整个仪式过程，群臣无不战战兢兢，不敢稍稍违仪，有动作不合式的，朝堂上虎视眈眈的御史立刻就将他们带走(估计没什么好果子吃)。朝礼罢，刘邦高兴地说，我今日才尝到了做皇帝的滋味啊。原来要过饭、当过和尚的朱元璋朱皇帝登基的时候，也一样排场得了不得。先是郊天祭地，算是请示过天公地母，承认了他做皇帝的合法性；然后由丞相率领群臣，跪请朱皇帝龙椅就座，朱皇帝扭捏半晌，总算坐进了椅子；再由丞相跪进衮冕，为他穿戴停当，再捧上玉玺，送到朱皇帝手中；接过玉玺之后，群臣立刻拜贺舞蹈，三呼万岁，整个南京城鼓乐齐鸣，欢声震天。接下来，换上皇帝新装的朱元璋，由仪仗导引来到太庙，奉上宝册，追尊他们朱家四代种田的祖宗为帝，告祭社稷；然后回到奉天殿，升御座，接受百官朝贺，大家如仪舞蹈，三呼万岁。此时的朱元璋说没说刘邦当年的那句话，于史无证，但心里肯定受用极了。只有李自成没有出息，打下了北京，占了皇宫，却在偏殿登基，果然没几天就丢了天下。

可是，没有受过皇帝文化熏陶的少数民族，在皇帝问题上有时候就难免有点糊涂。金朝的开山祖完颜阿骨打，打下燕京(辽人的南京，今北京)，识趣的燕京人打起皇帝专用的黄盖去迎接他；他说这东西只有一个，我们这么多人，谁用？于是扔在一边。将他迎进皇宫，请他坐龙椅，他还是说，就一把椅子，怎么坐？于是跟同去的人一起坐在台阶上。后来总算是可以坐龙椅了，但对于礼仪还是不明白。刚刚进入中原的女真人不呼万岁，他们认为人不可能活一万岁，极尽他们的想象，觉得活一百二十岁已经到顶了。所以，上朝的时候，他们就呼“一百二十岁”。其实不光刚进中原的女真人，就是已经接受了多年汉人统治的西南地区的苗人，也弄不懂皇帝的确切意思。清朝的时候，贵州的地方发现，苗人无论管多大的官，都叫“皇帝”，而北京城里真正的皇帝，则被叫做“京里老皇帝”。少数民族在皇帝问题上的糊涂，反衬出我们文化上皇权意识的强固。人家大人物都不明白的事情，我们小小百姓都门清。是文化上的先进呢，还是意味着别的什么？

欧洲直到现在，不少国家还存在王室，调查一下，希望王室继续存在的西方人还正经不少，但真正具有皇权意识的还是我们。我们的皇权意识，不仅在于大家在皇帝(或者大人物)面前，膝盖都有点软，碰到稍微像样一点的君主就会自动将权力交出，一任人家摆布；还在于凡是有点权力就想象皇帝那样行使，霸气冲天；更在于想当皇帝的人太多，连再平常不过的老百姓有的也有这种幻想。这对于西方人来说，真是匪夷所思，拿破仑一世说过，不想当将军的士兵不是好的士兵，但他绝对不会说，不想当皇帝的人不是好的人。因为即使在一度皇权鼎盛的法国，像他那样做皇帝梦而且还实现了的人也是凤毛麟角。更妙的是，我们在还没有当上的时候，摊上恶主了，抱怨固然要抱怨，但批判主子荒淫的时候，心里其实酸酸的。如果一旦像孙猴子说的那样，“皇帝轮流做，今年到我家”了，那么脸变得比谁都快，享受起来比谁都迫不及待，恨不得一天享尽天下美味和美色。

明朝的大儒王阳明说，去山中贼易，去心中贼难。成者王侯败者贼，其实帝王也是贼。

永乐皇帝的功德箱

很久没有去十三陵了，这个星期六不知怎么来了兴致，想去拜访一下久违了的列位朱家皇帝，于是与妻一道，开车进了陵区所在的天寿山。第一站自然是长陵，那个朱元璋桀骜不驯的儿子，以武力夺了侄儿建文帝皇位的朱棣的安宅。十三陵虽说埋葬了明代十三位皇帝，但朱棣一人却占了陵区风光的大半，其他的陵只不过是给主轴线的长陵做陪衬的。多年不见，神道上的石人石马石头狮子大象依旧，石牌坊也巍峨依然。进了陵门，里面干干净净，还修了一个连北京都少见的配有休息室的现代化厕所。不过，陵内少了些杂草以后，给人的感觉怎么看怎么像故宫，享殿几与太和殿无二。进了享殿之后，殿内那三十二根金丝楠木的巨柱，撑得大殿感觉上比太和殿还要宽敞气派，看起来，朱棣对他死后待的地方要比生前的上心得多。大殿的正中，不知什么时候添了一座很是庞大的朱棣铜像，铜像的脚下有一块不太显眼的牌子，上面写着：成祖文皇帝保佑平安。像的前面，是在所有佛、菩萨、玉皇，关帝、妈祖面前常常会见到的功德箱，里面盛满了人民币；箱的前面是一块很厚的海绵垫子，不时有善男信女们在上面跪下磕头，然后在功德箱里塞上一纸领袖头像(人民币)。

把皇帝老儿当菩萨拜，这种事情在中国还不多见，虽然中国有几千年头上顶着皇帝的历史，但是人们冲皇帝(包括皇帝的神位)屈膝下跪，主要是看着他们手中的权力。死了的皇帝就是一个死人，顶多就是一个死了的贵人，照样有人敢去盗他们的墓，把尸体拉出来翻财宝。这一点皇帝自己也清楚，不然的话，他们的墓穴就不会那么在乎保密了。中国的皇帝其实命挺苦的，祖祖辈辈神化自己，非说自己是真龙天子，权力还特大，可以封神，凡是经皇帝封过的神灵，香火一般都特盛，可是自己死后就是变不了神。只有两个除外，一个是刘备，多半是托了他结拜二弟关羽的福，有的地方沾光可以在关帝庙里叨点香火；一个是唐明皇，唱戏的将他奉为祖师爷，也算是半个神。其他的，任你是秦皇汉武，唐宗宋祖，统统不过是死皇帝而已。

不过，这只是事情的一面，另一面是皇帝虽然不是神，却有神气，尤其是那些有名，做过一些大事，却又没有因此丢了江山的皇帝，他们吃过的有人乐意吃，从满汉全席到通大便的牛黄解毒丸；他们用过的做古董拍卖更值钱，从凑在嘴上的茶碗到凑在屁股上的夜壶。这些"雄才大略"的皇帝的事儿，也特别招人传诵，直到今天，关于皇帝的电视剧依旧一集一集地往下拍，哪管他们中还有的是曾经让汉人掉脑袋现活眼的蒙古人和满人。

我没有问过那些给朱棣下跪并塞钱的人们，到底为什么这么做，也不想猜测他们头脑中是不是有帝王意识。我意识到，其实我们中国人在现代化的路上走了百多年，好像《国际歌》也正经地唱了几十年，却并没有走出给皇帝尤其是"雄主"下跪的文化阴影，不仅"愚民"和"草民"们的膝盖软，我们的秀才知识分子膝盖尤其软，不仅软，而且还会证明人之所以生出膝盖，就是为了下跪用的。我们的历史学家，包括在给中学和大学生写教科书的时候，一碰到那些雄才大略之主，赞美之词情不自禁地就会冒出来，挡也挡不住。我们的文学家就更来劲，一遍一遍地比着这个世界上最棒的男子汉来写我们的好皇帝，也不知赚了观众们多少眼泪。

长陵的主人朱棣，就是这样一位"雄主"，虽然排得比较靠后。跟那些入了秀才们法眼的皇帝们一样，朱棣很有点可供炫耀的事功，他重建了北京城，特别是修了座今天算作世界文化遗产的皇宫，同时还有一座供他死后享用的皇宫；附庸风雅，着人编了部《永乐大典》；真格好武，将蒙古人赶得离北京远了一点；最露脸的是派身边的大太监郑和带了一支庞大的船队下西洋，开创了当时世界远航史的新纪录，至今中国人提起来，还激动不已，尽管当时人家不过是想打探建文帝的下落，生怕他那个倒霉的侄子什么时候东山再起。

不过，这位“雄主”杀人和糟蹋起人来，也照样是大手笔，不仅杀人如麻，而且表现出超常的嗜血欲。为了一点宫闱丑事居然一次就诛杀宫女两千八百余，而且亲自监刑，看着将这些无辜的少女一个一个凌迟处死。早在两千年前就被废止的人殉制度，在朱家王朝居然能够复活，虽然始作俑者是他那同样“雄才大略”的父亲，但他在执行祖制方面，一点都不逊色，三十多个他生前喜爱的女子活生生地遵他的指令随他去了长陵的地下，而不知姓名的殉葬者据说不知凡几。在夺了他侄子建文帝的江山社稷之后，凡建文帝的忠臣，遭凌迟而死的就算便宜了，被剥皮楦革者有之，被割掉耳朵鼻子再烧了塞给本人吃的有之，将受刑者的儿子割了塞给本人吃的亦有之。自古株连九族已经到了极限了，但人家朱皇帝居然能夷十族。同样，几乎所有的酷刑都是在朱棣眼皮底下进行的，看来，所有的这些地狱里的勾当，对他来说都是一种难得的乐趣。最令人发指的是他对建文帝忠臣家属的处治，九族十族的男丁都杀光了，剩下的女眷则被没入教坊，由朱棣亲自派人监管着到军营做军妓，每日每人要被二十余条汉子糟蹋。监管人凡事直接请示朱棣，而朱棣也为此下了许多具体的诏令，指示要这些可怜人多多“转营”，即遭更多的男人侮辱，凡是不幸怀孕的，生下男孩做“龟子”，女孩则“长到大便是个淫贱材儿”，如果被折磨死了，便“抬去门外着狗吃了”。

在中国有皇帝的时代，忠义是做人的大节，也是统治性意识形态的基本内容，任何两个或者多个在政治和战场上竞争或者厮杀的对手，都不能不提倡忠义。每个竞争的胜利者，即使自身有着充分的正当性，当面对对方宁死不屈的效忠故主者的时候，如果不能招降他们，至少在杀了他们的同时，也要表示对这种行为的钦敬，以厚葬、抚恤亲族之类的举动以示表彰。尽管可能这样做的时候，一肚皮不乐意，只要你不想沦为草寇，还想成点气候，就得这样做。因为礼遇死的是给活的看，一方面是让自己的部下为自己卖命，一方面则表示对社会公意的尊重，特别是当胜利的一方不那么占理的时候，就更是得靠这种假仁假义收买人心。像朱棣这样，恼羞成怒且丧心病狂地夷九族夷十族地虐杀对方的忠臣义士(特别是像方孝孺这种并没有对他造成过什么危害且德高望重的儒者)，而且那样对待他们的家属，真是达到了古今罕有的境地。当年，东晋的司马氏当王导对之讲起他祖先对曹魏的种种残暴之举的时候，掩面而哭，说若如是，则国祚不永，而我们这个朱家皇帝，所行所为，超过当年的司马昭不知多少倍。

对于这样一个皇帝，能不能仅仅因为他有过那么些似乎很耀眼的事功，就闭上眼睛不看他的残忍和无耻，给他三七开？姑且不论那些事功如何劳民伤财，兀了蜀山，穷了百姓，空了国库，仅仅为了给他采金丝楠木，进山一千人，出来不足五百，再运到北京，相死于道者，又不知凡几，那种种嗜血之举，是人能做出来的吗？

我们的历史是人的历史，世界是人的世界，总要逐渐变得人道才是，这样，历史才能进步。人道的尺度，理应是历史人物评价的底线，离了这个尺度，仅仅把眼睛盯在所谓的事功上，这样写出来的历史就是一个荒唐的历史。多少年来，虽然我们一直嚷着奴隶们创造历史，但骨子里却依然是根深蒂固的英雄史观，眼睛只能看见大事，至于无辜人命丧失，只看做是必要的代价。我的一位朋友说，中国没有宗教，历史学就是宗教，恶人暴君，怕的就是青史上留下恶名。如果我们因为暴君的事功就宽宥或者无视他的残忍，甚至为他的所谓事功而歌功颂德，那么我们今后的历史就将有越来越多的残忍。这样的历史观，是到了该反省的时候了。如果修了大运河的杨广是一个人所不齿的“炀帝”，那么派人下西洋的朱棣同样应该是“炀帝”。他的子孙将他捧成“成祖文皇帝”，那我们现代人理应清醒一点，干吗非得要跟着朱家的子孙屁股后面爬，不仅自己爬，还给朱棣塑像(塑成那么一个巍峨高大且正义凛然的样子)，塑像前面放上供人下跪的垫子和上供的功德箱。其实，朱棣就是一个炀帝，谥法云：好内远礼曰炀，贪酷无道曰炀，信夫！

有为政府的代价

中国历史上的昏君,其实不见得个个都是昏庸之辈。乐不思蜀的阿斗和“何不食肉糜”的晋惠帝,毕竟是少数;其他即使如成天和嫔妃玩做买卖游戏的南朝东昏侯、整日只知道做木匠活的明熹宗,其实也就是心思没放到大事上去而已,要论智商,恐怕也未必很差。他们中间的某些人,恰恰是因为太聪明了,结果倒成了昏君,而且是比上面提到的诸公更有知名度的大个昏君,这个人就是隋炀帝杨广。

杨广之聪明多才,恐怕放到中国历史上所有明君行列中也不会逊色。他自己也认为,就算是跟士大夫们比才学,他也应该做皇帝的。话虽有点浮夸,但此公才学确实有,还在当皇子的时候,就跟士大夫诗赋唱和。从流传下来的诗作来看,多少有点意思,至少不像现在名气很大的清朝乾隆皇帝的御笔那么俗气。《隋书》上说他“好学,善属文,深沉严重,朝野属望”,应当说有点道理。杨广文才不错,武功也有那么点,隋平南陈,他是行军元帅,北却突厥,他还是出征的主帅,没有功劳也有苦劳,至少没有给将士们添乱。即使是痛贬他的史家,也不得不承认他“爰在弱龄,早有令闻,南平吴、会,北却匈奴,昆弟之中,独著声绩”。可是,造化就是这样弄人,被聪明所误的人,在聪明人中十有八九,隋炀帝杨广就是一个典型。

如果不聪明而且多才,恐怕杨广不会有那么多的大手笔的动作,后来让唐朝占了那么多年便宜。独享制度之利的制度创制,多半出于这个被后人骂为“炀”的皇帝,特别著名的是科举制度。正是这个制度,让中国的帝制有了世界上最完备和发达的官僚结构,被后世史学家许倬云誉为中国传统文化的三原色之一,让法国著名的史学家布罗代尔惊叹,怎么中国那么原始的帝制,却有了一个现代化的官僚制相伴。当然,调动几百万民工修东都洛阳,开凿大运河,以及兴百万大军屡次征伐辽东，也是他的大手笔。只是这样的大手笔，最终让他丢掉了江山社稷。

历史上没有哪个皇帝像他那样，做了如此多的遗惠后世的大动作，却因此身死名裂的。不仅科举制让后来的皇帝把天下英雄尽数纳入彀中，而且大运河也让后来的王朝尽享漕运之利，然而他得到的只有千古的骂名（只有秦始皇有点类似，但秦的江山不是丢在他自己手里，史家对他的评价有贬也有褒）。毋庸讳言，在当时，这些大手笔的施展对于社会生活的破坏是灾难性的。中国虽然有着发达的商业，但却从来没有形成过统一的市场，发展出成型的商业社会，国家也没有对应的制度和税收策略，中国也不完全是一个内陆国家，但海洋经济由于受到商业发展的限制，更是进不了国家战略的视线。所以，历代王朝都只能以小农经济作为立国的基础，而小农经济是经不起国家大手笔动作的。修建东都和大运河，成百万人耽误农时，消耗储备，一已为甚，何况再乎？农业民族，从本质上讲是不宜扩张的，对外战争，最高的限度是防卫性的。以秦始皇这样的雄才大略，挟灭六国之势，击走匈奴之后尚且得修长城，可见进攻态势之不可取。百万兵上阵远征，百万人沿途馈粮，幸而战胜，尚且难以预后，何况战败！说到底，中国不是一个商业国度，可以方便地集中资源，也需要靠武力维持商路的畅通；中国也不是一个海洋国家，无视海洋的运输之利，也想不到出海谋取更多的资源。在自己限定的框架里，只能量体裁衣，量入为出，否则就要出大麻烦。

当然，在史家眼里，这个亡国之君跟他的同类一样，有着雪崩式的道德败坏的经历，矫情作假、荒淫无耻、挥霍无度、任用奸佞，等等。野史小说更是把杨广说得像恶魔一般：弑父杀兄，淫母奸嫂，杀人取乐，甚至还近乎色情地描写他坐着羊车在众多宫姬住处之间游走，为了能得到他的临幸，宫姬们竞相在门口堆满羊爱吃的食物。尽管后者荒诞得有点像后现代先锋派小说，但实际上两者都是暗示隋朝二世而亡的原因，就在于隋炀帝的品质和道德的败坏。事实上，隋炀帝的奢费并没有耗尽国家的储备，而使隋朝从仓储之粮满盈，到饿殍遍野的转换，恰是因为他动机看起来还不算坏的大手笔。

“治大国若烹小鲜”这句格言，言外之意就是不能乱折腾、大折腾，老是翻锅。老子的这句话自从两千多年前说了以后，相信历代稍微明智一点的君主，都是铭记在心的。至少在现在，我们还没有资格忘了这句话。

傀儡的本分和儒学的痴迷

三国时，魏国倒数第二个皇帝高贵乡公曹髦的事，差不多地球人都知道。罗贯中的《三国演义》，写到诸葛亮死后，全没了创作的激情，基本上照着史书在抄，所以演义的后半，基本上等于《三国志》，曹髦跟司马昭拼命的故事，就是其中之一。

按道理，像曹髦这样的皇帝，本属一介标准的傀儡，他所能做的，只能是老老实实按照牵线人的意思，摆摆样子，最后等时机成熟了，识趣地把皇冠交出来，碰上牵线人兴致好，也许后半生可以落个富家儿的生活，在这方面，前朝的汉献帝已经做出了样子，作为后来者，依样画葫芦便是。可是，曹髦不肯，他愤愤了，说是司马昭之心，路人皆知，不能坐以待废，挺剑而起，率领百十个仆从搞自杀性袭击，结果还没有见到司马昭的影子，就被司马家养的，什么呢？只能算家丁吧，当街一枪穿了个透心凉(刃出于背)。

说起来，悲剧的发生，儒学多少也有点责任。虽然没有留下著述，但曹髦的确是个对儒学有造诣的人，史书上说他“少好学，夙成”，其言不虚，做了皇帝后，曹髦最喜欢的事情，就是跟臣子们论经说道，周易说罢讲尚书，尚书讲毕论礼记。入太学，每事问，经常把那些博士们问得一愣一愣的，嘴巴张开了合不上。乃祖曹操，是个不论忠孝的实用主义者，挥金如土，杀人如麻，到了重孙子辈却变成了寻章摘句咬文嚼字的儒生，当儒生也就罢了，君子动口不动手，坐而论道就是，偏是有皇帝身份的人，是做不成儒生的，君臣大义之类的说教听多了，无论如何都是个刺激。现实的卑微，与道理上的尊贵，形成了巨大的反差，对于一个年纪不到20岁的年轻人来说，能刺激出什么冲动来，真是不好说。况且，曹髦对自己的挺剑而起，还是有点自信的，以为真到了真刀真枪冲突的当口，司马昭会碍于道义，未必敢杀他。所以他说，“正使死，何所惧？况不必死邪！”

显然，血气方刚的曹髦已经忘了（至少在冲动的时候忘了），其实不仅司马昭之心，路人皆知，司马昭之势也路人皆知。经过父子两代人的经营，曹家的天下，早就姓了司马，人们本是由于屈从司马家的势，才故意装着看不见司马家的狼子野心，因为这种屈从，小可以换来阖家平安，大可以换来富贵尊容，那些不屈从的，则一个又一个地丢了性命，从举兵造反的诸葛诞，到放浪形骸只会弹广陵散的嵇康。儒家的君臣大义，在政治领域，本来就是胜利者的秩序稳固时的精致讲究，一旦时局转换，就当不得真。当曹髦准备跟司马家玩命，找来商议的近臣中，只有尚书王经劝了几句，其他的人一言不发，会一开完，就赶紧溜出去给司马昭报信，好让司马昭有足够的时间，找来一个肯当街“弑君”的傻子，从根上了结此事。就是这个王经，虽然并没有跟着曹髦去搞自杀性袭击，只因为没有首告，居然被夷了三族，以曹家太后名义出的诏令说的罪名是“凶逆无状”。

自然，那个结果了曹髦性命的家丁成济，也得被牺牲掉。因为不管怎么说，儒学的面子还是要给点的，表面文章必须做，因为以后司马家坐了天下，总不能让人说曾经公然容忍当街弑君者。虽然成济得到的命令明确来自于“司马公”，但最后结账的时候，一切都算在了这个可怜的家丁头上。这个头脑不清的武夫在被抓捕时非常愤怒，公然拒捕不说，还跳到房上，大肆散布政治谣言，进行反革命宣传，以至于不得不将之乱箭射死。

可惜的是，曹髦的自杀性袭击事件，尤其是收尾善后工作的过于粗糙，还是给司马家后来的统治带来了一些麻烦，整个事件成了晋朝的一个疮疤，提都提不得。两汉除了西汉前期之外，基本上是经学的天下，在那个经学氛围极浓的情况下，士大夫为了表现自己的孝义忠节，可以无所不用其极，那个时代，当然也有弑君的事情，但都是密室里偷偷干的，魏晋时期虽然经学已经式微，但在公开场合，大家依然在装忠臣孝子，所以，在大街上把个皇帝公开杀掉，无论如何都是件非常尴尬的事情。晋室南渡之后，王导给东晋的司马睿讲起这段往事，居然令这个偏安的小皇帝掩面而泣，进而怀疑起自己王朝的前途来。

看来，作为皇帝，即使是傀儡皇帝，如果非不守本分玩命的话，麻烦也是相当大的，作为一贯的统治意识形态的儒家伦理，在曹髦被穿了透明窟窿的同时，也出现了窟窿，而且继位者又没有及时修补，大家都装着没事似的。晋朝政治，过于迷信物质收买，迷信自家宗亲血缘关系，开历史倒车给宗室分封有实权的藩王，跟意识形态的这个窟窿不无关系。自秦汉以来，只有作为社会普遍道德的儒家伦理岌岌可危的时刻，人们才会特别迷恋于血亲，把自己龟缩在自己血亲关系的小圈子里，信不着亲人之外的任何人。显然，对于一个官僚帝国来说，这种龟缩，无疑等于自杀，西晋王朝其兴也勃，声势浩大，然而却四世而亡，个中道理，也许就在这里。

帝王之尊

中国的皇帝据说是最威严的,这种威严一方面与中国长期的专制的历史有关,一方面与我们特有的学术文化有极大的干系。后者已经是大家公认的事实,如果没有法家和儒家的书生们的捧臭脚,以及理学的滥觞,皇帝不大可能像后来那样高耸入云,直至被罩在可望不可即的烟雾中。

在秦以前,中国还没有皇帝只有王或者"天子"的时候,王不过是诸侯的共主,很像是各国联盟的主席,权威相当有限。夏朝号称有万国,商的诸侯也有上千,周的属国最少,据说也有八百,实际上夏商周都不可能真正控制这些属国,近的还能去巡狩一下,远的也就随它去了。都说周幽王是周朝由盛转衰的转折,昏庸的周幽王为博爱妃一笑,烽火戏诸侯,最终还是断送了自家的小命。不过,仅仅被天子戏弄了几次,诸侯就敢不发兵勤王,可见天子之威也不过尔尔。

春秋战国是个礼崩乐坏的时代,有时候,感觉世上最牛气的不是五霸或者七雄,而是身怀文武艺的士人,奔走于诸侯之间,谁给的钱多、爵高、位重,就给谁干。合则留,不合则走,此处不养爷,自有留爷处。双方在绝大多数情况下都是客客气气的,更多的时候反倒是处在臣子地位的人更不客气,常常直言不讳地让诸侯下不来台。

秦始皇据说很神气,可惜昙花一现,现在已无从考证其朝仪的盛与简。接下来的刘邦就很不像样子,打了天下以后,众武夫在朝堂之上就喝酒撒泼,大呼小叫,甚至拔剑击柱,就差没有把殿堂拆了。还亏了儒生叔孙通为他制朝仪,才让这老儿过了皇帝瘾,得意扬扬地说,我今日才知道做皇帝是这么神气。再也不提当年拿儒冠撒尿的事儿。

中国的皇帝制度是从秦始皇开始的。还在战国后期,脚一跺天下乱颤的秦王已经嫌称王不过瘾了,于是就有了秦国与齐国并称东帝西帝的提议，不知天高地厚的齐王还真的动了心，亏了“义不帝秦”的鲁仲连居中游说，这事才算拉倒。在灭了六国，将一群六国的嫔妃都收到咸阳之后，秦王嬴政再也按捺不住地飘飘然了起来，他无论如何也不肯再做王了，牛气冲天地吩咐几个臣子给他议个配得上他的旷世奇功的名号。现成的马屁哪有不会拍的道理，丞相王绾和廷尉李斯大概翻了几天古书，终于在传说中的半神半人的“三皇”那里找来一顶大帽子，说是三皇中最神的是泰皇，建议嬴政自称“泰皇”。然而嬴政并不满意，他从“泰皇”那里取了个“皇”字，再从五帝那里取来了“帝”字，合成一个非驴非马的“皇帝”(其实就是关公战秦琼)。跟着“皇帝”的还有一大堆讲究：皇帝自称“朕”，命为“制”，令为“诏”，皇帝的大印叫“玺”，走到哪儿叫“幸”，包括跟女人睡觉。嬴政自称始皇帝，“后世以计数，二世三世至于万世，传之无穷”。

皇帝的名号虽然打出来了，但是皇帝之尊的威严却不是一天可以确立的。后世所谓的君主专有的称谓，像“君”、“朕”、“万岁”等，在汉朝还是大家胡称乱叫。郡太守关起门来自称“君”，将自家的衙门说成“本朝”如何如何，好像也是司空见惯。顾炎武曾提到，“汉时有以郡守之尊，称为本朝者，尹宙碑云，纲纪本朝是也。丹阳太守郭曼碑，君之弟薨，归葬旧陵。东观汉纪云，岁旦，郡门下掾奉觞上寿，吏皆称万岁”。显然那时的人们并不认为这样做不妥，不然就不会刻在石头碑上，否则岂不是“石”证如山，明摆着让人抓小辫子吗？

时代虽然进入了汉朝，但毕竟分封制在中国已经实行了几千年，郡太守虽然不过是王朝的地方行政官员，但人们依然习惯于把这些在一方说一不二的人当成诸侯来看。加上郡里的属吏又往往是太守一手提拔起来的，所以，郡县里的曹掾们对于他们的长官确实有君臣之义，当国家真正的君主与他们的顶头上司发生矛盾时，他们向着谁还真难说。像东汉末年那样只把太守当回事，甚至为之死节，而将皇帝置之度外的情况，也许并不是一天造成的。北宋的苏洵曾经说过：“古者诸侯，臣妾其境内，而卿大夫之家，亦各有臣，陪臣之事其君，如其君之事天子。其后诸侯虽废，而自汉至唐，犹有相君之势者，其辟署之权，盖犹足以臣之也，是故太守刺史，高坐堂上，州县之吏，拜于堂下。”看来这真是有道理，可惜此老说这话时，太守们早已风光不在了，人们说话也再不敢口没遮拦。

帝王之尊，其实是渐积而成的，制度的日益致密，越来越强调“强干弱枝”，地方的权力不仅日见其小，而且受到种种限制：皇帝与臣子之间，在礼仪上前者地位日见其隆，后者日见其卑。阳崇儒家，骨子里却笃信法家的历代帝王们，更倾向于把自家罩在神秘的迷雾之中，与臣子们保持距离。当然臣子们也很凑趣，除了几个异端分子之外，大家一窝蜂地起哄“尊王”，弄得至少在读书人眼里，皇帝越来越神，到了韩愈喊出“天王圣明，臣罪当诛”的时候，大家说话就必须小心翼翼了。

光绪之死的公案

提到戊戌变法，总免不了要想起光绪，这位“大清国”末世坐江山坐得最长的皇帝，其实是个最可怜不过的人。如果不是西太后想在亲儿子死后还“垂帘听政”下去，选中了他入继大统，也许他的日子会好过得多，做一个优哉游哉的王子公孙，自然少不了几十年的荣华富贵。自打4岁入宫以后，这位原本就懦弱胆小，一听见打雷就浑身哆嗦的小皇帝，就一直生活在一个超级“女强人”的阴影里。虽然不至于像有些人说的那样水深火热，但日子没有在亲爹亲妈身边好过是肯定的了。

光绪懂事以后，虽说还在所谓“同光中兴”时代的尾巴里，但已经又一次进入了多事之秋，列强虎视，外侮不断，糟心事一个接一个，如果他是刘阿斗、明熹宗那样没心没肺的皇帝也就罢了，可偏偏他又有那么点心气，不甘心做个吃饱了什么事也不干的皇帝，但是身为“九五之尊”的他，就是什么也说了不算。好不容易西太后挪到了颐和园，手松了那么一点点，皇帝身后的帘子没了人，戊戌变法，刚刚说了几句硬话，转瞬之间就被关进了四面环水的瀛台，过起了以泪洗面的日子，长叹：“吾汉献帝不如也！”光绪的老爸醇亲王奕譞看来真是有先见之明，当年他一听说西太后要立他儿子为皇帝，就立马昏倒在地，人事不省，让在场的人丈二和尚摸不着头脑，以为他得了恩宠还装蒜。

光绪之死，历来众说纷纭，很多人都怀疑是西太后害死的，包括一些历史学家。因为他们两人的死期实在是太巧了，光绪不多不少正好先西太后一天死去，没法让人不起疑心。当然，断这场历史公案，把西太后定为谋杀犯，必须有证据，可惜这种证据目前还没有找到，而当时的现场又根本无法还原。但是，是不是因此就可以断定西太后无罪呢？当然不。有位曾经在光绪病重期间给他看过病的医生，写过一本非常薄的小册子《德宗请脉记》(光绪庙号德宗),虽然写得恭恭敬敬而且结结巴巴,还是透出了不少消息。

首先,光绪即使在病重期间,依然被“两宫”政治交恶的阴影笼罩着。小册子写道,由于“两宫意见素深,皇太后恶人说皇上肝郁,皇上恶人说自己肾亏”,显然,光绪认为自己的病是因长期囚禁导致的肝郁,而西太后则倾向于说光绪的病是自家的先天不足肾亏。所以,他把脉时就不敢实话实说。虽然两宫各执一词,但说了算的毕竟是西太后,光绪不愿意人说他肾亏,很可能是不少医生都秉太后的旨意说他肾亏。其实,做了多年的高级囚徒之后,肝郁倒更接近光绪的真实症状。看病必须考虑政治因素,这个病也就没法好好地看了。

其次,即使在光绪病情加剧之时,他的病也没有被认真对待过。给光绪看病的人被分成几拨,各看各的,“各抒己见,前后不相闻问”,加上又不敢说实话,不是顺着西太后的意思胡乱对待,就是开些不痛不痒的方子应付了事,以至于药方里居然有葡萄酒、牛肉汁和鸡汁,近乎《红楼梦》里王道士开的“疗妒方”。给光绪用的药,也属“假冒伪劣”之类,一次,光绪居然从药里拣出了蛀虫。很难让人相信,这是发生在皇宫大内里的事情。

更进一步,凡医生给光绪开的药方,如果对症了一点,那么就有可能被人改动。当医者第一次开方之后,光绪不仅自己反复叮咛不要改动,而且还派太监再三叮嘱千万不要改。如果不是以前方子屡屡改动,我们实在想象不出为什么光绪会这样做。

综上所述,我们基本上可以断定,西太后实际上就是在借为光绪看病之机,行谋害之实,药不对症地胡治乱看,使得光绪的病越治越重,起初不过头晕,“既而胸满矣,继而腹胀矣。无何又见便溏遗精,腰酸脚弱”。这位过度虚荣的老太婆实在不情愿让自己死在光绪前面,不甘心让光绪在她死后翻戊戌的案,使她蒙垢青史。西太后心里明白,戊戌的事错的是她,而不是光绪,她实行的新政,实际上就是当年变法的翻版,不过这老太婆政治可以抄袭,却死活不肯认错。她还明白这样一条中国式的道理：中国的事情就是这样，在政坛上谁熬的时间长，谁就是胜利者，至少是暂时的胜利者。但七十多岁的她想熬过不足四十岁的光绪的确是件难事，公开地废黜或者干脆干掉光绪，无论中国还是外国，反对的人太多，根本行不通，没办法，只好来这慢法子。当光绪病情变重时，她感到有可能要赢了，于是一方面大张旗鼓地向全国广征"良医"，一方面依然实行"胡治工程"。名义上是昭示她的"慈心"，其实不过是为了告诉世人，光绪要不行了，而且不赖我。

然而，她和光绪这三十多年的差距却也非同小可。事实上，光绪病重之时，她也病入膏肓了，但她却根本不肯承认。当一个找来为光绪看病的医生，偶尔看了一下她的脉，诊断说她有糖尿病(消渴)时，老太婆勃然大怒，硬是逼着人家改口，说消渴乃口渴之误。其实，她不仅有糖尿病，而且还一口气拉了两个多月的痢疾。老太婆嘴上虽然不认账，但她心里其实非常清楚她自己也没几天好活了，她只是凭着一口气硬撑着。当光绪还没咽气的时候，她就让人到光绪处穿素服，而到她这儿要穿吉服，她委实太希望光绪死了。终于，拉了两个多月痢疾的老太婆竟然熬死了37岁的光绪，当得知光绪确实病死的消息之后，这个"意志顽强"的老太婆一口气松下来，终于拉完了她最后一泡稀屎，"凤驭宾天"，追着她的亲外甥到阴曹地府打政治仗去了。这就是为什么两个人竟然在两天之内，一前一后撒手归西的缘由。

这桩公案，陪审团裁定，西太后叶赫那拉氏有罪。

康熙的才学

康熙皇帝玄烨，至少在眼下，要算是皇帝中最有知名度的一位。他日益飙升的名气，显然和政界、学界以及娱乐圈的追捧不无关系。“康熙来了”，不仅是香港凤凰卫视的一个娱乐节目，也几乎成了近来人们打开电视时的第一感觉。

只要跟娱乐圈沾了边，名气大的人不一定声誉好，可人家康熙不然，硬是名气大，而且声誉佳。大家七手八脚，直到将他老人家捧成了“千古一帝”，似乎还没有歇手的可能。关键是，捧的人里不光是娱乐圈的“娱编”、“娱导”、“娱艺”加“娱记”，学界也相当积极。在这些学者眼里，康熙的文治武功无不登峰造极，武能打仗而且打猎（用鸟铳，一枪一只大狗熊），文能作诗为文，无论诗词歌赋，古体近体，样样精通。据说特别值得称道的是人家还学贯中西，于西方的天文地理、数学历算甚至音乐绘画，无一不能。

中国的大人物头上，都免不了有光环。康熙是个富有传奇色彩的皇帝，还是未成年人的时候，就干了件擒拿权臣鳌拜的大事，以后一系列文治武功，包子上的褶，全露在外面，叫人不说好也难。神话从康熙还活着的时候就开始传，越传越神，害得末帝溥仪经过劳改营改造了多年之后，却还相信太和殿前的铜鹤腿上的凹印，是跟随康熙南巡时被这位圣祖皇帝一箭误伤的。

康熙喜欢跟西洋人打交道，西方的传教士一个接一个收用，洋鼻烟、洋钟表，外加洋药和洋乐器都大量地收藏。不过，西方的洋和尚虽然很得恩宠，却出家人不打诳语，硬是不肯加入满人和汉人关于康熙的神话合唱。曾经在康熙身边服务了13年的意大利耶稣会传教士马国贤(Matteo Ripa)，在他的回忆录里透露了不少有关康熙的内幕消息，其中有段是这样说的：“皇上认为自己是个大音乐家，同时还是一个更好的数学家。但是尽管他在科学和其他一般认识上的趣味都不错,他对音乐却一窍不通,对数学的第一因也所知甚少。每座殿堂里都放了音叉或古钢琴,可无论是他自己,还是他的妃子们,都不会弹奏。有时候皇上的某一个手指确实触摸了键盘,就已经足够让他陷入被奉承的狂喜了,正如我经常见证的那样。”说这话的洋人,是康熙在西学方面的老师,对自己学生的学业状况,应该是清楚的。

仅仅因为某个手指触到了琴键,就会被奉承为音乐家,时间长了,自己也糊涂了,以为自己就是音乐家。这种现象,属于典型的“中国制造”。世间所传康熙的数学造诣,估计比音乐状况稍好,但也好不了多少。可是不知道为什么,这么多年过去了,连历史学家在内,许多人仍然像相信康熙能用原始的鸟铳,将一头硕大的黑熊或者老虎一枪毙命一样,相信康熙那无所不知的学问,尤其是西学造诣。看来,不管时代变了多少,人们习惯围绕着猛人制造神话的传统却并没有变,只要某个猛人还说得过去,我们就不吝惜将所有美好的东西加到他们的头上,活生生变出光环来;如果不幸自己所处的时代实在没有像样的猛人,那么拾点古人之余唾捧捧古人,也不是不可以接受的。

记得《世说新语》上有一则南朝故事,说是某名士棋艺特高,偏皇帝也是个棋迷,硬是居心叵测地找来该名士,让他说天下谁的棋艺高,名士答曰:陛下皇帝里第一,微臣臣子里第一。眼下,我看我们用不着追求实事求是,只要恢复到该名士的境界,就已经足矣。

帝王的市井情结

重农是我们这个古老帝国尽人皆知的传统，每年开春，皇帝都要假模假式地举行籍田仪式，在众宦官的搀扶下，扶一下犁头，假装自己耕田啦。大臣们也会时常上书，说点重视耕稼，不误农时什么的老生常谈，每朝每代都如此，一点新意没有，却乐此不疲，像是被输入了同一个程序。重农的另一面是抑商，不仅皇帝不能对商人表示好感，大臣们在论及耕稼之艰的时候，都免不了要贬抑商人（大概也是程序设好的），好像农夫的辛苦，就是因为商人们做了买卖。两汉的时候，商人是有市籍的，明文规定，绫罗绸缎不能穿，所谓市籍，就跟今天的农业户口差不多，一种非农性的歧视，不得为官为宦。唐代，商人子弟，不能参加科举，除非走后门。后来，商人地位高了一点，但依旧士农工商，排在最后，摆明了属于社会的“末业”。

重农意味着崇本，抑商，意味着抑末，农为本，商为末。不过，凡是被人称为“本”的东西，都不招人喜欢。王公贵族，达官显贵自不必说，就是一般清高的士大夫，总是嚷嚷归耕林下的，也没有什么人真的喜欢真刀实枪地干农活，扬州八怪之一的郑板桥，对农夫特别推崇，甚至说士农工商的位置该换一换，把农夫摆在前面，可是他罢官之后，也还是进城卖字画了，没有回老家种地。就算那些看起来痴迷田头的老农，恐怕更多的也是出于一种职业的习惯，就像现在我们某些工作狂一样，未必是真的出于内心的爱好。

人们真正喜欢的，反倒是那些被视为“末”的东西，比如戏曲，这是传统中比商还要低贱的玩意，可是人见人爱。宗族开祠堂，祖宗牌位摆在最显要的地方，但是修得最豪华的，却是戏台，美其名曰让祖宗看戏，但大家都知道，实际上是活着的子孙在享受。没有祠堂的地方，每年搭台子也要请戏班子来唱戏，过年过节，尤其免不了。宁可不吃不喝，也不能不看戏，用东北人的话来说，就是宁舍一顿饭，不舍二人转。

人们第二喜欢的，跟商人有关，那就是街市，在农村，就是集市和庙会。在那里，商人做生意，农民也做小买卖，都说商人奸猾，其实农民也不是省油的灯，买的卖的，都离不开街市。逛街，在哪个朝代，哪个人群，都是种享受，男男女女，老老少少，都喜欢，就是什么都不买，什么都不卖，也照样喜欢逛，看看人，南来北往的红男绿女，看看东西，土的洋的稀罕玩意。如果赶上卖艺的，有钱，给人帮个钱场，没钱，给人帮个人场，起哄架秧子，都好。美籍华人学者黄宗智在华北农村调查，发现很多农民，最喜欢去的地方，就是集市，即使什么都不做，也要去走走。

皇帝也是人，他们跟老百姓其实有差不多的喜好，也有差不多的毛病。看戏不必说，中国戏刚有个模样，人家唐明皇就下梨园打鼓了，难怪后世梨园行尊他为祖师爷。一直到清朝，不爱看戏的皇帝，就跟白乌鸦一样稀罕，猛一点的，如后唐李亚子，还亲自粉墨登场。当然，这属于娱乐活动，人人都爱的，不难理解，有意思的是，皇帝对街市的喜好，也跟老百姓一样，只是碍于身份，没福气像老百姓那样出去逛街，解痒之道，一般是在宫里安设假的街市，始作俑者是汉高祖刘邦，刘邦的老爸被接到长安城后，居于深宫，闷闷不乐，老人家原来跟他儿子一样，整日就是喜欢跟一帮贩夫走卒，酤酒卖饼，斗鸡蹴踘之徒在一起混，进了皇宫，离了街市，固然富贵已极，但人生之乐没了，大概刘邦跟他老爸有同好，于是在长安设立新丰之市，据说连房子、店铺造得都跟老家一模一样，把旧日那些买卖人并街上的混混都接来放进去，各家的鸡鸭鹅狗来了以后，都各自认识自己家的门，于是做了太上皇的老爸大乐，当然，他也乐，估计抽空也去逛逛。

此后这样的皇帝很多，比较出名的像南朝的东昏侯，还在街市里做买卖，亲自掌秤，还有明武宗，他不仅在宫里的街市上玩，还可以玩到真的街市上去。一直到清朝乾隆这里，还在颐和园后面，修了一个伪造的苏州街，将他在江南看到的街市，搬过来，供他聊过市井之瘾。这个假苏州街，现在已经恢复了，只是，里面逛的人，已经变成了游客。

“佛见喜”李莲英

在晚清，李莲英可是个大人物，从某种意义上，名头比那些王公大人甚至中兴名臣还要响，说起晚清掌故，想不提李总管的大名都难。种种传闻，说好的有，说坏的更多。在很多遗老遗少眼里，大清国之所以玩了完，多少跟这个没把的茶壶（阉人）有点关系，西太后作的孽，大概有一半得算在他的头上。

说起来，李莲英，甚至他的主子西太后都有点生不逢时，如果放在别的朝代，像他这样的宦官和这样的太后，说不上流芳百世吧，也断不可能留下骂名。可是晚清赶上的是一个千年未有之变局，是已经进入现代的西方，用武力胁迫东方进入他们世界体系的时代，在这个危机四伏的时代，领导中国实现转型，显然不是一个没有受过多少教育的女人所能胜任的，所有的处置失当，作为一个女主来说，身边的宦官，自然而然地要背些黑锅。

从朱一新、安维峻这种铁面御史的弹章，到街谈巷议的群众舆论，李莲英的所作所为，大体上跟他的前辈从东汉的中常侍到明朝的刘瑾、魏忠贤们差不多，无非是惑乱朝政，卖官鬻爵这些事。比起西太后第一个宠信的安德海来，李莲英还算是幸运的，因为还没有人说他走运是因为没有骟干净。

虽然李莲英在西太后跟前一直得宠，甚至破例得封四品顶戴，但到目前为止，没有任何靠得住的证据表明，他曾经（哪怕一次也行！）对朝政插过嘴，臧否过哪怕一介小官。虽然走李莲英门路升官的人倒是不少，估计银子也拿了不少，但是，实在找不出证据，说有哪个人的得官，是李莲英背后在老佛爷那里递了话。李莲英的发财，更多的可能是人们把他想象成那种一言九鼎的人物，想象成可以弄权搞名堂的宠臣，也就是说，人们按照从前得宠宦官的面目，来比照李莲英，比照来比照去，送银子走门路成了常态，而不送倒成了心病，为了保险起见，大家还是送的好，所以就都送了。其实，在西太后眼里，李莲英是个特别低调，行事谨慎，而且极其干练富有指挥调度才能的人（宫里的许多大规模的仪式活动，都是李莲英一手操办，无不井然有序）。这个一直自比乾隆的当朝太后，根本不可能允许太监、哪怕是最亲信的太监对朝政插哪怕半句的嘴，对这个清朝祖制上根本没有根据的女主来说，只有更加严格地讲究祖宗规矩，才能够堵住别人的嘴，所以，尽管她用这些人，但也只是当使唤的下人，绝不会让他们染指朝政。在其他的宦官和宫女眼里，李总管虽然位高权重，却是一个善解人意，从不作威作福的人，只要有机会，他总会给人以方便。所以，宫里虽然派系复杂，但没有人背后坏他。

所以，当朱一新他们指名道姓地弹劾李莲英时，无论如何是不可能让老佛爷相信的，最后丢官的只能是这些不怕死的都老爷（御史），只是成全了他们的刚直之名。按朝中的规矩，李莲英唯一做得不太好的事情，是经常把西太后的日常起居状况通报给跟他关系好的大臣，比如庆亲王奕劻、北洋大臣袁世凯等人，以便这些人随时掌握西太后的动向，上朝的时候好有个准备。但是这种事情，显然是大臣方面更加主动一些。

一位伺候过老佛爷的宫女说过，李莲英就像一种俗名叫“佛见喜”的梨，看着黑黑的，很不起眼，可吃起来又甜、又酥、又细、又嫩。李莲英外表看着不怎么样，可当差当得滴水不漏，你刚刚想到，他已经做到了，让西太后舒服而且放心。这样的人，有哪个位高权重的会不喜欢呢？

骗术与禅让

禅让是中国古代传说中，只有圣贤之君才能操练的一种继承之法。不过传说毕竟是传说，按顾颉刚的说法，古史是累层堆积起来的，传说中实行禅让的尧舜，这两个人事实上有没有还是个问题，更何况禅让？即便是有，按另一些人的说法，也不过是因为这些贤君，其实不过是部落酋长，或者部落联盟的领袖，工作操劳有余，实惠不足，所以乐于让出来。不过，虽然禅让的事实，在历史上很可能没有那么回事，但禅让之名却很有市场。很多篡权夺位的家伙，最后让那个倒霉的前朝君主让位的时候，都喜欢排演一场禅让的大戏，臭脚和捧臭脚的一起搭台子上蹿下跳，最终的结果是，那个野心家羞答答喜滋滋地坐在了龙床上。

所以说，所谓的禅让，实际上不过是抢劫，抢了人家，还要让人家说是自己乐意给的。当然，也有所谓的内禅，就是老皇帝还活着的时候，把位置传给了自己的儿子。内禅也有两种，一种是老皇帝自己情愿的，一种是被逼无奈。被逼无奈其实跟被别人抢了差不多，只不过抢的人是自己的骨肉，听起来感觉好一点。自己情愿的内禅，多半是名让暗不让，所以等于没让。所以，事实上，禅让基本上都是有文化修饰的抢劫。

不过，世界上总会有白乌鸦存在，中国这么大，历史又这么长，例外偶尔也会有那么一两个。战国时期的燕国，就发生过这么一个例外。那时的燕王叫哙，此公志向高远，但就是才能不那么相配。当然，从内心深处说，他跟当时的战国七雄一样，都有超出国境的愿望，不仅期望有更大的地盘，而且还想有更大的名声。他的相是子之，也是王族的嫡系，虽然没有很大的本事，上任以来政绩平平，但此人却跟燕王哙一样，野心不小。只是，比较起来，燕王哙对名声的追求，有时近乎痴迷，而子之在这方面，却有相当清醒的头脑。于是，一件荒唐事发生了。一天，一位说客(那个时代盛产这种人)来到了王宫里，对燕王哙说：当年尧曾经要把天下禅让给许由，许由不答应，结果尧得了禅让之名，又占了天下之实。大王何不效法尧，禅让给子之，如是，大王之实无损，大王之名将会如日中天。

现在已经无法考证，到底这名说客是自己发神经一逞三寸不烂之舌，还是受人指使有意为之。反正燕王哙接受了说客的建议，真的将王位让给了子之。可惜，子之没有像传说中的许由那样清高，他接受了王位而且真实地占有了它。好在，燕王哙还有一个好儿子，燕太子平不像他父亲那样糊涂，而且手里还有一定实力。于是子之和燕太子之间一通混战，齐国又趁火打劫，于是燕国大乱，在大乱中，哙和子之都去见了他们的祖先。最后，燕人拥戴燕太子平即位，是为鼎鼎大名的燕昭王。面对残破的国家，燕昭王用千金买马骨的绝招，招来了乐毅，南下伐齐，连下七十余城，差点没有把偌大的齐国给灭了，狠狠报了当年的一箭之仇。当然，这已经是后话了。

现在我们知道了，禅让不仅有抢的含义，还有骗的内容。抢的时候比较好理解，对方实力雄厚，想不交出来根本行不通，乖一点说不定还能保住小命。骗的时候，占有者一方其实没到山穷水尽之时，甚至实力上的优势尚存，之所以吃人骗了，关键是自家太贪，没有自己搬块镜子照照，就妄学古人。

禅让在本质上跟天上掉馅饼一样，是不可能的事情。如果真的有谁告诉你有了，不是骗局就是闹剧。可是，世界上就是总有那么一些人，硬是喜欢把头望着天或者低头看着地，指望有意外的惊喜。怎么办呢？随他去吧，要不骗子吃什么。

政治里的巫术

汉武帝听了董仲舒的话独尊儒术,如果大家以为他是孔夫子的知音那就错了,人家其实是董仲舒的知己。子不语怪力乱神,但是董仲舒做了官却要指挥巫婆们求雨。其实,从董仲舒之后,孔子差不多变成了怪力乱神的牌位,牌位上的名字跟所代表的内容绝不一致。作为董仲舒的知己,汉武帝对于神鬼之事很在乎,到了晚年,不是求神拜鬼,就是疑神疑鬼。最怕的,是有人对他行巫蛊诅咒之术。

蛊,有种说法是某种养了多年的毒虫,武侠小说里放蛊的高手,每每令人不寒而栗。但是,在汉代,所谓的巫蛊之术,就是埋个木头人在地下,上书被诅咒者的名讳。这种把戏属于标准的顺势巫术,现代人类学家走遍世界各个角落,发现几乎每个原始民族都擅长这一套,而且技术差不多。我们中国人自以为文明很古老,开化得很早,但这种巫术却根深蒂固,从古到今,绵延不绝,《红楼梦》里马道婆应赵姨娘之请,冲宝玉和凤姐使的把戏,就是这一套,只不过没有费事去雕木人,弄几张纸铰一铰就完事了,很是节约成本。据说,此术不仅可以伤害仇人的性命,而且还可以使得自己喜欢的人爱上自己,只消将诅咒之词换一套就可以奏效。

好在,这套把戏虽然一直都有人信,估计效用并不那么好,否则古来所有的爱恨情仇,宫廷政变,都可以由巫婆神汉来包办,历史学家跟在后面记录便是。不过,不怎么灵的巫蛊之术,依然在历史上留下痕迹,甚至是很重的痕迹,在当时,不仅能改变一些人的命运,甚至可以改变政治的走向。

武帝宰相有位叫公孙贺的,原系皇帝家将,武帝时代,这种人很风光，多半都是走裙带路线露的脸，公孙贺也算一个，他跟大名鼎鼎的卫青、霍去病都是亲戚。汉武帝是个有福之人，人家搞裙带，政事都一塌糊涂，他搞裙带，却带出一帮猛将来，硬是完成了扫平匈奴的大业，到哪儿说理去？

汉武帝命好，公孙贺的命就没那么好，倒霉就倒霉在巫蛊上。公孙贺做了丞相之后，儿子贺声挪用公款下狱，那个年月，秦政的余波尚存，法家的治世道理，依然畅行无忌，皇帝对官吏的纠治相当严苛，无论资格多老，地位多高，来头多大，进了监狱，出不来的可能性很大。公孙贺舐犊情深，正好赶上皇帝想要抓京城侠客朱世安抓不着（严惩以武犯禁的侠士，也是法家治理的应有之义），于是公孙贺便上奏请求，他以抓住朱世安为代价，赎儿子的罪。皇帝答应了，朱世安也真的抓到了，可是，朱作为京城大侠，自非泛泛之辈，马上在狱中告发公孙贺的儿子跟武帝的女儿阳石公主私通，而且在大道上埋偶人，诅咒皇帝。当然，朱大侠的党徒们，已经在相关地点，按照朱的指示，把那个木头人埋好了。皇帝派人一查，不可能不属实。

西汉的时候，自家的闺女跟人风流，皇帝不一定在乎，但是有人埋上偶人诅咒他，却非同小可，"赃证"俱在，公孙贺纵以宰相之尊，也百口莫辩，整个一大家子，全军覆灭。

过了不久，这把邪火烧到了皇帝自己儿子头上。暮年的汉武帝，身边忽然有了一个特别受宠的酷吏江充，此人酷得很有水平，连皇帝的继承人卫太子也得罪了。眼看皇帝一天天老下去，生病的时候多，太平的时候少，把事情做绝了的江充，很担心一旦老皇帝驾崩，自己被太子惩罚，于是对病得很厉害的皇帝说，他的病，就是京城里有人巫蛊诅咒所致。这种鬼话，大街上贩夫走卒都未必信，号称雄才大略的汉武帝偏偏就信。于是，士卒和狱吏带着巫婆满京城找偶人，抓人审讯，用烧红的铁钳烙，民众互相攀指，前后因此而死者数万人。追查之火，合乎逻辑地烧到了皇宫，烧到了太子宫内，还真就掘出一个桐木人，直将太子逼反，起兵杀掉了江充，当然也导致父子反目，最后太子兵败自杀。一个大家公认，而且也为汉武帝认可的好太子，就这样，被巫术断送了。

迷信，对于普通人，只是蒙蔽了一个人的眼睛，而对于有权者，尤其是有大权者，则是蒙蔽了政治的眼睛。

神仙与皇帝

天上的神与地上的君王，哪个大？如果问中世纪的西方人，答案无疑是非常明确的，虽说上帝的归上帝，恺撒的归恺撒，但天上的神高于人间的君主是不容置疑的事情。任何一个君主，即使像拿破仑一世这样跋扈的家伙，加冕的时候也要由教皇代表上帝来给他戴上皇冠。可是，在中国，这个问题就比较复杂了。中国有很多的神，还有仙，以及来自于佛教的佛和菩萨，虽然细讲起来他们之间是有差别的，但在普通中国人眼里，这些东西都是些超人的家伙，都差不多，江南的农民一概名之曰菩萨。但凡是个神仙，就有点超乎人类的本事，不仅可以长生不死，而且可以福人祸人(不然人干吗要去求他们呢)。而皇帝虽说威势赫赫，但毕竟跟一般人一样，也生老病死，不然干吗一个接一个地驾崩。可是，在现实的社会生活中，皇帝就是大于神仙，而且不仅大一点点，连西来的佛祖也不能例外，必须服从皇权。

我们知道，故宫和颐和园里都有专给帝后演戏的上中下三层戏台，戏台之所以有三层，大抵是为了展示天上、地面和地下的世界。每逢皇帝生日，祝寿戏总是要演的，在这些戏里，神、仙、佛祖外加菩萨、罗汉之类的角色是断然少不了的，每出戏到结束时，最热烈的场面是，上中下三层戏台上，所有的神仙，甚至连外来的佛祖都一起向皇上叩首祝寿，三呼万岁。戏台上的神仙拜皇帝，不仅仅是戏子们献媚，也是社会现实的写照。中国的神仙，一半是宗教的神职人员通过“专业化途径”制造的，一半是老百姓土法上马炮制出来的。有的来源于人间的英雄人物，比如关帝(关羽)、文昌帝君(张恶子)；有的来源于动物，比如真武大帝(龟蛇)；有的来源于山川河流，比如东岳大帝、河伯；当然也有一些是老百姓胡乱造出来的，比如江南的五通神、五猖神。有的时候胡制滥造虽然也有根据，不过，由于造的人不讲究，结果往往很荒唐。比如有的地方有五撮须相公庙，不用说，供的神叫五撮须相公；经过考证才发现，原来所谓的五撮须相公，是伍子胥。还有的地方有杜十姨庙，里面有大姨、二姨等一系列女神，共十位；然而仔细考证才知道，原来这个庙是供杜甫的，杜甫曾经当过左拾遗的官，所以又被称为杜拾遗，老百姓弄不懂拾遗是个什么东西，以讹传讹，最后变成了十姨。

不管这些神仙是怎么造出来的，如果得不到皇帝的加封，名气就大不起来。比如妈祖，原来不过是福建民间的一个不大的跟渔船航运有关的神，只因诞生不久，赶上南宋偏安东南，因此很快得到“皇封”，而且逐年封号升格，最后升到“天后”，结果成了中国沿海各地最有名的神仙。关公也是如此，如果不是偏爱《三国演义》的满人皇帝入关后的大力加封，他也不至于变成“大帝”，变得比他的主公刘备还有地位。

中国的神仙接受皇帝的册封，就像皇帝麾下的文臣武将受封领赏一般，说起来好像有点别扭，但中国的现实就是如此。神权小于皇权，而且不只小一点。当初佛教初入国门，和尚们还有点“洋脾气”，宣称“沙门不敬王者”，可是没过多久，就心平气和地对皇权低眉顺眼地称臣了。高僧大德，如果能够被皇帝封为国师或者上人，都是值得所在寺庙几代夸耀的事情。

中国的政治权力，即使在古代，也是法力无边的，连神仙也要让上三分，不，十分，而且神权还要得到政权的承认。

洗马与东宫

明代文人笔记中有过这么一个笑话，说是有位官拜太子洗马的京官，出京公干，途经一个驿站。驿站的驿丞见来了位“洗马”，没当回事，不但与之平起平坐，还问这位他心目中的弼马温：“你平时在京里，一天洗几匹马？”洗马大人脾气很好，居然回答说：“没准，闲了就多洗两匹，忙了就少洗两匹。”

当然，太子洗马不是洗马的，说起来与马一点关系也没有，这是太子东宫的属官，负责管理书籍文书，在明朝是从五品的京官，属于东宫官属中的重要官员。由于太子就是将来的皇帝，太子的属官，就有可能是未来的权要。所以，非出身翰林的人，一般进不了东宫的门槛，东宫的官不但牛气，而且清高。所以，小小的驿丞把太子洗马当成“弼马温”，实在是大大地不敬。

所谓东宫的属官，是帝王确立储君制度以后才出来的。也就是说，当帝王从他们的后嗣中选出了接班人，并要加以专门培养时，才有了东宫及其属官。民间经常把皇帝所有的儿子都称为“太子”，以至于有“大太子”、“二太子”、“三太子”这种叫法，其实是不对的，只有被确定为法定继承人的皇子，才可以被称为太子，当然老百姓乐意这么胡叫，也没办法。据说乾隆下江南的时候，碰到山野农夫，只管皇帝叫老爷，乾隆要想怪罪，大臣说，这里的百姓管菩萨也叫老爷，乾隆也只好罢了。

既然太子是要子承父业，那么首先是要对他进行一点“职业教育”。所以，从西周开始，围绕太子，就出现了太子太傅、太子太师、太子太保，以及少傅、少师、少保这样的官，这些官全是太子的老师，负有教育、引导和保护太子的责任。当然，太子还有一些随从，其中一种叫先马，意思就是太子出行的先导官，后来，先马演变成了洗马。所以，如果从渊源上讲，洗马还真与马有点关系。

统一天下的秦始皇非常自信，觉得自己即使不能长生不老，羽化成仙，也会活个百八十岁，尽管出海求仙的徐福一去不回，依然自信满满，所以一直没有张罗解决接班人的问题。结果游山玩水死在路上，尸体被一车老臭的鲍鱼混着运回了咸阳，皇位稀里糊涂地就落到了那个连马和鹿也分不太清的二儿子胡亥手里。

正经八百地建立太子制度的是西汉王朝，汉高祖刘邦的太子不仅有师傅、属官，还有“宾客”。当刘邦想要废了太子刘盈时，恰是张良出主意让刘盈请出了号称“商山四皓”的四个老头当宾客，才最终息了刘邦废长立幼的念头。因为刘邦曾经花大力气请这四个人出山，可是没有结果，现在让儿子把他们抬了出来，可见儿子势力之大，地位已经不可动摇。

太子的“师”、“保”和宾客都是太子的老师，在过去的时代，天、地、君、亲、师并称为“五达尊”，至高无上。也就是说，老师与皇帝和爹娘老子一样尊贵，学生见老师是要磕头的，有时还不止磕一个。虽然实际上老师的地位不可能真的那么尊贵，古往今来，嘲骂老师的人比比皆是，很少有因此而获罪的。作为“后备”皇帝的老师，就更不好摆“五达尊”的架子，但是，能给太子当老师，毕竟是有点不同寻常。非权尊位贵、德高望重之辈，很难坐到这些位置上。久而久之，太子的“师”、“保”几乎变成了皇帝赐给有功大臣的荣誉头衔。这样一来，这些官衔原来含有的教育、引导职责就要大打折扣了。在多数情况下，给太子讲学的苦差事就落到了一些文苑之臣的头上。教太子读书是彻头彻尾的尴尬事，老皇帝要求要严，而小皇子则一味地放纵，教书的人，谁也不敢对后备皇帝动戒尺，所以，教太子的人不像是“师”倒真像是“保”——保姆。劝着哄着，让太子好歹学点东西，也好在皇帝面前有所交代。不过，话又说回来，如果把后备皇帝哄好了，以后的荣华富贵是逃不掉的。

太子东宫的属官被称为太子的家臣，首脑为太子詹事。在宋朝之前，詹事府就像一个小而微的政府，管什么的都有，甚至还有一支军队。皇帝是想借让儿子实习一下政治，也练习一下做统帅，好日后管理国家。

预立太子的目的是想保持王朝持续稳定，理想的作用是使一家一姓的统治传之万世，而实际的作用则是将王朝的序列排定了，别让人觊觎。但是，现实总是让人不那么顺心，确定了继承人的制度，但继承人却总是难以稳定，做了太子的皇子，其实并不一定最终坐上龙椅。其他皇子的觊觎自不消说，老皇帝的喜怒有时也像六月的天气，难以琢磨。更可怕的是说不定哪一天老子又有了新宠，爱屋及乌，“子凭母贵”，太子的地位也就岌岌可危了。就是这些乱七八糟的都不算，太子也未必安稳。虽然现任皇帝和继任皇帝之间是父子，但现任和继任之间总免不了有点尴尬，尤其是太子长大成人之后，小的想要早点继位，老的断然不肯让出坐热了的椅子。非但不肯，只要儿子露出一星半点“抢班夺权”的迹象，必定会遭到严惩，轻则废了太子名分，重则丢了脑袋。唐太宗李世民的太子李恪，本来很受他老子的赏识，说他“英果类我”，可是就因为这种“抢班”的毛病，丢了日后当皇帝的机会。皇帝与太子的矛盾，也为别有用心的人提供了从中“下蛆”的机会。汉武帝的卫太子，只因为武帝的宠臣江充造谣说，太子和皇后在地下埋木偶诅咒武帝早死，卫太子百口莫辩，情急之下，发兵杀了江充。太子动兵，犯了大忌，自己自然也难逃一死。

当然，事情也有例外，老皇帝尚在就让位给儿子，自己做太上皇的也有。据清代史学家赵翼统计，这种“让贤”的皇帝在清朝之前，一共有14位。如果加上清朝的乾隆，那么就是15位。不过这其中大部分都是不情愿的，像李世民先干掉了法定的太子，夺了东宫，然后他老子想不让位也不行了。还有的是老皇帝犯了大错，引起了各方面的不满，不得不交出政权，像唐玄宗沉溺女色，荒废朝政，惹出了安史之乱，最后不得不凄凄清清地当没人理的太上皇。心甘情愿的也有，不过有些是假让位。像宋高宗和乾隆，名义上叫儿子做了皇帝，但权力还是抓在自己手里。

在太子和皇帝的冲突中，太子的东宫属官及其机构也扮演着一个角色，当然是一种很尴尬的角色。真要是儿子老子动起手来，向着谁都不是。这其中以东宫的属军最为敏感，所以后来干脆东宫就取消了军队。

虽然皇帝和太子有着说不清道不明的疙疙瘩瘩，但是东宫的官属衙门却一直保留了下来，甚至不设太子的清朝，依然保留着太子詹事府的机构，白养着一批什么事都没有的官老爷。据乾隆说，是为了给翰林们留个转升的地方。

关于割人的话题

割人，指的是阉割人。在有皇帝的时代，为了满足皇帝超级多妻而且独占鳌头的需要，皇宫里需要不男不女的宦官。所以，阉割人，成为一门专门的技术，由专业人士独擅，父子相传，有着不尽的好处。那个时候，阉割人的和骟牛骟马劁猪的不分家，彼此混淆，也彼此传经，但据说还是阉割人获利最大。因为到了帝制的后期，宦官基本上不再是罪犯刑余的产品，或者把俘虏强割了充数，已经变成了穷人家自愿将孩子送上来，专门从事的一项职业。在明代，从事这种职业的人，少则几万，多则十几万。

那个时候，这种职业，对于那些揭不开锅的穷人家来说，是一项富有诱惑力的风险投资。宦官就是这样一类很奇怪的人，一方面他们是刑余之人，将男人之所以为男人的东西弄没了，根本性地让人看不起；一方面他们却因此获得了留在最高权力中心的机会。——按传统政治的惯例，不管什么人，只要待在权力中心，就对这种权力有影响力。更何况，那些长在深宫里，得不到天伦之乐的皇帝，对于伴他从小长大的宦官，往往有着一种类似父母兄弟的感情，很容易得到异乎寻常的信任，宦官也因此被赋予超乎寻常的权力。也正因为如此，历来的史家，对于宦官大多没有好气，好像王朝的霉运，都是这些不男不女的人捣的乱。

不过，这又是一种利益被过分地夸大的职业。历史自有宦官起(至少西周就有了)，累积起来，做宦官的人得有几百万乃至上千万，得脸做得到权宦的，也就是屈指可数的那么几十位。能混上个官职，足吃足喝的也只是金字塔尖上的少数人，绝大多数都是白丢了传宗接代的家伙，落得个卖身为奴。可是，任何带有风险的职业都是这样，发财风光的事情大家都喜欢传，倒霉的事，都装作看不见，心甘情愿地将它遮蔽掉。一个宦官，穷人家的小子，风光的时候可以权倾朝野，像魏忠贤，不仅权高势大，而且可以在士大夫中得到大批的干儿干孙并无穷无尽的阿谀逢迎，简直就是一个恶俗的中国版“灰姑娘”的神话，更是使得这种传好事遮坏事的效应得到没边的放大。使得某些穷人，前赴后继地将自己家的骨肉送到那见不得人的去处(《红楼梦》里贾元春语)，饱受荼毒，只是便宜了那些操刀的手艺人和皇家宫苑。

说起来，阉割就是一种外科手术，做手术就难免痛苦，但只有人的阉割所造成的痛苦最大，至于猪、马、牛，割完之后只要伤口愈合，就什么事都没有了，活蹦乱跳的，但是人，却往往得遭一辈子的罪。其实，不是由于人在生理结构上有什么特殊，而是人的社会文化属性，导致了被阉割者的终身磨难。因为动物阉割去势，只是将它们的产生雄性激素的器官睾丸割了就结了，根本用不着将性根一起去掉。这一点，我们的民族至少在汉代就已经知道了，因为我们的《牛马经》上说得很清楚，而且在实践中也是这么做的。但是，那些为了服务皇宫而从事的阉割，不仅割掉睾丸，而且必须将人的男根彻底割掉，连一丁点茬都不能留，如果有点茬，就算混进了宫，在日后的例行检查中也要给剃干净了。害得宦官不得不像女人一样蹲着小便不说，而且非常容易小便失禁，下体常年腐臭(正因为如此，宫刑才被叫做腐刑)，年纪大了尤甚。所以，宦官无论夏天多热，下身都得用毛巾塞得鼓鼓的。

这样做，实际上没有任何道理，也根本没有必要，唯一的作用，就是让皇帝在感觉上更放心。

历朝历代，宠信宦官的皇帝多矣。甚至连宦官是他爹他妈的肉麻话都能说出来，但没有一个皇帝，肯爱屋及乌下令让宦官少割那么根本没有必要的一刀，从而免除这些人终身的痛苦。

说到底，宦官只是皇帝的奴才，皇帝的玩物。即使像魏忠贤这样势力熏天的宦官，一个刚继位的、几乎是赤手空拳的皇帝，一句话就可以让他灰飞烟灭。宦官之恶，其实就是皇帝之恶，史家多少年的板子，其实是打错了地方。

太监是从哪儿来的?

太监是一般老百姓对宦官最惯常的称谓,即使在今天,如果你问一个对历史最无知的人,十有八九他也会知道太监是什么。然而,自清代以来,民间对太监另一个通俗的称呼"老公",却渐渐被人淡忘了。时下,"老公"在大多数情况下是妻子对丈夫的昵称。如果是在南方农村,这样称呼还可以理解,可是在北方普遍流行这种"爱称",不能不说是大家都忘了从前这个称呼是挂在谁的头上的。

其实,太监只是宦官比较晚的称谓,最早的宦官叫"寺人"、"阉人"(奄人)、"腐人"(刑余)。第一种称谓的"寺"在古代与"侍"是一个意思,所谓"寺人"就是说他们是侍候人的,而后两种则是说他们是被阉割的人。两类称呼加在一块儿意思才全,所以后来一个相当流行的称谓就是"阉寺"。

在中国的政治制度中,还没有哪一类机构的成员有过像宦官那样多的称谓和头衔。带有褒义的有"中宫",这是相对于宫廷以外的朝臣而言的;还有"貂珰",这是由汉代宦官豪华的貂尾加黄金片的冠饰而得名的;也许还要加上"黄门",这个称谓来源于汉代宦官常任的官职,通俗一点的有"公公"。带有贬义的比较多,什么"阉竖"、"阉寺"、"宦竖"、"刑人"、"阉狗"等。在这其中,"宦官"是最正式的称谓。也没有任何一种机构成员的性质和职能会这样清楚地被老百姓所了解,谁都知道太监是什么人,是干吗的。自然,老百姓对太监也有一种莫名的兴趣,这大概是由于太监恰恰涉及王朝政治两个最神秘的领域,一个是性,一个是皇宫内院。

太监是为了侍候帝王及其庞大的配偶群而设置的,如果让西方人来议论,他们肯定会判定这是所谓东方专制主义的产物,不过东方也的确不争气,因为只有古代的东方专制国度才有太监或类似太监的人存在。在西方中世纪的帝制国家实行的一夫一妻制，帝王也不例外，尽管他们会有许多情妇，但是情妇似乎用不着人专门伺候和监视。非洲的酋长倒是也拥有大批的妻妾，不过倒没听说他们有太监。

太监的存在，无非是君主过于多的多妻制的需要。这个道理从一开始就你知我知大家知，不过谁也不说破。只有明末愤世嫉俗三大儒之一的黄宗羲才不管不顾地把窗户纸捅破，他说，宦官的繁盛，无非是由于君主多欲好色，众多的宫嫔，不得不用阉人来看着(黄宗羲《明夷待访录·奄宦下》)。为了维护自家极度膨胀的性权利，采用去掉他人性器官从而剥夺其性权利的方式，在今天看来，简直是蛮横自私到了极点。不过，把账都算到东方专制主义头上，似乎也不太公平，尽可能地占有雌性配偶，其实是人类动物性的一种表现，人类的近亲猴子和猩猩就是如此，每个猴群的猴王，毫无例外地要霸占所有群中的雌猴，直到它被赶下台为止。《西游记》里把好色的屎盆子扣在猪身上，而将花果山的美猴王说得好像一点性欲也没有，其实是不折不扣的偏见，绝对地不公正，大有扬猴抑猪之嫌。

但是，众多的“美猴王”和“丑猩王”，绝对想不出阉了个把同类，来看着并伺候自家“妻妾”的主意，这一招委实是人类文明“发达”的产物，或者说人类文明的一条东方岔道。太监实际上就是仆人，能做男性仆人所做的一切杂务，特别是能干一些力气活，却绝无染指宫姬的可能，从功能上讲真是妙不可言，不是文明人怎么会有这么高明。从某种意义上讲，高大的宫殿也可以说是产生宦官的温床，宫殿里一个一个的房间，使得帝王不可能像猴王那样用自己的眼睛盯住众多的配偶，于是就自然要派生出监视的人。

只要有需要，就会生出供给，中国的政治制度需要被阉割的男人，自然制度就会提供这种男人。在阉割还作为一种刑罚时，受过宫刑而且还活着的人往往就成了宦官。秦汉之际宫刑是免死之刑，就是说，有了死罪，如果愿意把自家的下身割掉就没事了，司马迁就是这样做了宦官的，宦官的另一个来源是俘虏，这种情况在先秦比较普遍，把通过战争俘获的敌方的未成年人做奴隶，本是野蛮时代的常事，再进一步加以阉割，大概奴隶化就更彻底了。宦官最为常见的来源是进献和招募，进献就是地方官和将领抢来或者买来幼年奴隶，阉割了献给皇帝或者王公。招募近乎于招工，只要价钱合适，就能找到乐意把儿子贡献出来的老百姓。也有人是自愿阉割入宫的，因为有时候，做太监总还是一条生路，而且碰巧了还是一条不坏的路。某些有名的宦官，比如明朝的王振、魏忠贤，清朝的“皮硝李”都是自愿割了入宫的，有些地区居然以出太监闻名(恕不公布)。当然，有的时候，一个人变成太监其实也要不了太多的理由。明代一个小有名气的太监王敏，本来是汉王府的一名士兵，因为“善鞠”，被当时的汉王看上，常陪着王爷玩，这位藩王报答他的方式就是把他阉了(明·陆容《菽园杂记》卷一)。

太监“恶”吗？

太监不是一般意义上的仆人，因为在中国历史上，除了帝王之家，别的人尽管也有钱有势，妻妾成群，但却基本上不能用太监，所以，太监就成了帝王的专有“仆人”。俗话说，宰相家人七品官，皇帝的下人，自然也不会白给。宰相家人的所谓“七品官”不过是夸张之词，而太监尽管没了传宗接代的家伙，却是真正带官衔的“仆人”。历朝历代，或大或小，太监的头目总是有官衔有品级。威风的封侯拜爵的也大有人在。唐代的仇士良被封为楚国公，李辅国甚至被封为郡王，比许多皇子龙孙还神气，虽然对于多数太监来说，无论有品无品，他们依然是伺候人的下人。

在中国古代政治中，太监的声誉极差，凡正人君子，一提到太监，莫不痛心疾首。在我们历史书上，触目惊心的就是那些专横跋扈的宦官，像秦末指鹿为马的赵高，东汉末年让桓帝把他们当爹做妈的十常侍，晚唐给皇帝脑袋搬家就像儿戏似的北衙宦官们，以及明代的王振、刘瑾，还有号称“九千岁”，建了满地生祠的魏忠贤，当然，自然也少不了至今让人记忆犹新的清末的李莲英。

其实，在宦官中，有好名声的也不少，像《史记》的作者司马迁，后半辈子就是个宦官，那只写出了“史家之绝唱，无韵之离骚”的手，多半就属于宦官之身，虽然他是被迫做的宦官。还有那个造纸的蔡伦，也是宦官。再往近了说，那个一直让国人说起来很舒心神气的下西洋的郑和，率领庞大的舰队在西班牙、葡萄牙以及荷兰和英格兰的殖民者之前就远航了那么多地方，也是一个不折不扣的宦官。

宦官在政治上也不尽是起坏作用，大名鼎鼎的商鞅就是通过宦官景监得以在秦孝公那里露脸的，要不是景监一而再再而三地说情，我们教科书里大讲特讲的商鞅变法也许就不存在了。赵国那个“完璧归赵”的名臣蔺相如于未发迹之前是宦官缪贤的门客，如果没有这位刑余之人的推荐，蔺相如是不大可能像今天这样妇孺皆知的，就在东汉末年，十常侍横行之时，也有个中常侍吕强，不仅救了上书叫汉灵帝别信用宦官的蔡邕，而且自己出头劝皇帝不要滥封宦官。

其实，如果说宦官坏的话，归根到底还是由于皇帝不好(甚至不仅仅是专制制度的不好，因为同样是帝制，也有不用宦官的)。皇帝为了自己生殖器的高频度而且独断地使用，非把人家的生殖器割掉，这种事情在第三者看来已经是残忍至极，而在于被割者，大概已经不能用一个“不人道”所能概括得了吧？所以，作为被摧残被侮辱的一方，干出点坏事恶事其实也是可以理解的。

问题是，为什么这些一向为人所看不起的人，在制度上并没有法定地位的伺候人的“下人”，居然时常能在政坛掀起大浪，甚至能把皇帝玩于股掌之上，使江山易色，国鼎他属？名气仅在班、司马之下的史家范晔说：“若夫衅起宦夫，其略犹或可言，何则？刑余之丑，理谢全生，声华无辉于门阀，肌肤莫传于来体，推情未鉴其弊，即事易于取信。加渐染朝物，颇识典制，少主凭谨旧之庸，女君资出内之命，顾访无猜惮之心，恩狎有可悦之色，故能回惑昏幼，迷瞀视听，斯忠贤所以智屈，社稷所以为虚。”(《后汉书》卷一〇八，宦者传论)虽然把板子都打在了宦官的屁股上，但也说出了一点道理，那就是，宦官是离皇帝最近的人，自然也最易于取得皇帝的信任，“顾访无猜惮之心，恩狎有可悦之色”。

皇帝虽然号称是真龙天子，其实也跟一般人一样，有血有肉有情感，会胆怯害怕，会哭爹喊娘，需要与人沟通，也需要人安慰。然而，自从孙叔通制定了让刘邦感到特别神气的朝仪之后，囿于礼仪，小皇帝几乎是从娘胎里一出来，就失去了正常人应该享受的亲情、友情和种种的一切，自打孩提时起，与他们朝夕相伴的只有宦官。宦官是他们的下人，也是他们的玩伴，甚至可以说是他们的启蒙老师。当他们害怕时只有宦官相伴，当他们发怒时也只有宦官做出气筒，甚至关于这个世界的日常常识，也只能通过宦官之口才得以了解。如果宦官还能想出些法子让他们玩得痛快，那么这些宦官就比亲爹亲娘还亲了。汉灵帝说他的两个亲信宦官“张常侍是我公，赵常侍是我母”(《资治通鉴》卷五八，汉纪五十)。其实不过是说出了他自己和众多皇帝的真实感觉。

中国唯一一个写过回忆录的皇帝溥仪说过：“讲我的幼年生活，就不能少了太监。他们服侍我吃饭、穿衣和睡觉，陪我游戏，伺候我上学，给我讲故事，受我的赏也挨我的打。别人还有不在我面前的时间，他们却整天不离我的左右。他们是我幼年的主要伴侣，是我的奴隶，也是我最早的老师。”(溥仪《我的前半生》，第71页，北京，群众出版社，1964)其实，溥仪懂事的时候，清朝已经垮台，帝制也废除了，他身边的太监只是那个制度的残余，残余尚且如此，更何况帝制的盛时。

长于深宫的小皇帝如此，就是那些雄才大略的开国皇帝，一旦进了高大的宫殿，不仅会被宫墙，也会被人为地迷雾神化，为森严的制度所隔绝，变得越发依赖身边的这些被阉割了的下人。汉高祖刘邦，晚年有一度只乐意和宦官在一起，谁也不见。还是那个曾在鸿门宴上吃过生猪腿的樊哙(人家是皇帝的至亲)，不管不顾，生闯进去，摔下一句：陛下难道忘了赵高吗？才算使刘邦回心转意。刚当皇帝时对宦官深恶痛绝、在宫里立下禁止宦官干政铁牌的朱元璋，坐稳了龙椅之后，就大肆扩大宦官队伍，谁要是劝一劝，就会惹得他“龙颜大怒”。所以也难怪那些生长于深宫的“少主”们，会颠三倒四地迷上那些不男不女之人了。与皇帝离得近，又招皇帝喜欢，就难免不生出些故事来。

大凡靠近权力中心的人，无论在制度上有没有法定的地位，都会有分润权力的机会，也就是说，这些人都或多或少地能影响决策人，即使不用嘴巴，行为也可以产生作用。在世界上古往今来，无论任何政治体制，没有一个最高决策人能够完全依赖自己的能力做出所有的决策，他必须依靠别人的智慧，有时干脆就是别人定了盘子他画圈。中国的皇帝制度是孤家寡人的制度，坐在金銮殿的皇帝老儿，当然没有“民主集中制”来给他集思广益，从某种意义上说，他可以咨询的人非常有限，真要是碰上了难心事，固然可以急来抱佛脚，下诏征求意见，但也可能是正经主意没有，馊点子一堆，更可能的是远水解不了近渴。更糟的是，“高处不胜寒”的皇帝，必须时时提防人家明里暗里打他的主意，也就是说，他会担心别人给他出的主意是不是在算计他。

不知道有没有人用“小心眼”来形容皇帝们，但多疑猜忌的确是相当多皇帝的共性。提防着几乎每一个人的皇帝，偏偏就是不防备宦官。在他们看来，身份卑微的“刑余之人”是没有危险的。因为无论如何宦官做不了皇帝，而其他人无论是文臣武将，还是皇亲国戚，都或多或少地是潜在的威胁(兄弟子侄更是危险)。当然，像明英宗那样，真的要个半路出家的太监王振做“谋士”的君主并不多，但是，对于许多君主来说，包括一些颇为贤明的君主，都曾把宦官作为咨询的对象。春秋五霸之一的晋文公重耳，就曾经就赵衰的任用问题征求过“寺人”勃缇(这个勃缇，就是在重耳未发迹前，奉命追杀他，曾经一刀削下他衣袂的那个宦官)。得到和氏璧，而又因和氏璧惹出麻烦的赵王，还不是因为他亲信的宦官出主意推荐了蔺相如，才渡过了难关。所以，把大权授予宦官，在某些君主看来就像是延长了自家的耳目和手脚。

在政坛上，也许没有比人事的升迁和任免更能迁动官员们的心了。而仕途的腾达和蹭蹬，又往往取决于皇帝一己的好恶，如果有个皇帝身边的人能把皇帝好恶以至意见动向，提前透个消息，再蠢的人也会处于一个非常有利的地位，预先知道了皇帝喜欢什么，讨厌什么，或者知道了皇帝的某项决策意向，上朝时就可以发表讨皇帝喜欢的意见，从而赢得皇帝的好感。即使是位极人臣的家伙，为了巩固自己的地位也同样需要这种“内部情报”，免得失宠而失势。

所以，就是没有野心的人，只要处于皇帝身边，就必然成为官僚们拉拢争取的对象，如果这个人皇帝还比较喜欢，那么行情就更是看好，或多或少地要被卷入政治斗争的旋涡。如果碰上喜欢弄权的人，而且皇帝又足够昏庸的话，自然就会冒出来“权宦”。

历朝历代，总免不了有些专横跋扈的人，但是由于宦官比正常人缺了点东西，所以他们跋扈起来，就让人难以忍受，史家笔诛起来，也比对别人更不留情面。其实，“纣之恶不至若是之甚焉”，宦官在某种程度上，不过是代人受过而已，没有昏庸的皇帝和太后，哪里来的专权的太监？究根寻底，如果不是那没有人性的皇宫制度，怎么会有太监的存在呢？

按生理常识，男性阉割只要把睾丸摘除就可以了。然而，宦官的阉割却是要把男人下体上的东西全都割个干净，以至于连小便也受到严重影响，使宦官终生受到下体腐烂恶臭的折磨。显然，并不是古代中国完全不知道割掉了睾丸就去了性的道理，因为中国很早就有发达的牲畜阉割术，都是只去睾丸不去性根。这平白多遭的磨难，其实不过是皇帝为了没道理地增大保险系数而做出的牺牲。看来，只要被选定为宦官，就没有被当做人来看。

在一个男性中心的社会里，作为男人被割掉了作为男人象征的根，阉割时以及后来的皮肉之苦还在其次，其精神上的痛创将是永远无法弥合的。凡是读过司马迁《报任安书》的人，都能体会到好端端的一个人被阉割的那种生不如死的滋味。虽然多数宦官为幼年被阉，但随着他们长大成人，同样会体会到与司马迁类似的精神痛楚。据说，每个宦官在被阉割之后，都会保留割下的东西，以便死后跟他葬在一起，显然，这是一种无奈的自我补偿。

也许有人会问，既然做宦官如此痛苦，那么为什么有人会主动地自宫，要求做宦官？比如明英宗的宝贝太监王振就是一个，据明人记载，“京畿民家，羡慕内宫富贵，私自阉割幼男，以求收用。亦有无籍子弟，已婚而自阉者”(陆容《菽园杂记》卷二)。不消说，这是制度对人的扭曲，自宫入宫的人，无一例外地贪图宦官的权势和富贵，他们把做宦官看成了飞黄腾达的终南捷径。

把某些“权宦”的胡作非为，看成是他们由于受到非人待遇而对社会的报复，无疑是有道理的，不过，这种报复未必都是他们自己明确意识到了的。我们不能用现代人的心理来度量当年的宦官，绝大多数从小就遭到阉割的宦官并不会有那么明晰的自我意识。说宦官由于被阉而心理特别阴暗，特别阴毒，其实更没有什么道理。尽管历代的“太史公”对宦官从来不放过口诛笔伐的机会，但是我们还是无法从浩如烟海的史籍中查到比帝王或者女主和权臣们更狠的宦官。魏忠贤迫害东林党也许够狠毒的，但大不了也就是把党人弄到大殿之上乱棍打死，怎么能比得了永乐皇帝将建文帝的忠臣剥皮楦草下油锅的把戏呢？从生理角度来说，被阉割了的动物其攻击性会大大减弱，人虽为万物之灵，但也是动物，所以，也例外不了。宦官本来就是皇权制度的产物，没有离开皇权而独立的宦官体系。所谓的权宦，无非是盘在皇权大树上的寄生藤，一旦他们依附的皇帝完蛋了，他们纵有天大的本事也只有毁灭的一条路。所以，宦官之恶实际上就是皇权之恶。

太监都干什么？

在一般人眼里，太监就是伺候人的，无非给皇帝和他的配偶使唤，呼来喝去，让干什么就得干什么。对于绝大多数太监来说，这种说法并没有错，的确，宦官的产生就是帝王要找人伺候自己和妻妾，宦官就是伺候人的。皇宫里诸位人上人的吃喝拉撒，衣食住行，都得太监来服侍。这些人已经不仅是“四体不勤”的事了，他们的四肢几乎完全退化，离开了太监，他们不仅饭吃不到嘴里，衣服穿不到身上，而且很可能会尿在裤子里。比起宫女来，太监是彻底的奴隶，因为宫女还可能与皇帝有一腿，而且到时候还可以放还民间，而太监即使放了，也成了废人，难以过正常人的生活。

但管事管多了，不仅会有油水，还会有权力。众多洒扫庭院，看门护院的小太监当然只有吃苦干活的份，但是像宝塔似的层级管事，断然不会轻易放弃捞一把的机会，甚至弄权于朝堂。赵高敢于在秦始皇驾崩的时候秘不发丧，伪造遗诏，最终玩朝臣于股掌之上，很大原因是因为他身为车府令，主管皇帝出行的车马，而正好秦始皇死在出行的路上。明代宦官二十四衙门，司礼监的太监权力最大，就是因为司礼太监负责当皇帝批阅奏章时伺候笔墨。而明代相当多的皇帝恰恰又出奇地懒，有点时间不是亲操斧斤造房子，就是自封总兵打仗玩，更多的是声色犬马，荒淫度日。所以免不了经常让伺候笔墨的太监代笔，时间一长，批阅奏章渐渐就变成了太监的权力，这就是明代司礼太监所谓的“朱批权”，与内阁的“票拟权”遥遥相对。票拟就是为皇帝草拟诏书，事先拟好对奏章的处理意见，这就如同建议权和决定权的差距，哪方面占优势不问可知。有位“三朝元老”的老太监说：“昔日张先生(璁)进朝，我们要打恭。后夏先生

(言),我们平眼看他。今严先生(嵩),与我们拱手才进去。"(赵翼《廿二史札记》卷三五)到了严嵩以后,内阁的阁老们就得赶着魏忠贤叫爷了。

皇帝懒,太监可以趁机揽权,皇帝不懒,太监也有可能大权在握。我们前面曾经讲过,皇帝是名副其实的孤家寡人,在多数情况下,他唯一信任的人就是太监。皇帝博大的猜忌心使得宦官有了一种非常活跃的"监"职,最常见的是监军。自唐朝安史之乱以后,皇帝们一朝被蛇咬,几百年怕井绳,太监频繁地充当监军,成为皇帝延长的耳目,看着将领们。不过,凡是有了宦官监军的地方,一般仗都打不好。你想想,在你头上突然来了个什么也不懂的家伙,指手画脚,说三道四,而且还惹不起,因为人家是代表皇帝的,指挥意志无法统一,你说东他偏要西,吃败仗是免不了的。唐朝的监军开始特别卖力,竟然亲临前线,结果一看战况稍有不妙,他扭头先退,往往造成军心动摇,全线溃退。由于不放心身体不缺件的将领,皇帝有时还用宦官统领自己的禁卫军,负责保卫自家的安全,所以宦官也有做将军的,像晚唐那些权倾朝野的大宦官,头上都有将军衔。

皇帝以为宦官不会突然黄袍加身,或者发动兵谏什么的,所以让宦官参与军事,甚至掌握军权,但是麻烦也不小。宦官倒是不能做皇帝,可是人家操纵废立,把皇帝的皇冠乃至小命都捏在自己手里,晚唐的皇帝就这样被宦官控制了。

除了监军之外,宦官还被频繁地派出去监视地方官,乃至于监税、监矿。在明代,随着皇帝博大的猜忌心无限蔓延,太监也只好无所不监了。当然,最后造成魏忠贤号称九千岁,也与这无所不监有关。

一般来讲,按传统政治理论,宦官与女人差不多,都属于"阴人",因此除了特意派出的各种"监"以外,宦官的官大多是要在皇宫里做的。不过,在特殊的朝代也有大量的例外。像北魏时期,宦官做过各部的尚书,甚至还被派出去到州郡当地方官。最特殊的要数赵高,他竟然在朝廷将亡的当口，过了几天丞相的瘾。

大概只有清朝对宦官的职务限制得最严，不仅不允许宦官出京，而且内宫的事务也由内务府管了大半。即使在清代太监最得意的时代，西太后的心腹太监安德海私自出京，依然落得了个身首异处的下场。这也说明，只要皇权想要限制的宦官，他们的权力是不大可能泛滥的。

宦官的“家室”

宦官还会有家室吗？对于有些“名阉”而言，这个问题的答案是肯定的。宦官虽然不能人事，但作为中国人，对于家室依旧看得很重，没有成家立业，是每个中国男人的终生遗憾，宦官没了生儿育女的家伙，但依然想要有个家。某些宦官的权势，为他们实现这个愿望提供了条件。老舍先生的话剧《茶馆》里庞老太监买个乡下姑娘做老婆的事，在有权有势的宦官中并非罕事。有的时候，权倾朝野的权宦，娶个世家的小姐也不稀罕。例如中唐的头号大宦官仇士良的妻子胡氏，就是个名门闺秀。权宦们不仅要娶妻而且还要三妻四妾，与一般权贵一样。当然，做宦官的老婆要守空寡。但其他的好处却有一些，本人可以妻因夫贵，赢得皇家的封诰，当上诰命夫人，娘家人也会顺竿高爬，为官做宦。唐玄宗时得宠的太监高力士，其老丈人本是一介小吏，只因女儿有点姿色攀上了宦官之“龙”，竟然得以升到刺史的高位。历史上尽有宦官的丈人舅子横行霸道的，全然忘却了自家骨肉受的活罪。

有老婆只是有家的开始，没有儿子做男人总是莫大的遗憾，尽管宦官是残缺不全的男人。没有了男根，自然生不出儿子，就只好收养螟蛉，历代宦官养假子的相当多，我们伟大的政治家曹操的父亲曹嵩就是东汉著名宦官曹腾的养子。为袁绍做书记的陈琳，因此而骂他是“割阉遗丑”，结果是治好了曹操的头风病。曹腾收养曹嵩是从本家中选，其实宦官收养子也有找两姓旁人的，或者收养“苍头子”，就是奴隶的后代为儿子。养子、养子，大抵从小养起，一般人如果没有儿子，也就是这么找养子。不过，有时大权在握的太监们，认干儿子并不是为了传宗接代，而是培植势力，蓄养私党。唐代后期的权宦们，一收养就养几十上百的干儿子，分掌军权，遍布朝野，皇帝和朝官几番想要去除宦官势力而反遭其害，宦官的干儿子多肯定是一个原因。

然而，古往今来，做宦官的人多矣，能把人家闺女弄来守活寡的有几人？绝大多数宦官也许连想也不敢想，老死在宫里已经是享福了。好在，一般的宦官也不是一点办法也没有。皇宫之内多的是久旷之女，大量的宫女也需要有异性的爱抚，然而，偌大的地方只有皇帝一个真正的男人，显然连望梅止渴都谈不上。于是，尽管太监们不是真正的男人，但也总比没有强，聊以充饥是谈不上了，彼此间到底可以有个精神上的安慰。由宫女和太监结成的“配偶”，人称“对食”或者“菜户”，大约是说，他们之间没有“荤”的，而且只好一起吃“素”饭。当年魏忠贤未发迹时，就与明熹宗的保姆客氏结为对食，竟然因此而发迹。为了表示忠贞，魏在发迹后干儿子倒是收了不少，老婆却没有讨过。

小人不可得罪

无论是在皇帝还是大臣的眼里，宦官，即我们平常所说的太监，不过是伺候人打杂跑腿的下人差役，由于所伺候的对象是皇帝，或者皇族的王爷，在没有皇帝之前是周天子或者诸侯，这些享有众多妻妾的人，恰好对自己的性占有权特别在意，或者特别没有自信，所以，这些伺候人的人，被摘掉了命根子，成了阉人。

对于宦官，历史评价负面的多，宦官专权，被史家列为历代王朝三大祸患之首，每每提起赵高、十常侍、刘瑾、魏忠贤之辈，大家都恨得牙根痒痒，到今天也余恨难消。不过，宦官专权，必然有昏君当朝，宦官的恶，跟昏君之昏，每每有绝对的正相关，也就是说，宦官专权之权，实际上是从昏君那里趸来的。专权的宦官让人怕，不专权的宦官，同样令人忌惮三分。纵然是严嵩这样的权臣，上朝的时候，也得对旁边伺候的小太监拱拱手才上去。有清一朝，鉴于前朝之弊，对宦官干政，防范特严，但聪明的大臣，对于皇帝身边的太监却一直赔着小心，甚至刻意笼络，绝对不敢怠慢。个中的道理，最近读史，读到两个故事，也许能说明一二。

一个来自《左传》，是定公三年的事儿。一个小国邾国的国君邾庄公，一天晚上，和大夫夷射姑饮酒。喝得差不多的当口，夷射姑出来小便，看门人（阍者）问他讨肉吃，大概凡是君臣饮酒的时候，大夫都会顺便给看门人点什么吃的，可是，夷射姑已经有点醉意了，不但不给肉，还一把抢过看门人手里的木杖，敲人家的头。喝罢了酒，夷射姑离去，第二天，看门人用水把门庭弄湿，邾庄公从房间里出来，看见门庭里是湿的，问看门人怎么回事，看门人说，这是夷射姑撒的尿。邾庄公恰好是个有洁癖而且性急之人，马上下令把夷射姑抓起来，从人出去以后，不知怎么，半天没有抓到，邾庄公急得直跳脚，一个绊子摔到火炉上，"烂，遂卒"，一命呜呼。一泡似是而非的尿，就这样断送了一个国君的性命。

第二件事发生在三国时期，孙权的儿子孙亮做皇帝的时代。一次孙亮想吃梅子，要宦官（小黄门）到库里取蜜渍梅，取来之后，发现蜜里居然有老鼠屎，召来管库的藏吏，库吏呼冤叩头。孙亮问库吏：黄门是否跟你讨过蜜吃？库吏回答说，是的，但我没有敢给他。孙亮说，那事情就明白了，老鼠屎必是黄门放进去的。黄门不服，左右大臣提议交付司法审断，孙亮说，此事想弄清楚很简单，把老鼠屎剖开，如果外湿里干，则是后放进去的，如果里外皆湿，则是收藏时就有的，剖开，果然外湿里干，黄门伏罪。

邾国的阍者，虽然不知道是否为阉人（是阉人的可能性很大，左传里已经有很多寺人，即阉人行动的记载，都是国君身边的人），但没有证据表明邾君对他有所宠信，同样，对于孙亮身边的那位小黄门，似乎也不可能很得宠，一来孙亮是史书上记载的聪明正直之主，从无信宠宦官的记录，否则他被权臣废的时候，这一条肯定会被当做一大罪状，二来那位小黄门如果真的受宠的话，估计库吏也不至于连一点蜜都不肯给他。就是这样两个根本谈不上得宠的帝王身边人，居然闹出了大事，出人命的大事。前一个故事，仅仅由于夷射姑大夫没有及时到案，而且邾君性子又过于急，才阴差阳错，死了国君逃过了本该丢命或者亡命的大臣，后一个故事，如果不是摊上聪明的孙亮，那么十有八九，得罪了小黄门的库吏，小命是保不住的，弄不好还要连累家人。刘安升天成仙的时候，把家里的鸡犬也都带了上去，在仙人周围过活，哪怕再低贱，也沾了仙气。同理，处在权力核心的人，无论你是干什么的，能否得到有权者的信任，哪怕是烧饭、理发、看门的，也都有可能沾了“权气”，得罪不起。不知什么时候，什么机会，使一个小绊儿，就能送了你的命。只要人家在有权者身边，而且这个有权者的权力又足够地大，而且足够地霸道，那么这种机会就非常多，多到令人防不胜防的地步。所以，无论皇帝是否明白，是否宠信宦官，给皇帝当差办事的人，都不敢轻易得罪这些原本地位低下而且缺少关键零件的人。

个别女人

西太后、义和团和外国公使夫人

西太后、义和团与外国公使夫人，是三个不能同时相容的东西。西太后信任义和团之时，就是公使夫人们受难之日，在义和团和清军围攻使馆的枪炮声里，夫人们不唯提心吊胆，有的还丢了丈夫，有的受了伤。反过来，当西太后跟公使夫人握手言欢的时候，义和团就被镇压得呜呼哀哉，没死的不是逃奔他乡，就是改换门庭做了洋教的教民，而教民恰是当年他们拼了命要杀的主儿。

按常理，西太后跟义和团与公使夫人都应该搭不上界。于前者，清朝的政治文化多少有点理学的味道，对于义和团这种"怪力乱神"的东西，向来是排斥的，断没有沆瀣一气的道理。于后者，西太后虽然不像她老公咸丰那样看见老外就头痛，但对洋鬼子也没有太多的好感。在庚子之前，总理衙门拟好的接见外国公使的章程，也是只见公使不见夫人，所以，做太后的单独接见公使夫人好像只有一次。说实在的，作为一个挑剔的老太婆，对于那些穿着怪里怪气的公使夫人，不可能有多大的兴趣。

西太后与义和团扯上瓜葛，说起来还是戊戌变法惹的祸。出于对失去权力的担心，西太后出手镇压了维新派，然后就只能被守旧派牵着鼻子走。西太后发动政变之后也并不想尽废新政，但人家告诉她，不废新政，则训政(即西太后再度直接掌权)无由。于是有些她本来同意的新政也一股脑全废了，只剩下一个京师大学堂没动，实际上也停了没办。可是，一旦得势，守旧派的脚步就不可能停下来，他们不约而同地向后走得更远，直到回到封闭状态去。这样一来，难免要惹得西方列强不乐意，中西关系在平稳多年之后出现了紧张，下层反洋人的运动受到了官方的鼓励，变得异常活跃。守旧派没有什么东西可以拿来跟外国人抗衡，这时开始主张借助"民气"，其实他们真正感兴趣的是义和团之类民间团体刀枪不入的“神术”，相信借助义和团刀枪不入之术，就可以抵御洋人的坚船利炮。为了让西太后坚定地做他们的“首领”，守旧派还不断地给西太后拱火，甚至不惜伪造列强要求西太后交权给光绪的“照会”。

尽管西太后对外国人干涉他们的“家事”十分恼怒，但对于义和团的神术能不能靠得住，还是心存疑虑。这个时候，宫里宫外已经把义和团大师兄的超人功夫传得跟真事一样，西太后还是派了两个她认为信得过的军机大臣，刚毅和赵舒翘，前往驻扎在涿州的义和团，看一看团民刀枪不入法术的真假。按说，这两位都在刑部干过，刚毅还曾是刑部秋审处的“八大圣人”之一，向有公正刚直之名，理当具有较强的判断力和辨识能力。可是，也许是刚毅他们本身就倾向守旧派，眼睛出了问题，也许是义和团大师兄袒着肚子，拿火枪啪啪地朝上着家伙，表现特别出色，最后两人回去汇报，居然言之凿凿地认为，刀枪不入确有其事(也有一说是，赵舒翘还有所怀疑，但在刚毅的坚持下，没有说真话)。结果自然是很可怕的，清政府由此发布了自近代以来第一份“宣战诏书”，向来连一国都打不赢的大清，居然向所有的西方列强宣战。

还没等八国联军打到门口，西太后实际上已经明白她是上了刚毅、赵舒翘加义和团的当。在经过了颠沛流离跑到西安之后，她总算明白了外国人其实并不真的在意谁是这个国家的头，以及这个头是公是母。在彻底明白也彻底服气之后，西太后对于西方表现出了出奇的热情。原来死活看不上眼的外国公使夫人，在回京以后，竟然频繁地成为西太后的座上客。据经常出入宫廷的美国女医生赫德兰夫人说，西太后往往给予这些公使夫人过高的礼遇，往往是公使夫人落座之后，光绪皇帝才能坐下，而且还欠着半个屁股。西太后不仅让皇帝对这些过去看不上的外国娘们降贵纡尊，自己的架子也放下了许多，时常拉住这些洋女人的手嘘寒问暖，让人感到眼前就是一个慈祥的中国老太婆。赫德兰夫人是这样描写在公使夫人面前的西太后的：“只有在私下接受某外国公使夫人的觐见时,这位非同寻常的女人才会表现出她的机智,她的女人味儿,和她作为女主人的吸引力与魅力。她与每一位客人握手,非常关切地嘘寒问暖;她也抱怨天气的炎热或寒冷。如果茶点不合我们的口味,她会非常着急。她十分真诚地说,能和我们见面是她的一种福气。她还有办法让每一位客人都为她着迷,即使她们以前对她存有偏见。她对每一个客人都很关照,这也充分表现了她作为一朝之主的能力。”(I. T. 赫德兰:《一个美国人眼中的晚清宫廷》)有的时候,这些不谙宫廷礼仪的洋女人忍不住乱摸乱动,甚至抄点什么走,吃饭的时候,面对盛宴,有人居然挑三拣四,说些难听的话。西太后也真像个佛爷似的,视而不见,听而不闻。如果人家主动要礼物,自然也是尽量满足。一次,据说一位非常尊贵的公使夫人,居然看上了老佛爷用的碗(那是一件价值连城的宝贝),跟西太后讨要,西太后说这是用过的,就不给了,按中国人的习惯,送礼送双,可以给你另外两个这样的碗。

跟外国公使夫人打交道,义和团的话题虽然尴尬,但有时候还是逃不掉。有一次,西太后发现一个公使夫人佩戴着勋章,就问这个东西的来由。公使夫人答道,这个勋章是因为我在义和团围攻使馆的时候受伤,我们国家奖给我的。西太后马上双手握着这位夫人的手,似乎显得很激动地说:“对那次动乱中所发生的事我深表遗憾,义和团匪民一度势力盖过朝廷,更有甚者,他们竟然把大炮架到了紫禁城的城墙上,这类事情以后永远不会再发生了。”如果赫德兰夫人所记录的西太后这段话属实的话,西太后当然是在撒谎。那时候,在北京的义和团根本就没有什么大炮,更别提架在紫禁城墙上了。当时的义和团势力虽大,但并没有真正成为北京城的主人,西太后是有能力控制局面的,没有她的支持,义和团根本成不了那么大的气候。不过,时过境迁,不把屎盆子扣在义和团头上,老佛爷怎么下台?

跟外国公使夫人的接触,也导致了西太后自身的某些变化。在晚清最后的几年里,西太后对所有的西方事物都表现出了特别的兴趣,汽车坐得，望远镜望得。现在西太后留下来的许多照片，包括摆拍出来的许多“艺术照”(比如她扮观音，李莲英扮韦驮的那张)，都是这时候的产品。西太后还在美国公使夫人的劝说下，同意把自己的画像送往圣路易斯博览会展览，因为公使夫人说，各国首相的画像都在那儿展出。为此，西太后请外国画师一连画了几个月的像。

当然，西太后跟那些“洋鬼子”妇女也有些小小的抵牾，比如说，她很看不上外国妇女束胸的习惯，背后总是出言不逊，并且始终坚持自己的满人服装连同她六英寸高的满式高跟鞋是世界上最好的服饰。所以我们现在看到的西太后跟公使夫人的合影，依然一边是满族桶式的旗袍，一边是束胸的西式长裙。

在西太后跟外国公使夫人打得火热之际，朝廷的新政也在如火如荼地开展。几年前的守旧派首领，如今变成了改革的当家人，只是变革的方案，却是抄人家康、梁的。不过抄归抄，康、梁却不能平反。不仅不能平反，连看到康、梁的名字，西太后都要神经过敏。开经济特科，第一名梁士诒，只因为有人说他的名字是梁头康尾(康有为字祖诒)，就被西太后刷掉。西太后的明白和服气，都是对着老外的，而对中国人，她却“墨索里尼”，总是有理，镇压改革是对的，开历史倒车也没错，后来改革更是对的。活生生造出了一个历史的大别扭，不为别的，只因为自己的脸面。

对于一个垂了近五十年的帘、操纵了两任儿皇帝、安排了一任孙皇帝的人来说，脸皮的确是很金贵。不过，在她和她的脸皮进了棺材以后，大清的气数也就尽了。

西太后想要的“借口”和不想要的“扎花”

1998年是“戊戌变法”一百周年。一件事情过了百年，而且就在百周年的当口上，无论如何都值得拿出来抖抖灰，何况这是中国近代历史上的大事，一场让人至今耿耿于怀的流产变法。“戊戌”对于我们的意义，首要的其实并不是当年的志士如何壮烈，而是它为什么那么快就失败了。

西太后是“戊戌变法”中的白脸，可也是个唱大戏的主角，虽然有些善良的人们宁愿历史上没有过这个老太婆。过去，我们顺着康、梁的笔调，把西太后骂得体无完肤，近来情况好像有些转机，不少影视剧里，老太婆的脸已经有了些许红色，开始由我们的“正旦”出面出演了。当然，无论怎么变，颠覆变法的罪魁这顶高帽子她是无论如何也脱不掉的。不过，事情已经过了一百年，演戏演电视是一回事，而学术研究又是一回事，对于后者，我们似乎应该换一个思路想一想，同样是奉旨变法，假如当年维新派不是捧光绪，而是捧西太后，情况将会怎么样呢？

现在，大概不会有太多的人坚持认为西太后是铁杆顽固派了。早在洋务运动的时候，她就表现得相当开明，如果当时她站在倭仁一边，那么至少同文馆是开不成的，她不仅同意开同文馆，而且硬是派反对开办的倭仁去主办，结果害得老先生不得不装病。不过人们可能不知道，“戊戌变法”其实也是她同意的，甚至百日维新的各项举措，也大都经过她点头，光绪要臣子们进献的“新学之书”，她是每种都要的，是不是全看了，不太清楚，但至少冯桂芬的《校邠庐抗议》她是看了的，而且还夸奖说“剀切”。作为一个国家的实际统治者，甲午的惨败对她的刺激其实并不比南海举人康有为小，她更非如陈叔宝全无心肝，如刘阿斗乐不思蜀，面对破碎的山河一味享乐，也有与光绪一道“母子对哭”的光景(刘坤一《慈谕恭记》,第300页)。这个粗通文墨的老太婆，虽然可能没什么思想，但却是个强烈的功利主义者，十分清楚利害的所在,什么东西管用。就是对她怀有恶感的人,也不能否认她是个精明强干、老于权术而且明晓利害的人物。甲午之后的她其实非常清楚，大清朝不变法，江山社稷不保，这一点她与光绪其实是具有共识的。

当然,这老太婆背上骂名也确有该着之处,因为她虽然知道中国非变法不行,在内心里却不希望光绪主持变法成功,大凡政治上的功利主义者,都有极强的权欲,古今中外,概莫能外,当然西太后自然也不乐意将已经握热的权杖痛快地交出来。也许是中国的不幸,变法正好赶上了西太后在各方压力下不得不交出权力的时候。本来,按清朝的祖制，根本就没有太后临朝这一说，可她却借特殊的机缘破了例，而且渡过难关巩固了权力。事实证明，她不仅有无师自通的权术本领,而且还有“同治中兴”的事功。尽管如此,在一个讲究祖制,有着排斥“女主”政治传统的朝代,随着她的一天天老下去和“第二个儿子”的长大成人,要她交权的压力还是越来越大。虽然在甲午战前,她已经在名义上把权力交给了18岁的光绪，但是举国上下都明白这是怎么回事,好事的人们依然不依不饶。甲午战败,没有人认为是光绪的过错，让她交权的呼声更见其高，御史们上书，指桑骂槐说她是信用宦官的汉太后，封疆大吏刘坤一觐见时，甚至当场暗示这一点，要她不要听信太监的话。

尽管后人都骂西太后挪用海军经费修颐和园颐养天年,其实真正热衷于为西太后修园子的是光绪,修好了颐和园,好让母后把权让出来，至少别成天待在皇宫里指手画脚。可是，西太后进了颐和园，权力还没有真正交出来,已经感到浑身的不舒服了,优美的园林和舒适的住所,根本难以令这超级女强人开心。一天,西太后最宠的宠臣荣禄进园子看她,西太后让荣禄看宫内的扎花,并掂起一只花来说:“你瞧,这是我扎的花,你看好不好?”荣禄非常知趣,马上说:“老佛爷不止扎花扎得好。”西太后闻言长叹一声：“往后哇，我也就只能扎花了！”(赵凤昌《戊庚辛纪述》,第319页)显然,在颐和园游山玩水的西太后,一颗心依然在“朝堂之上”,是非常非常不情愿去“扎花”的。然而,如果变法成了功,那么站在台前的光绪就有可能获得他缺乏的声望、权力和自己的班底,到那时,她就真的可能只好去扎花了。

尽管后来的历史学家指责维新派只依靠皇帝,不发动群众(显然有些人是指望康有为他们像共产党八路军一样),中央维新路径在今天看来其实是当时最现实也最经济之路。在那个时代的中国,依靠皇权推行变法无疑是最便利的。维新派面对的，一个是统治了近四十年,精明强干,富有政治经验,势力盘根错节,树大根深的西太后;一个是生性懦弱，缺乏经验，甚至没有自己基本班底的光绪皇帝(所谓“帝党”，不过是没成形的胚胎)。尤其是在西太后不肯放权的基本态度已经非常明显的情况下，他们所依靠的皇权具体应该落在谁头上呢？如果是有经验的政治家,选择的方向应该是不言而喻的。然而,历史上维新派就像我们所知道的那样,他们选择了光绪。

无疑,光绪的确要可爱得多,他年轻、大度而且易于接受新思想,更重要的是,他是合乎道统和法统的统治者。然而,尽管在康有为和梁启超眼里,光绪像个圣人,说他几个月的新政,“古之号称哲王英君,在位数十年者,其可纪之政绩,尚不能及其一二也”(梁启超《戊戌政变记》卷一第253页)。后来的文学作品也纷纷对之饱掬同情之泪,连他喜欢的女人珍妃都沾光显得相当灿烂,可是在政坛的力量对比上,他与西太后仍像是轻量级新手对重量级拳王一般。可惜的是,维新派不仅不考虑走走太后路线,反而拼命地通过一篇篇经过他们改纂的《日本变政考》、《俄彼得变政记》之类的东西,鼓噪光绪“乾纲独断”,完全不理会属“坤”的这一面会有什么反应。最后居然幻想策动素昧平生的袁世凯,要他用他的七千士兵进入有十几万重兵的京城,围捕西太后,康梁政治上幼稚已经达到了可笑的程度。

其实,对于西太后来说,她所需要的,只是一个说得过去的借口,能够让她出来继续秉政的借口，谁给她找到了借口，她就会倾向谁，她最欢迎的是有实用价值的东西，而非思想或主义的倾向。1901年以后的事实证明，只要不触动她的权力地位，也甚至可以走得比光绪当年还要远。可悲的是，维新派所吝啬的借口，后来却被顽固派给找到了，这就是尽废新政，只有尽废新政，西太后重新训政才师出有名(费行简《慈禧传言录》，第468页)。按这些人的意思，光绪主持变法没有搞好，弄得“官”怨沸腾，所以要西太后出面收拾局面。维新派的代价是六君子的头挂在菜市口，而中国则更惨，不仅是个《辛丑条约》和赔掉四万万两白花花的银子，而且还失去了变革的时机与还算可以的外部环境。

当然，我们应该谴责西太后，说她竟然将自家的权欲放在国家和民族的利益之上，但是，在历史的现实中我们的民族恰恰摊上了这么一位不那么自觉，又偏偏绕不开的人物，同时又没有力量把她推翻。有太多的教训证明，在中国的变革中，想凭借喜好和道德倾向来行事，十有八九是要碰钉子的。

在相当长的一段时间里，我们搞不清在留下的史料中哪些是历史的真实，哪些是康有为和梁启超的自我粉饰，因此“戊戌”研究几乎变成了康梁话语的天下，他们怎么说，我们也不经意地跟着怎么说，在口诛笔伐西太后的同时，也轻易放过了全面总结“戊戌”教训的机会。

女祸与女主

女祸是中国历史上为正统的史学家所痛心疾首的事情。一般来讲，女祸，大多是指人主为女人所惑，以致干了许多倒行逆施，自己祸害自己的事；比如商纣之于妲己，周幽之于褒姒，夫差之于西施等一长串帝王和宠幸的女子。好在人们很快就已经知道了，这种所谓的女祸，不过是为蠢男人和昏男人开脱的一种借口，所以渐渐地高唱女祸论的人少了起来。只是老百姓抓住不放，依然是坚定的女祸论者，民间戏剧里的"王帽子"(帝王)每每被西宫娘娘迷得五迷三道的，每每拿忠臣开刀。

然而，虽然将板子全都打在女人的屁股上，并不很让人信服，但认为女人低能和道德低下的成见，至少在传统社会里还是很有市场的。由于巫术思维的作怪，人们甚至还认为，女性掌权是一种不祥的征兆，所谓"牝鸡司晨，惟家之索"。实际上，这种成见是维护父系宗法制度的一种必然的社会意识。在任何社会里，只要某种社会意识足够地根深蒂固，那么它自然就会变成一种人们行为的根据。在传统政治制度的选择中，人们一直非常注意避免女人进入政治中枢，尽可能不给女人在政治结构中留下任何位置。

但是，所谓人类毕竟是由男人和女人两大部分组成的。女人的地位无论再怎么低，她们也是整个社会人群的一半，所以，无论男人们怎么样煞费苦心，也没法完全堵住女人介入政治的渠道。皇帝的妈和皇帝的老婆都是女人，当皇帝怕他妈(也可能有俄狄浦斯情结)或者怕老婆(包括小老婆)的时候，或者特别喜欢他妈和老婆时，女人干政恐怕就不可避免了。自汉以后，历朝历代都宣称以孝治国，以至于炮制出了《孝经》和《二十四孝图》。当老皇帝早死，小皇帝年纪尚幼，或者即使年纪不小但性格懦弱时，如果正好赶上皇帝的妈又有足够的政治野心，事情就非麻烦不可。当妈的非要出来说三道四，碍于“孝道”的大帽子，谁也拿她没辙。传统的政治制度规定不许女人干政，但却没有，也没有办法规定，一旦女人以皇帝的母亲面目出现干政的时候，做儿子的应该怎样制止她。汉武帝曾经采取了一个非常残忍的下下策，每立太子的时候，将太子的亲生母亲杀掉。这个一直让许许多多冬烘的老先生称道的举措，实际上惨无人道至极，那个被处死的钩弋夫人之所以要死，只因为她为皇帝生了一个让他还满意的儿子。这样做，实际上给儿子留下了一个孝道上的大难题，杀母的仇人是父亲，一个孝字掰成两半，怎么想怎么做都是错。大概由于这种原因，后来的君主再也没有勇气效法前贤(晚清痛恨西太后的稗史“史官”，竟然说咸丰也有过效法汉武帝对付钩弋夫人的遗诏，虽然说得解气，其实根本就不可能)，所以太后临朝也就繁衍不绝。东汉孝道讲得最凶，太后临朝称制的也最多。

至于皇帝怕老婆而导致女主当家的，历史上虽然不多，但确实轰轰烈烈地存在过。隋文帝害怕独孤后，不唯在女色方面缩手缩脚，国家大政如果人家想干涉的话，他老兄也得听几句；小儿子把大儿子从太子宝座上挤掉，据说就有皇后的功劳，因为独孤后特别讨厌男人有新宠，而太子恰恰过不了美人关，于是小儿子就如是这般地在老妈面前下蛆。当然，比起唐高宗李治来，隋文帝还真是小巫见大巫，怕老婆怕得不够水平，人家武家大小姐做皇后的时候就敢跟皇帝平起平坐，并称“二圣”；丈夫一伸腿，居然连国号都改了，自己做了皇帝，让以后的所有大男人都忘不了她。

女人干政好不好，如果按传统当然不是好事，书云：“牝鸡司晨，惟家之索。”说女人干政就跟母鸡打鸣一样，是不祥之兆。当然，这只是男人为维护男权统治的一种借口，其实没那么回事，那些著名的女主像吕后、武则天，都没有给国家带来什么不寻常灾祸。女人干政虽说不见得比男人干得更好，可也未必就比男人更差。至少，我们可以很负责任地说，在中国历史上，最昏庸最残暴的统治者并不是女主。

太后临朝也不尽是目光短浅的妇人之见，历史上也不乏为人为政都不错的太后。比如东汉章帝时的马太后，留给后人的口碑就相当好，在后世的史家看来，她甚至比章帝这个大男人要高明得多，也贤明得多。问题是，女人在政治上的作为，实际上是与男人无法类比的，用现在时髦的话来说，就是两者根本就不是站在同一个起跑线上，岂止不在一个起跑线上，简直差了十万八千里。那个时代的女人，参与政治的机会对于绝大多数而言，几乎是等于零，有“为祸”朝政可能的，也就是数量非常少的那一群人。而这些人挣得到这种地位，恐怕有相当的因素在于其容貌和风姿，凑巧才干、智慧和机遇外加容貌都非常出色的那么几个脱颖而出，怎么可能与浩浩荡荡的帝王将相衮衮诸公相比呢？尽管如此，出了一个武则天，也够让男人吓一跳的了，而且这一跳一直到今天还在颤动。

应该说明的是，无论是太后临朝，还是女皇帝出山，都丝毫不意味着女人地位的提高，甚至都不能说是女人真正意义上的主政参政。她们不过是以男人的方式，按男性世界的规则来进行统治。有些太后的背后实际上还有许多男人(外戚，即她们的娘家人)在操纵。如果不按着男人世界的规则行事，那么她们连一天也统治不下去。其实她们这样做也并非有意为之，只是一种无形压力下的惯性动作，连号称雄才大略的武则天也不例外。武则天自己当了皇帝，也的确把自己当成了皇帝，而且是当成了男性皇帝，她不仅在上朝时要像男性皇帝一样发号施令，在后宫也要如男性皇帝一般的享受，包括性的享受。当臣子对她的性生活提意见时，她绝无一般女人一触即跳的暴怒，而是心平气和地接受了，因为一个男性好皇帝也会允许臣下就这方面的事进谏的。如果不是掉进了男性规则的陷阱里不能自拔，聪明如许的武则天怎么会在继承问题上死活想不开，硬是让“居心叵测”的大臣们给绕了进去。传给武家人吧，虽然“皇姓”传下去了，但那只是自己的侄子，非亲生骨肉，世上断没有祭祀姑姑的道理；传给自己的儿子吧，自己倒是可以安享血食，可大周的天下就又姓李了。真是两难。其实，只要换一个思路,这种所谓的两难就根本不存在了,把皇位传给女儿,然后让她姓武,以后世世代代都按母系传承,如此大周也保住了,武家天下也可以延续了。当然,在整个中国都是父系世界时,就她这一家这么干,即使贵为天子,也势单力薄,无力回天。况且,武则天根本就不可能想到这一层。男性规则的逻辑已经将所有女性套牢了,即使聪明如武则天,也跳不出来。

别个世界里的第一夫人

宋美龄走了，享年106岁。在“二战”期间的风云人物中，她离开这个世界的时间，整整比别人迟了二三十年。俗话说，盖棺定论，然而对于宋美龄来说，在她没有告别这个世界之前，历史对于她的“论”其实早就已经定了。正如她自称“蒋宋美龄”一样，她的功过事实上是跟她的夫君蒋介石联系在一起的。中国国家领导人给宋美龄的唁电中所强调的，坚持抗战和坚持一个中国的两点，用来赞扬蒋介石其实亦无不可。

作为当年中国的第一夫人，宋美龄曾经有过无限的风光，美国人称之为“亚洲第一夫人”，她委实当之无愧。当年，她发动“夫人外交”攻势，以她摄人心魄的风姿和演讲，迷倒了不知多少美国人，为处于艰难抗战中的中国争取到了宝贵的援助。来华参战的美国军人，凡是见过第一夫人的，无不为之倾倒。在华的美国军人，无论是陈纳德天上的飞虎队，还是史迪威印缅战场上的陆军别动队，均堪称是全美国“二战”中最勇敢、战绩最显赫的军人，由于欧美特有的崇拜夫人的传统，所以这种勇敢和战绩从某种程度上来说，跟宋美龄不无关系。不仅如此，在西安事变中，宋美龄力压国民党高层力主讨伐的呼声，亲自犯险进入西安，对推动西安事变的和平解决起了积极作用。其勇气和见识，绝非一个普通的贵妇人所能望其项背。在中国抗战独立支撑的年月，在国际法西斯阵营扩张势头猖獗，国民政府内部高层分裂的年月，在推动国民政府坚持抗战，并且最后站对队方面，应该说宋美龄和宋家的兄弟姐妹起了非常积极的作用。

凡是见识过宋美龄的人，都对她的能干留下深刻的印象。尽管是中国第一夫人，但宋美龄从来就没有想到专门做夫人，她是要做事的。刚与蒋介石结婚不久，闹着要做事，蒋让她去管北伐军的遗族学校。

她没有嫌这个事情小，把个小小遗族学校管得井井有条。美国人来参观，说它是“东方第一新兴学校”。此后，无论是参与政务，还是参与妇女界活动，都有声有色。蒋介石发起的“新生活运动”，由于有了她和一干新派人物的掺和，才避免了沦为一场霉味过重的复古运动的命运。

然而，有魅力而且能干的第一夫人，就像她的这个头衔一样，其实并不属于她身处的这个世界。对于当时的中国人来说，宋美龄等于是“皇后”，她的行为方式应该是这样的：或者像唐朝的长孙皇后那样，躲在丈夫的身后，过着与世无争的日子；或者像武则天一样，凭借丈夫的权力飞扬跋扈。无论采用什么样的生活方式，至少要聚敛一些财富，争取生个儿子，或者抱养一个。然而，这一切距离宋美龄是太远了，宋美龄出身中国最早的基督教家庭，从小就在美国生活和受教育，读的是威斯里女子学院这种很贵族化的学校，饱浸了美国中产阶级的生活方式。她的优雅、她的活力甚至她的能干，更像是美国式的，不怎么“中国”。她的英语无论说和写，都比她的中文好，甚至连她的思维方式都是英语的。尽管贵为第一夫人，但她的交往圈却还是欧美化的中国人，连打电话都用英语，给接线员留下了深刻的印象。说英语的人看她，和她看人家，都显得那么顺眼、和谐。抗战前和抗战期间，作为中国最高统帅的夫人，她自己或者陪同蒋介石，从慰问伤兵到视察前线，没少在军队里转。几乎个个精通英语的空军，对第一夫人的感情之深，都恨不得为她去死；然而在陆军里，我们却找不到这样的人。一位美国的传记作家写道：在宋美龄和蒋介石结婚以后，“美丽的新娘子伴随着总司令转战各地。车站、农宅、临时屋都曾是他们的落脚处，不过有件特别的事情，那就是不论到了多么恶劣、简陋的地方，委员长夫人对她所素持的干净标准丝毫也不肯打一点折扣。每到一个地方，她的第一件事一定是抹地擦窗，务必直到看起来纤尘不染后才肯罢手。当然，漂亮的窗帘和芬芳的鲜花是绝对不可免的”。显然，对于当时中国的老百姓来说，第一夫人典雅、高贵、整洁、魅力四射，但绝对谈不上亲切、可近。

熟悉中国现代史的人都知道，尽管政见不同，宋美龄和宋庆龄之间，感情一直是非常好的。不论宋庆龄多么令蒋介石头痛，双方如何仇视，宋美龄却一直竭力维持着她和宋庆龄之间正常而且算得上亲密的姐妹关系。无论宋庆龄与蒋介石关系恶化到了什么地步，宋美龄都绝不允许蒋介石的特务碰她姐姐一根毫毛。为此，她不仅三番五次正色告知蒋介石，而且亲自出面警告戴笠。直到新中国成立前夕，宋美龄给宋庆龄的信，依旧款款情深："最近，我们都经常想起你，考虑到目前的局势，我们知道你在中国的生活一定很艰苦，希望你能平安、顺利。"这不是说宋美龄没有立场，亲情高于一切，而是一种中国人难以理解的美国做派的体现——政治和家庭分开，意识形态的歧见跟家庭亲情是两回事，绝不往一块掺和。

在解放战争快要胜利的时候，宋美龄用牛奶洗澡的传说，在解放区到处流传，以至于到了我能懂事的时候，大人们还这样说。这个传说虽然表面上是对宋美龄的一种丑化或者诋毁，但也反映了两种截然不同的生活方式的隔膜和对立。

宋美龄和蒋介石的结合，固然还算是琴瑟和谐，但事实上也有不尽如人意之处。在宋美龄的朋友圈子里，无论是欧美的友人，还是国内的"欧美同学会"，对传统理学味道十足的蒋介石并不欣赏，甚至还说三道四。蒋介石的国民党政权对这些人自然也是若即若离。我们不知道，到了台湾之后，这些自由知识分子在遭到国民党整肃的时候，宋美龄会是个什么心情？然而，事实上不管她的心情如何，已经深入她骨髓的美国老式的中产阶级生活做派，都只能让她继续扮演夫唱妇随的角色，绝不可能允许夫妻关系的任何裂痕暴露出来。

1927年她和蒋介石的结合，使颇有理学气味的蒋介石入了基督教，但是多年来，她并没有将蒋介石变成一个真正的基督徒。虽然到了台湾之后，蒋对基督教感情日深，但更多的只是求助基督的庇佑。可以说，到死，蒋介石依然是一个传统的中国人，一个中国的专制强人。在蒋介石的棺材里，宋美龄放入了四本书，一本孙中山的《三民主义》、一本《圣经》、一本《荒漠甘泉》、一本唐诗，西方基督教的书占了一半。也许，这样的陪葬品，只是代表了宋美龄的一种愿望。

事实上，宋美龄虽然身在中国的土地上，却一直是在另一个世界里——一个典雅、美国老式中产阶级的世界。尽管我们把她列为“四大家族”中的一分子，然而报上说，她死后的遗产只有12万美金，她唯一的房产在上海。可以说直到死，她都维持了一个老式的美国中产阶级的财产水平。

胭脂虎和夫人路线

中国古代是典型的父权制的社会，男人怕老婆，原是要招笑的。但无论什么时代，总免不了要出一大批怕老婆的典型，连贵为“天下之人父”的皇帝老子也不例外。否则，我们的笑话库就要少很多材料了。

皇帝怕老婆，以隋唐为最。大概是西晋末年，塞外的少数民族纷纷登上中原的舞台之后，他们没有汉人那么多的礼教讲究，中原社会连同颇为得意的妇人之道，都被冲得七零八落，妇女们多少有点扬眉吐气的感觉。我们的正史说，北朝嫁妇，先教使妒，说什么也不许丈夫纳妾，丈夫的家，至少要当一半多。接下来，隋朝杨家一统南北，据说是重光了汉家文物，但三从四德的妇道却依然阙如。隋文帝杨坚，就有一位强悍的皇后独孤氏，经常把杨坚管得一愣一愣的，苦不堪言。有次好不容易偷偷搞上了两个小妞，席不暇暖，即被独孤知道，马上将两个“狐狸精”逮去弄死。杨坚知道后，策马狂奔，说是皇帝不做了，作离家出走之状，结果被大臣拼命拦住，死拉活劝。眼见出走不成，杨坚长叹一声：吾贵为天子，不得自由！据说，这就是汉语“自由”一词的最早出典。

进入唐朝之后，一世英雄的唐太宗李世民偏有一个豆腐性的儿子李治，而偏又是这个儿子继承了皇位。于是，皇帝惧内的故事在唐朝有了更辉煌的续篇。我们知道，在续篇中，李治贤内助表现得更加出色，心也更黑，手更辣。不仅管皇帝的后宫，而且大模大样地把手伸到了前台，替高宗皇帝管了天下，连上朝都要并排坐，“朝中并称二圣”。

独孤氏和武则天这两位“母仪天下”的顶级河东狮吼，虽说碰倒醋缸的时候未免手辣心狠，但一个内部治理，一个内外兼治，把夫人政治搞得红红火火。以后人观之，国家治理的效果还算不错，至少王朝的政治并不因此而浑浊，国家上下也算太平。不过，夫人政治流风所及，大家群起效法，固然使女界扬威，但也难免出点流弊。据《隋唐嘉话》载，杨弘武曾为唐高宗时的吏部尚书，在杨大人当家的任上，高宗发现，经常有些莫名其妙的人被授予官职。于是一次问杨尚书某人为什么要授某职？杨弘武回答说：我的老婆韦氏特别凶悍，昨天特意嘱咐让我给人家这个官职，我不敢不给，否则后患无穷。

韦氏替老公选官，到底是收了人家钱财，还是为娘家的亲戚办事，我们不得而知，但不大正大光明是肯定了的。能把这种坚决执行夫人路线的事情跟皇帝坦白出来，不说明杨某人的胆量，只表明夫人政治的雌威，已经浸及"干部队伍"的选拔。露出来的有，不敢坦白如斯者不知凡几。就在此事发生的同时代，"干部队伍"里还有个陆慎言，在做尉氏县令的时候，老婆朱氏，居然公开替他治理县境，心贪手还黑，老百姓称之为"胭脂虎"。

唐以后，女人被逐渐兴起的理学弄得灰头土脸，夫人政治不得已转入地下，除了个别命好的熬到太后资格的，基本不再敢公开干政。

民国是个讲女权的时代，头面人物的夫人往往风头很劲，像蒋夫人宋美龄、汪夫人陈璧君之类，抛头露面的机会几乎不让夫君，夫人政治再次浮出水面。不过，这些光彩照人的夫人们，毕竟还没有正式的行政职务，夫人政治还只是在枕边和闺房之内起作用，跟隋唐时代差不多。夫人政治真正光大的时代是"文革"时期，那时候，被打倒的领导干部非常多，而且变化也非常快，今为座上客，明为阶下囚。凡是在台上的，几乎都用自己的夫人做自己的办公室主任，或者干脆自己的夫人走到台前，直接参与决策和政治操作。政治人物之间的恶斗，也往往跟夫人之间的角逐或者厮打连在一起。

女人当家好不好？这个问题显然并不只有"牝鸡司晨"这一种答案。古往今来，从平头百姓到阀阅之家，再到皇宫那个巨大无比的大家，女人当家，当得好的有，不好的也有。只是，人们要解决的是制度上对女性的不公正的排斥，而不是提倡或者默许女人的非制度的干政。不管有多大的不公平，不在其位的女性，最好还是不谋其政的好。否则固然不排除有干政干得好的，但也更为徇私舞弊开了方便之门。

事实上，哪个时代的男人们，对于抨击女人干政从来都不遗余力，但却一直没能将夫人路线的后门关上。政坛上走夫人路线，从来都是制度外的一条终南捷径，什么事情办不明白了，或者要官要不到的时候，走走当政男人的夫人或者任何一个心爱女人的门路，都可以收到奇效。夫人路线只要走起来，就难免跟行贿受贿、卖官鬻爵纠缠不清。大家都知道晚清的光绪皇帝是个可怜人，最好的光景也只有一点小权。然而就是这么一点小权，也有人惦记着走他身边女人的路线。现在文学作品上极正面的珍妃，当时其实也替人吹过升官的枕边风。

其实，只要制度有空子可钻，就会有人钻。至于钻什么门路，本是个次一等的问题。除了夫人路线，还有亲友路线、娈童路线，等等，都是可以走的。

唐八先生

唐八先生是个女人，名叫唐群英。唐群英这个名字，现在已经没有多少人知道了，但是，在辛亥革命后的几年里，全国上下，有头有脸的人物，有谁不知唐群英呢？当时的京剧，略等于今天的流行歌曲，可是京沪两地的名角，无论生旦净丑，没一个能抵得上唐群英名气大。不过，当时的人们之所以知道唐群英，主要是她带领娘子军的三次“大闹”：一闹临时参议院，砸了玻璃窗；二闹国民党成立大会，在众目睽睽之下，扇了宋教仁一个耳光，临时参议院议长林森出来劝解，话还没出口，也挨了一下(一说，林森缩得快，没有打着)；三闹《长沙日报》社，这次当事的男人见机得早，都溜了，只砸烂了报馆排字房，害得当天的报纸出不了。

这些故事，听起来像是水泊梁山孙二娘的勾当，其实却不然。唐群英在历史上，本是个很正面的人物。首先出身名门，父亲唐星照，是湘军宿将，唐长大嫁入曾(曾国藩)家做媳妇，依旧是名门名媛；其次觉悟很早，在家为人媳的时候，就跟秋瑾结为死党(也是亲戚)，丈夫死后便奔走革命，到日本留过学，是华兴会最早的成员之一，同盟会的元老；其三革命勇敢，辛亥革命时，组织女子北伐队，虽然没有真的出兵开仗，但名声却连袁世凯并清廷的摄政王都有耳闻。三次大闹，理由都很正当，前两次都是为了男女平等(当时叫做“平权”)问题，闹临时参议院是因为《临时约法》，没有提男女平权，闹国民党成立大会，是因为党纲上删去了“男女平权”的条款。砸玻璃、打耳光其实还是小意思，按唐群英在报上的宣言，对不承认男女平权的臭男人，她们是要以炸弹、手枪对付的。大概是当时像唐群英这样的女子少了点，军火也不够充足，一场对男人的战争才没有打起来。

不过，唐群英的第三次大闹，却跟男女平等没多少关系。1913 年

2月，一位仰慕唐群英的有名男士，求之不得，未免有点神经兮兮，在《长沙日报》上登出一则启事，说是某年某月某日，唐群英将和自己结婚。唐群英闻后，带人到报馆问罪，要求报纸出刊更正，报馆主编说，那是一则广告，广告哪有更正的道理。两下说不通，娘子军这才动的手。这事最后闹到官府，一个要赔偿设备损失，一个要赔偿名誉损失，当时的湖南都督谭延闿两边都得罪不起，自己掏腰包赔了报馆了事。

唐群英的时代，中国的女权运动还处于初起的激情岁月，觉悟了的女子，个个都很激愤，对男人的压迫，相当痛恨，说起话来，张口闭口，恶男子，臭男人，而争女权的目的，目标也很宏大，都是为了国家的强盛，民族的自立。但不经意间，对自己的名节，都很在意，做女侠可以，但风流韵事是没有的。自家已是单身的寡妇，对于一个苦苦的追求者的出格表白，居然以更加出格的行为对付，唐群英的愤怒，显然跟自己的名节受损有关。这一点，比起"五四"和大革命时期革命女性的"一杯水主义"来，有天壤之别。

三闹之后，唐群英在政治舞台上再没了动人的表现，但她娘家的家族，却很以出了这么一个女中豪杰而感到自豪，破例将她列入唐氏族谱，称她为唐八先生(她在族中行八)，她家乡的族人，也称之为唐八公公(按传统社会的惯例，女人是不会入娘家的族谱的，她们的位置，如果有的话，也应该在夫家的族谱上)。从某种意义上，唐群英力争女权的奋斗，痛骂并怒打臭男人的结果，是为自己争得了一个男人的名头和地位。

太政治的花业

花业不是花卉行业，这是个老词儿，指娼妓业。过去不仅有花业，还有花捐、花税，现在关于“花”的捐税都没有了，但花业还在。吴趼人的《二十年目睹之怪现状》里，某船妓有言道：“做官和我们做妓是一样的。”明显属于吴某这个海上文人对政府官员的污蔑。我的文章扯花业带上“政治”，绝无类似吴某的“恶攻”之意，所要说的，无非是清末民初曾经辉煌过的、而且照章纳税的娼妓业的一点旧事。

关于娼妓业繁盛，有一种说法是这样的：中国人的婚姻是生育型的，家庭的轴线是父子。所以，做妻子的在性生活方面往往不那么在行，男人要追求性生活的快乐，不得不到性技巧比较高的娼妓那里，所以即使妻妾成群，男人还是要嫖。不过，中国历史上也曾有过性方面很开放的时代，即使是夫妻之间，也浪得紧，却不见娼业因此有所衰败。所以，这种说法虽然不能说一点道理也没有，但更像是给男人找的寻乐的借口。在这么大的中国，一回到历史那里，理论总是要触霉头。反正不管怎么说，中国的娼业，或者说花业一直很繁荣就是了。王朝兴也罢，亡也罢，反正人家商女都在唱后庭花，基本上不受干扰。

人说有名妓而后有名士。不知是名妓培养了名士，还是名士捧红了名妓？这个问题更像是先有鸡还是先有蛋，恐怕任谁也说不清。其实，没有做官和做了官的读书人(士)，都喜欢跟妓发生点故事，只是名士和名妓之间的故事更有传播价值，所以留下来的比较多。清朝之前，官妓比较发达，朝廷对这项赢利很大的事业，一直坚持“公有制”原则，从业人员国家管理，收入上缴国库。清朝时废除了官妓制度，不过依然压不住官绅们的欲火，结果是民营花业一天天兴旺了起来。花业民营了，游冶其间的名士(准确地说应该是文学家和政治家)和准名士们也就更自由了。浅斟低唱并肉帛相见之余，给小姐们打分品题成了文人墨客的千古雅事，因此有了“花榜”。科举本是男人的命根子，但这个时候却被拿来为女人打趣。花榜跟金榜一样，分状元、榜眼、探花，然后是二甲、三甲，凡是上不了榜的，“辄引以为憾”。其实，这种盛事据说早在清朝初年就有了，但一般是偶一为之，而且都在江南。此时北京由于朝廷明令禁止官员嫖娼，所以大家都改了去逛“相公堂子”(优人)，自然也就谈不上给妓女评“花榜”。

自打晚清闹“长毛”之后，上海这个小小的县城陡然之间就膨胀了起来。一方面是因为洋人看上了这块风水宝地，一方面是战乱把江浙一带的财主连同财产都赶到了这里；关键的是这里地处扬子江的末端，是长江三角洲的核心，腹地辽阔，几乎囊括了大半个中国，有着最好的经济前景。繁荣总免不了“娼盛”，所以上海的花业也就一天天繁盛起来，不仅压倒了原来的妓业胜地大同、陕州，就连北京和南京也只好自叹弗如。上海的繁盛是由于有了洋人，洋人的租界是国中之国，虽然里面住的大多数是黄脸汉(婆)，但管事的工部局却是白面皮，清政府的顶带花翎，在里面什么都不算。繁荣的上海养娼妓，也养文人。在这么个华洋杂处的地方，欧风所及，文人们习染多少民主自由不得而知，但逛窑子敢大肆招摇倒是真的。不仅招摇，而且还办了报纸渲染自家的风流韵事，把中国的报业着实推进了不少。于是，上海租界的妓女有福了，在被按姿色才艺排成“书寓”、“长三”、“幺二”之外，还定期举行花界“科举”，其频繁程度，多时达到每年四五次。每次都由小报主持，文人们推荐，选举状元、榜眼、探花，有几年还按色、艺分别评选花榜和艺榜，后者走武举的路子。

进入民国以后，由于科举早就废除了，大家对状元、榜眼什么的也腻了，新鲜的是总统、总理和督军。所以花榜的头衔变了，改成花国大总统、副总统、总理、总长。推举方式也跟着民国一块儿进步，从原来的文人写信推荐，改为开大会投票选举。西方的民主制度，不仅在政坛，而且在花界也得到了体现。有选举就有竞争，跟从前妓女坐在家里等人评比不同，现在她们要登台竞选，表演才艺；有后台、财力充足的，还要散发传单，甚至在报上打竞选广告。在选举中，连“执政党”和“在野党”的名目都出来了，有人真的提议让“野鸡”(没有执照的街头低等妓女)以“在野党”的身份参加竞选。花界选举唯一跟政坛选举有点区别的，是没有“民族国家”的限制，由于举办单位不同，所以你搞花国选举，我搞香国选举，反正上海的花界从业人员是越来越多，不愁没有人参加。政坛上有贿选，花界选举也一样。曹锟选民国的总统要买选票，上海的嫖客们选花国的总统也要买选票，只是曹锟每张选票花3000到5000不等的袁大头，花界选举时“冤大头”们买下几万张选票也花不了那么多。妓女们不仅乐意顶着民国所有威严的官衔招摇过市，而且还喜欢穿印有国旗(五色旗)图案的裤子(注意：是下半身，不是上半身)。看来，总统、总长的头衔和国旗的图案，对妓女们招徕客人都有莫大的好处。

民初的文人们煞费心思在花界弄名堂，从操练模拟科举到操练西方民主，其实就是些玩女人别出心裁的花样。而被玩弄的对象，则趁机花熟客的钱为自己的生意做点广告，双方两相情愿。很可能中国文人治国平天下的所谓抱负，本来就是自己骗自己的鸟话，政坛与青楼在人们心目中，本是一样脏的所在，所以逛窑子之余拿政治开开涮，也算不上是什么亵渎。实际上，在那个时候，也没有听说过总统和总长们对妓女分享他们的头衔有过不满的表示，很可能这些人一旦下了野，也会加入到评选花榜的行列。

从被动地被人品题，到站出来竞选，花界中人多少濡染到一些时代的气息，真的起来撞一下政治的腰。当严复的《天演论》风靡天下，读过点书的人口不离“物竞天择，适者生存”的时候，在上海读书的胡家小公子给自己改名“适”，字“适之”；而同时，上海的花界也冒出来一个“青楼进化团”，不只名字时髦，而且还能做一点时髦而又符合自己利益的事情，举行义演，募集资金，为妓女们办学校。“五四”运动的时候，上海学生罢课，商人罢市，工人罢工，而妓女也罢了工，而且积极响应学生的号召，抵制日货，把自己的日本货如生活和化妆用品之类拿出去烧掉。

从选花国总统到动员花国爱国，时髦的事情上海人总是做得多。相形之下，北方的花界声音似乎没有那么响，但对政治的参与，却相当地深。庚子国变，八国联军打了进来，满清朝廷作鸟兽散，没走的王公大臣，不是吞烟就是跳井，奉命议和的李鸿章又迟迟不肯进京；这时候据说实际上是一位石头胡同(八大胡同之一)的名妓成了主事的了，她就是曾经做过状元如夫人的赛金花。赛金花出身苏州妓家，陪着状元公洪钧出过国，会几句洋泾浜的德语。人们都说她跟八国联军统帅瓦德西睡过觉，吹枕边风，吹得北京并北京的老百姓少受了不少祸害。其实，在赛金花故事之前，义和团就曾经捧出过一个船妓出身的林黑儿，说她是黄莲圣母，指望她可以闭住洋人的枪炮。那时候，林黑儿乘八抬大轿，几十个团民护卫，招摇过市，任你是科门高第还是朝廷命官，都得对她行礼如仪。林黑儿本人也经常从袖里拿出一包螺丝钉，说是昨夜梦里元神出窍，从洋人大炮上拆下来的。事实上，这两个妓女的事迹都是人们编的故事，赛金花的故事由南北文人合谋编出，水平比较高，而且不太好验证，所以至今仍然有人信。而黄莲圣母的神话当时就露了馅，加上义和团的大师兄二师兄们文化不高，故事编得不圆，所以同是妓女，林黑儿只好屈尊于赛二爷(北京当时对赛金花的称呼)之下。其实，林黑儿至少真的在义和团里干过，算是参与过政治的最高形式——战争，而赛金花原本什么都没有做，只是趁乱做了几单外国生意。

可不管怎么说，至少在人们心目中，北方的花界总算是在政治上露了回脸，一出手就是大手笔。同样的大手笔在袁世凯称帝的时候，由八大胡同的同人们，又弄了一回。那是帝制闹得最热闹的时候，袁世凯在新华门里故作姿态，扭捏着不肯出来穿龙袍。于是党羽们鼓动各地派遣各种名目的“请愿团”进京，有商界请愿团、妇女请愿团、农民请愿团、乞丐请愿团，等等，一起拥到新华门，要求袁大总统再高升一步。而八大胡同的妓女们，不失时机地冲出胡同，组织妓女请愿团，跟大伙一块起哄。领头的一说是小阿凤,一说是花元春,都是民国史上大大有名的红倌人。妓女请愿团虽说人数不多,但由于颜色靓丽,身段婀娜,特会招摇,所以引来围观者甚众,如果从造声势的角度来看,的确给洪宪帝制添了些许声色。

洪宪帝制虽然很快就在各地的反对声中销声匿迹,一世之雄的袁世凯也翘了辫子,但八大胡同可从此跟民国政坛结下了不解之缘。这回不是名妓跟名士搭伴了,名妓跟高官,而且是现任的高官关系更密切。其实,还在袁世凯的时代,政府高官公然逛窑子已经是家常便饭,被后世传为佳话的蔡锷与小凤仙的故事,其实不过是在京高官的一项业余活动。只是袁世凯死了以后,高官们的公事也挪到胡同里办去了。冯玉祥回忆说,当年他上京办公事,却被拉去吃花酒,人还没坐定,呼啦啦来了一群妓女,一屁股坐在总长(中央政府的部长)腿上,就揪胡子打耳光,总长还哈哈地笑。丘八出身的冯玉祥少见多怪,其实民国的政务,多半是在胡同里决定的。政坛风云,战场烟雨,都多少跟名妓的石榴裙有那么点关系。政府官员如此,国会议员更是八大胡同的常客,他们除了在国会开会的时候互相扔墨盒摔椅子打架之外,基本上都泡在胡同里。民国第二届国会,被人称为“安福国会”,安福者,八大胡同之一的胡同之名也。说起来,毕竟北京是首都,当上海的妓女还满足于花国政府官员的虚名时,这里的姐妹们已经把政府带国会一起给操纵了。

自清末民初以来,妓女一直是一个特殊的群体。其特殊就在于,这些妓女在家为平民女的时候,做梦都见不到的大人物,做了妓女之后就都见到了;不仅见到了,而且还见识到了这些人的满腹“经纶”。

有关八国联军与中国妓女的一点乱弹

每到世纪末，这个地球上的人们就要热闹一下，快到2000年的时候，各国从政府到百姓都想出了很多热闹的招，而且真的很热闹。这让我不由得想起了更早的时候，1900年在历史上是一个让人特别难忘的年头，正是在这一年，八国联军打进了北京。对此，中国人当然很难忘记，不信在北京的街头问问老百姓，有谁不记得八国联军呢？连1860年英法联军烧的圆明园，老百姓也非要将它记在八国联军的账下，虽然事情已经过去了一百多年。其实，那个时候，西方的老百姓对当时发生在中国的事也挺关心，报纸上肯定天天报道我们怎么杀教士，怎么围攻使馆的消息。直到现在，中国历史上发生了那么多大事，能让外国人有点记忆的，还是义和团。

虽然自1840年以来，中国没少挨洋人的欺负，但像这次列强全体(11个国家)一并打上门来，还是第一次。让洋人团结起来的最直接的原因，是执掌国政的西太后听说中国出了神兵义和团，可以刀枪不入，所以大着胆子跟全体洋人宣了战，任由义和团杀在中国的洋人，杀中国的教民，攻打外国使馆。义和团是从来不沾女人的，据说是怕破了法术，但同时又非常仰仗女人，据说只有女人才拥有可以真正威胁洋人的威力，于是有了红灯照，有了黄莲圣母、金刀圣母等让男人顶礼膜拜的女性活神仙。跟戚本禹以及现在许多影视作家想象的不一样，红灯照其实从不上阵舞刀弄枪，她们是作为法术的象征存在的。

八国联军固然在枪炮方面占着许多优势，但于想象力上却远逊于义和团的大师兄二师兄们，他们居然根本就不知道女人对于战争还有这么大的威力，所以打仗的时候，根本就没让女人掺和。但是在战而胜之并占领北京之后，却像许多为他们所鄙夷的野蛮人一样，将女子玉帛收入夹袋(在攻占天津之后,甚至连黄莲圣母林黑儿也一并抓了去)。一向有军妓随军传统的德国军队,此次远征根本就没带上他们的女人,可能在他们看来,被占领的中国城乡到处都有可供他们的大兵发泄兽欲的对象,所以索性为他们的皇帝陛下节省一点军费。进入北京的各国联军在寻找女人方面,与寻找财富一样地具有天赋,甚至连他们号称要保护的中国教民,也遭到了性侵犯。这一点,连他们的最高指挥官瓦德西也不得不承认。

在度过了战争初期的混乱和动荡之后,联军的士兵从大索三日的亢奋中渐渐恢复过来,各国对北京实行分区占领,着手恢复秩序。北京最早恢复的商业活动,竟然是娼业,不仅著名的八大胡同的业务极度地繁盛,就连一向偷偷摸摸地下活动的暗娼,生意也日渐看好。在上操和值勤加抢劫之余,联军的大兵满世界乱窜,寻花问柳。这时就用得着北京闲人了,连一句洋泾浜英语都不会的若辈,居然能够无师自通地为洋大人拉皮条,拉得好时,会从洋人和妓女的生意中分润了若干好处,拉得不好,吃几条"洋火腿"(挨洋人的踢)也是正常的事。当年在北京五城公所当差的王大点,由于原来的差事近乎于警察,干的就是弹压管理妓女的活计。联军进城,任职的衙门空了,闲来无事,正好利用自家熟悉妓家的专长,为洋人介绍生意,在他的日记里有这样的记载:"坐多时,平西方行,走鹞儿胡同口遇两个大头布洋人(即印度兵)找妓馆。我带同上四神庙路西土娼下处,二人同嫖一妓,各用一洋元与之,哄他多时,又给我花生食。后由牛血胡同回行万佛寺湾,又遇德国巡捕洋兵三人,意往娼处。我俱带同猪毛胡同路东妓馆,有二洋兵各嫖一妓,亦以一元与之。"一个晚上就做成了两桩买卖,可见生意之兴隆。

在和洋人做皮肉交易的妓女中,有位当时就小有名气,后来则声名大噪的人物,她就是清末民初以来几乎无人不晓的赛金花。赛金花本姓赵,赛金花是她的"艺名",此人原是苏州娼家的一名"清倌人"(雏妓),艺名傅彩云。十六七岁上被同治朝的状元洪钧看中,纳为小妾,当洪被任命为清朝驻俄、德、奥、和(荷兰)四国公使时，由于洪夫人不乐远行，于是状元公携她出国上任，驻节德国首都柏林。几年后，洪钧回国，未几病死，彩云遂离开洪家，在上海、北京等地重操旧业，先名曹梦兰，后名赛金花。由于“状元如夫人”头衔的助力，遂成为名噪一时的名妓，经常与公子王孙、达官贵人相往还，人称赛二爷。八国联军进京的时候，赛金花正好在北京，住在京城著名娼寮集中地的八大胡同之一的石头胡同，而石头胡同恰归德军管辖。

按说，依照中国人习惯，对赛金花们的这种行为，该是将一盆盆的污水迎头泼上去，再骂上半晌才是，好像中国的失败与丢脸，大半是由于这些不知亡国恨的商女。可是不知是为了什么，脏水没有泼出来，好事的文人墨客反而以赛金花为中心，编出了一系列女人救国，确切地说是妓女救国的故事。

如果赛金花没有做过状元如夫人，如果她的纤足没有恰好踏过德国的土地，如果赛金花能像莫泊桑笔下的法国妓女羊脂球那样，发扬爱国主义精神坚决不接外国客人(当然必须同时也不存在像小说里那么一群无耻的说客)，那么也许这种妓女救国的故事就不太好编，至少不会编得如此生动。但是历史老人就是这么好心肠，偏偏给中国文人留下了这么多可供展开想象力的空间，于是，八国联军的统帅德国人瓦德西被说成是赛金花在德国时的旧相好，那时年逾知天命的瓦德西也因此变成了翩翩的“日耳曼少年”，既然洪状元要带如夫人出入驻在国的上流社会，那么年少美貌的彩云勾上个把风流倜傥的德国军官似乎也在情理之中，至于偌大的德国怎么会那么巧就碰上了瓦德西，而且一碰上就发生了恋情，自有“巧合”二字从中弥缝，本是古来文人们一逞手段之处。旧情人在北京重逢，理所当然应该重续旧好，于是赛金花就做了瓦德西在北京临时的枕边人，一起住在中南海的仪鸾殿里，朝朝暮暮，卿卿我我。而其间仪鸾殿那场真实的失火事件，也自然有了赛金花的参与。——年近七十的瓦德西在我们的文人笔下，居然能够挟着赤裸的赛金花从窗户一跃而出，普鲁士武士如此神勇，无怪乎后来大清国练新军要以他们为蓝本。

故事延伸下去，瓦赛交欢的黄色镜头不知怎么就转成了赛金花如何舍身为民请命的光辉事迹。说是赛金花不停地在瓦德西枕头边吹风，不仅制止了联军的大屠杀，而且保护了皇宫不受焚毁；甚至在议和的时候，在李鸿章都束手无策的时候，由赛金花出面成功劝说了克林德夫人(克林德系义和团运动时的德国驻北京公使，在运动中被杀)接受了立碑道歉的条件，从而免去了各国对西太后和光绪皇帝的追究。这类故事从八国联军还在北京的时候就开始编，一直编到赛金花人老珠黄，竟然还有人在津津乐道，不仅在一般的文人笔记里，而且出现在小说和戏剧中。故事在开始的时候还有个别不利于赛金花的情节，比如说她为瓦德西出主意让老瓦开科取士，老瓦还真的就在金台书院从四书里出题考了一次。只是这种情节的市场有限，大家爱听的是说赛金花好话的东西，爱听赛金花是怎样舍出身子救了北京人的故事。于是京城内外，从贩夫走卒到公子王孙，一传十，十传百，直把个赛金花传成了舍生取义救国护民的“当代伟人”。在这期间，作为当事的主角赛金花则一直在知趣地顺水推舟，作为市场和风月场上的双料老手，她当然明白这种传闻对她生意的价值。自然，赛金花的买卖还真的为此火了不知多少。

当然，这个世界到什么时候都有不凑趣的人，在大家都在宣扬赛金花救国事迹的时候，还真的有人出来杀风景。当时作为没有跑掉的同文馆的学生，后来因帮助梅兰芳走出国门而闻名的戏剧理论家齐如山就告诉人们，赛金花的确跟德国人混过，但只是些中下级军官。他亲眼所见，赛金花与一群德国下级军官在一起时，看见瓦德西过来，吓得连头都不敢抬。身为当时北京城如凤凰一般稀罕的懂外语而且敢跟洋人打交道、并因此与八国联军做了不少生意的人，齐如山的话自然不是空穴来风。其实用不着齐如山出头指证，稍微细心一点的人只要用脑子想一想，就会发现所有的瓦赛故事包括赛金花自己的叙述，都充斥着前后矛盾，只要做一点考证工夫，西洋景就会不拆自穿。然而，从庚子以后的几十年里，想要了解真相的人并不多，不仅没有人愿意去考证事实，甚至连用脑袋想一想都不乐意，显然大家宁愿相信明摆着荒诞不经的瓦赛神话。不仅鲁迅病重将死的时候，发现赛金花被我们的剧作家封为了"九天护国娘娘"，直到20世纪80年代，一部描写戊戌维新的小说，依然沿袭了当年的赛金花救国传说。也许在今天，知道这段公案的人们中，还会有人相信赛金花真的与瓦德西有过那么一腿。

自然，高张道德主义的大旗，谴责赛金花们丧失民族气节似乎是没有多少道理的，至少在今天看来不那么理直气壮。我们不可能要求所有操皮肉生涯的人都具有羊脂球的觉悟，就是羊脂球，最大的可能只不过是作家为了谴责法国的正人君子而制造出来的一个虚幻的形象。"二战"结束后，巴黎街头那一群群因与德国人睡觉而被剃成光头游街的妇女，似乎说明法国女人的道德意识并不比落后的中国同类强多少。男人丢了城池，却让女人去坚守民族主义的阵地，无论如何也是说不过去的。更何况，妓女皮肉交易是她们的生计所系，既然我们不可能要求在异族统治下的所有人一并殉国，或者一起上首阳山学伯夷叔齐，那么就没有理由谴责妓女与外国人做生意。但是，现在的问题是事情走到了另一个极端，预料中的谴责声不知不觉地变成了颂扬的赞歌，而且唱得响遏行云，未免让人感到有些肉麻。仔细想想，其实谴责也罢，颂扬也罢，喜欢编故事和传故事的男人的心态其实是一样的，不过是将本该自己负担的东西卸到女人肩头去，开始是指望女人用莫须有的法术抵御洋人，然后又指望女人用她们的身体来救国救民。

汉人的妓女，尤其是名妓们，仿佛一直都系着特殊的民族情结。明末清初的时候，有李香君和柳如是们身体力行着民族大义，到了清朝快完的时候，又轮到了赛金花。虽然名妓们前后的行为似乎有些异样，但男人们对她们的寄托却差不太多，总是幻想自己担不起来的事情可以由女人撑起来。只是男人们的期望值随着时代的前进越发低落，在明末的时候还敢幻想着“自己”的女人通过抗争不叫异族染指；在洋人刚刚打破大门的那会儿，跟洋人做生意的妓女还特别叫人看不起，被讥为“咸水妹”；可是到了八国联军打上门来，跟洋人睡过的妓女，不仅身价百倍，而且还被赋予了救国救民的光环。也许，到了连国人最后的撒手锏——义和团的“刀枪不入”都失灵的时候，男人们，尤其是某些号称知书达理的男人，于是只好指望女人的身体了。

说说重臣

当上之所好具有正面价值的时候

上有所好，下必甚焉，这是中国人的古训。都说楚王好细腰，后宫多饿死，其时，楚王治下的众多官员的家眷姬妾如何？书上没说，不过，按情形估计，应该也在拼命减肥，做饿死或者快要饿死状。当然，楚王这种行为，由于事牵好色，按古训是要遭到谴责的，自然不足为后世训。可是如果上之所好，好得很正面，具有符合中华民族传统美德的价值的时候，又怎么样呢？从史书上看，好像也有问题。

阎敬铭是晚清同光中兴重臣中，地位重要、作用非轻，却不显山不露水的一位。阎敬铭这位西北来的陕西佬，一生崇尚节俭，传说中有许多他如何抠门的故事。不过，由他执掌户部(类似今日之财政部)，西太后老佛爷想要办个庆典，弄个热闹，花银子总要有点麻烦。他最大的功劳是阻止了重修圆明园，否则，以当时中国贫弱的现状，不知道要因此整死和饿死多少平民百姓。不过，崇尚节俭的阎敬铭，也有打眼的时候。据说此公主政山西时，一贯其节俭的风格，一上任就看上了山西的褡裢布。那时候跟现在不一样，山西是个出商人的地方，大个的商人做票号生意，掌管天下的银钱，小个的则什么都做，满世界乱窜，走到哪儿，身上都免不了有个大号的褡裢，什么都往里装。褡裢布都是特别织就的，结实耐用，价钱还不贵，缺点是比较厚和硬，不太适合做衣服。可阎敬铭不管这个，就是用褡裢布做袍子，走哪儿穿哪儿，看见下属有穿褡裢布衣服的，嘴上不说，眼睛里冒着喜欢。不久，山西的官员个个都置起了褡裢布的袍褂，外面来的官员新上任，见阎中堂之前，必然得添置一套褡裢布的行头，害得当地褡裢布价格直线蹿升，比绸缎还贵。时间一长，阎敬铭习惯了褡裢布的官场风景，如果有谁不穿褡裢布的袍褂，他反倒要不舒服了。可巧，有天还真的就碰上一位新上任的官员，穿着外面日常的官服。中堂大人不高兴了，谈话中，言里言外讥刺人家奢侈。这个官员急了，说：下官实在没有多余的钱了，添置不起褡裢布的袍褂，只好穿平时穿的衣服来见大人。到此，阎敬铭才明白自己提倡的节俭风尚，已经变成了一种新的奢侈。

地方首长所为尚且如此，如果皇帝也有同好，那么效果可想而知。在清朝诸帝中，嘉庆皇帝是个苦命人，等到他上台的时候，朝廷的钱差不多都让他那个过于张扬、也过于风光的爹爹花光了。看着空空如也的国库，他抠门抠得近乎变态，不仅自己什么钱都不敢花，甚至提倡穿补丁衣服，如果有官员真的穿了打补丁的衣服，不管官声如何，总是会令他满心欢喜。自然，效果是立竿见影的，一下子大小官员就统统简朴起来，裁缝铺里专门做补丁官服卖，比新衣服价钱还高。

今人赖昌星说，不怕官员不贪，就怕他们没有爱好。言外之意，只要他们有爱好，他就有办法攻下来。其实，这个道理古代官员们也懂。上级的爱好，在某种条件下就是他们升迁的机会。不管这种爱好是正面的还是负面的，只要有爱好，就会有人揣摩，有人逢迎，有人投其所好，真的或者真假莫辨地装作自己也有同好。道理很简单，总的来说，讨好一两个人，总比讨好众多的百姓要来得容易得多。

可人张之洞

在晚清重臣中,张之洞属于跨世纪的人物,从19世纪活到了20世纪,因此有照片传世,还不止一张。照片上的张之洞,是个一把胡子的干巴老头,没有什么招人喜欢的地方,当然也没有什么讨人嫌之处。说他是可人,当然不是因为长相,而是此老的为官之道。

曾国藩说李鸿章拼命做官,俞樾拼命做学问,言外之意是李鸿章为官有道,会做官而且能做官,做能官。但是,如果跟张之洞比起来,其实李鸿章还真的差那么一点。晚清时节,是洋人牛气的时代,但跟洋人打交道,往往要遭人非议,交涉谈判的时候,尤其如此,弄得不好,一辈子的名声就完了。这种事,李鸿章拼命做官却没有躲开,背了多少年的"汉奸"骂名,到今天也洗不清,可是人家张之洞就不然,这种事,从来都没沾过。做京官,属于"清流",有敢言之名;做疆吏,属于能臣,有洋务之功。过了半个多世纪,毛泽东还说中国的重工业不能忘了张之洞。但他就是不跟外国人谈判,不签条约。

晚清人说张之洞有学无术,袁世凯不学有术,岑春煊不学无术。其实,张之洞有学也有术,而且其术道还挺深。同光之际,清流是朝廷的一景,人称"青牛"(时人以清流谐音喻此辈),经常激清扬浊,讥讽时政,抨击权要,尤其好跟那些办洋务的地方督抚为难。张之洞在京城做清流的时候,向以敢谏闻名,号称"牛角",其战斗力可见一斑。可是,这个牛角却并没有因好顶人而丢了乌纱。1875年,四川东乡县知县孙定扬违例暴敛,激起乡民众怒,进城申辩,而孙定扬反诬乡民造反,四川提督不分青红皂白率兵进剿,烧屋毁寨,残杀无辜四百余人,酿成特大冤案。案发之后,由于事牵西太后特别宠信的吴棠(时为四川总督),任凭言官怎样弹章交加,朝野上下闹翻了天,连外国人都知道了,就是平反不了。而张之洞出面,绕开吴棠,将直接责任人孙定扬顶罪，结果立竿见影，冤案按张之洞的建议得以昭雪。1880年，宫里出了件惹得朝野大哗的事件，事情不大，却关乎西太后老佛爷的脸面。说是一日西太后让太监给她妹妹——醇亲王的福晋送几盒食物，可是送东西的太监没按规矩携带腰牌，宫里也没有事先跟守门的护军打招呼，结果护军不放行，太监恃宠跟护军吵了起来，愤激之下摔掉了食盒，回去报告老佛爷说是护军无礼，不仅不让他出去，还砸了东西。西太后闻言大怒，立即下令罢免护军都统，并将当值护军交刑部拿问，将置重典。此事由于事关已经有点开始跋扈起来的太监，所以，朝廷自首席军机大臣恭亲王以下，反应强烈，一致认为西太后处置不当，可是老佛爷就是谁的话也听不进去，坚持非要那几个可怜护军的脑袋不行。最后还是张之洞出面，不像众多谏官一上来就把矛头指向太监的跋扈，暗示西太后宠信宦官，人家从老佛爷自身安全的角度，引嘉庆时林清事件为前鉴，说明宫门护卫制度严格的必要性。话说得入情入理，不由得老佛爷不动心，最后护军得以保全性命，涉事的太监也受到了惩罚。以上面两个例子看，这个"青牛"的牛角，不但没有把人抵痛，有时还正好搔到痒处，无怪乎人家一直官运亨通。

对于张之洞来说，既然取得了科名高第(探花)，进入翰林之列，那么为官第一阶段的目标自然而然是要博取名声，博取名声在于敢说话，所以必须挤进清流中去。但博取名声的时候，也不能忘记事功，否则博的就是空名。像吴可读这种为了阻止西太后违规立光绪，以死犯谏的傻事，张之洞是绝对不会做的。当然，敢说话自然有风险，但后面的利益也大，关键在于怎么操作。事实上，对张之洞来说，身家性命、身后名节和不朽功业，哪个都不能少。进言直谏，虽说是风险投资，但他却可以将风险降到最小，把收益增到最大。这在于谋而后动的精细，在于审时度势的眼力。张之洞做清流的成功，很大程度上在于他不仅了解西太后的脾气秉性，而且洞悉每件事情的理数和要害，在进谏时不仅情理动人，还能提出切实可行的处理方案，而不是像别人那样总是斤斤计较于道德说教，要大帽子压人。

外放之后，张之洞做官的目标从博取名声切换成了博取事功，但此时的他同样在乎自己的名声，自然更要保住自己的身家性命。在历史上，作为清廷的封疆大吏，张之洞的表现应该说很不错，属于想有作为，而且有了作为的官员，很快就成为史家所谓后期洋务派的领军人物。但他在为国家和朝廷着想的同时，也一样看重自己的身家利益所在，事事精于计算，即使天塌下来，他也不会被埋进去。在著名的戊戌维新运动期间，张之洞实际上是支持变法的，梁启超以一介小小的举人之身来见，他恨不得打开总督衙门的大门，鸣礼炮迎接。在他"中体西用"的旗帜下，"西用"的范围实际上是个可以自如伸缩的大筐，所有变法的内容都可以装进去，实际上维新派也是可以接受的，至少没有办法反对。不过这种提法，却让西太后老佛爷听了受用，为自己留足了后路。显然，他不像康有为和梁启超那样天真，非要捧着一个没有实权的皇帝闹变法，在太后和皇帝之间，他的态度总是平衡的。大概他是最早看出，变法的真正症结，其实在于太后和皇帝之间的权力纠葛。因此，他不仅把自己的得意弟子杨锐送到北京，厕身四小军机，力图维护太后和皇帝之间的平衡，而且也没有像比他低一级的同僚、湖南巡抚陈宝箴那样，把所有的鸡蛋都放到一个篮子里，实心实意地投入变法，搞得动静特别大。在西太后盛怒之下，发动政变，胡桃杏子一起数，将杨锐也一并杀掉之后，张之洞没有受到任何牵累，依旧好官照做。《清史稿》一向为人诟病，但在这一点上看得却很准："政变作，之洞先著《劝学篇》以见意，得免议。"

接下来，张之洞又亲手扑灭了自立军起义，将自己的另一个学生唐才常的性命送掉，毫不手软。不久，又在武昌识破导致官民恐慌的"假光绪案"，将有宫里太监配合，长得很像、演得也很像的假光绪押回北京，避免了西太后的一次统治危机。然而，就在西太后连同所有的人都认为张之洞已经变成死心塌地的保后派的时候，北方闹起了义和团，杀洋灭教，而西太后认为西方列强支持光绪，信了义和团的"神术"，愤而支持义和团，公然对所有列强宣战。在这个兴亡存续的关键时刻，他却公然抗命，拉上刘坤一、李鸿章和袁世凯，跟各国的领事搞起了东南互保，跟老佛爷唱起了对台戏。有野史说抗命之时，幕僚草拟奏章上有这样的话：臣职守东南，不敢奉诏。张之洞言道：这老寡妇得吓她一下，改臣坐拥东南，死不奉诏！不管这事真假，反正张之洞带头不理会老佛爷的“乱命”，一任“老寡妇”被八国联军蹂躏却是千真万确的事实。如果老佛爷并光绪皇帝没有逃出来，或者逃出来死在乱军和义和团之手，那也只好让她听天由命了。

在张之洞看来，站队选择西太后，是因为当时的朝廷实际上姓叶赫那拉，为了自己的身家性命，只能选择站在优势者一边。可是，如果朝廷当政者真的昏了头，跟列强作对，属于明显地拿鸡蛋往石头上碰，真的碰上去了，多半跟领兵出征和八国联军干的李秉衡一样，在洋人的马蹄下翘了辫子。这种事情，对于一世精明的张之洞来说，是无论如何都不能干的，到了这个地步，名节又是第二位的了。在做清流的时候没有学吴可读，做了封疆大吏自然也不能学李秉衡。

张之洞的精明还体现在他的谨慎小心上，为官多年，他从来不肯弄险。有一则逸事很能说明问题，那是他生命的最后几年，张之洞被调往京城，明摆着是入军机，主持新政，但在任命没有下来之前，他到了军机处的台阶前，任凭里面的张百熙百般呼唤，就是不肯踏上那一块豆腐高的台阶半步。原来，当年雍正设立这个机构的时候，曾有这样的规矩，非军机处的人，不论官衔多大，只要非请踏上军机处的台阶，一律杀头。可是到了晚清，这个规矩早就没有人理了，但是人家张之洞却依旧如此较真，其谨慎非同一般。另外，虽然后世史家将张之洞划归洋务派或者地方实力派之列，但他跟自曾、左、李以来的一班儿跋扈的督抚还是很不一样。虽然他的确坐拥东南，兵马、人事、钱粮大权在握，办工厂、练新军都是大手笔。却很少将他办的事业，看成自己的夹袋中物。以练兵为例，虽然据说此公弱不禁风，骑马阅兵还得两个人扶着，但对于学习西方，实行军事现代化却情有独钟。编练完全洋式的新军，他其实跟小站练兵的胡炳菜一道起步，但调离两江总督任上，就将辛辛苦苦练成的自强军留给了刘坤一(结果是被人家糟蹋掉了)；回到湖广任上，又练成湖北常备军(湖北新军)，1906年调京入军机，再次交给别人统领。所以，我们在讲到现代军阀的时候，可以上推至曾、左、李，但张之洞却不在其中。这里面的缘故，很大程度上在于他的谨慎小心，他不想在朝廷或者历史面前留下任何一点可能危及其名节的把柄，其用心跟扑灭太平天国之后，曾国藩遣散湘军是一样的。忠于清朝是他精心维护的名节之重心，对于这一点，他实在不想令其染上任何的污点。用他自己的话打个比喻，在事功和名节面前，名节肯定是体，而事功只能算是用。

正因为如此，做京官的时候，张之洞要做清流，尽管事实上没有得罪人，反而因此获得利益，但一定会博得“敢言”之名。这种名声背后的潜台词，就是刚正不阿，属于忠臣之本。出来办洋务，不论事情办得多么声势浩大，但对朝廷，却绝不能有大的违拗，关键时刻，甚至不惜用变革者的血，洗刷自身的名节。但是如果朝廷昏到了让他白白去送死的关头，那他还是会将保全自己的身家性命放在第一位。显然，这是所有处事精明者的共同底线。

这时候，我们发现了，对于会做官的人来说，无论这个体那个用，“体”弄到最后就是自己的躯壳，顶多再算上自己家人的躯壳。体就是体，如此而已，岂有他哉？

鸡犬升天之后

中国人中被传为得道升天的人很多，刘安是其中最为奇特的一位。据说他上天之后舍不得家里的鸡犬，成天茶饭不宁。没奈何，安排他上天的神仙又费心将他家的鸡鸭鹅狗统统带上天。另一种说法是刘安在将升未升之际，将丹药撒在地上，结果家中的鸡犬吃了也升了上去。按前一种说法，刘安不过是个“有道”的土佬；按后一种说法，刘安就是汉代那个风流儒雅的淮南王，好客，好书，也好神仙方术，但是还是没有能逃脱宫廷斗争的牵累，死于非命。显然，人们更喜欢的还是前一个刘安，虽然土得掉渣，但的确可爱煞人。人们说起“一人得道，鸡犬升天”成语的时候，想到的多半是这个土佬刘安。只不过，后世的人们在引用这个成语的时候，已经在很大程度上篡改了刘安同志的光辉事迹，每每用它比喻一个人做了官发了财，家人亲戚统统跟着沾光的现象。

在当下的语境里，“鸡犬升天”基本上属于贬义，安到谁头上，都跟骂差不多。不过，话又说回来，人们在说谁家鸡犬升天的时候，其实话里话外多少是有几分艳羡，几分醋意，比酸葡萄味还要重些。在一个以家庭或者家族为本位的古代社会里，发达者照顾家族和亲戚，本是理所应当之事。所以看见鸡犬升天的事情，贬固然是要贬的，但骨子里未必就不赞成，只要自家有机会，总是免不了要实践一下鸡犬升天的境界。只是在这个境界里，发达者和他攀龙附凤的亲戚心境有所不同。想攀的人实践鸡犬升天的心情更迫切些，恨不得一步登天，而被攀的感觉相对复杂，一则有荣耀之感，二则有时也难免会被拖累得暗暗叫苦。我们自古以来推崇“有福同享，有难同当”，有光，亲戚之间沾一点或者更多，好像历来是理所应当的。如果有光不让亲戚沾，那倒是要有点勇气，即使那些亲戚并没有跟你有难同当，甚至还落井下过石，到时候人家来沾光，似乎也没什么不应该的。显然是只要一人得了道，那么鸡犬自然就会一拥而上，跟着升天去也。

同样的道理，几个志同道合的好朋友一起创业，共患难的时候，大家往往齐心合力（亲戚自然不会沾边），一到渡过难关发达起来，轮到同享福了，却往往会起了分歧，最后不闹得乌眼鸡似的你死我活，就算幸事。因为一旦有福可享了，各自的身边就有各自的亲戚了，鸡犬来了，鹅鸭也来了。时间一长，原来的患难兄弟就分成各自的亲戚集团，再在一起共事，想不起意见都难。

鲁迅在谈到袁世凯的时候说过，中国的猛人身边总有一批包围者，事都坏在包围者身上，围垮了一个猛人，大家再围另一个。其实，猛人最贴身的包围者就是自己家的鸡犬，比如袁世凯称帝，那个连报纸《顺天时报》都伪造好了送给他看的人，就是他的犬子袁克定。

所以，中国人是相当聪明的，当年编这鸡犬升天传说的人，就已经知道这升天的结果好不了。所以，他们给刘安安排了一个啼笑皆非的结局，说是刘安升天以后，不谙礼数，“起坐不恭”，于是被人弹劾，要受惩罚，幸亏有人（仙）说情，才算放过，但仍然被安排去看厕所。有人知道这个结局之后，还写诗质疑刘安：“身与仙人守都厕，可能鸡犬得长生？”（周密《齐东野语》卷十）大概刘安上天以后，一群鸡鸭鹅狗成天跟着，四处聒噪，四下方便，弄得天界大乱，噪声超标，卫生不达标，因此才会将刘安同志发到环卫部门去，让他将功补过。刘安命运如此，那些跟上天的鸡犬呢？书上没说。不过，我想，既然连刘安都差点受到惩罚，免罚之后，还被打入另册看厕所，这些惹祸了的鸡犬，如果不赶紧逃下界来的话，那么很可能要进仙人的厨房了。

看来，从鸡犬升天到任人唯亲，再到家散人尽，这样的三部曲从古时候就开始在演了。

两只老虎跑得快

中国的抗战，产生了特别多的英雄，也产生了特别多的汉奸，最大的两个汉奸，要算是汪精卫和陈公博。虽然这两个人做汉奸时，能控制的区域，不过长江三角洲周围巴掌大的地方，但在名义上，他俩却是中国最大的傀儡政府的魁首。虽然在为虎作伥、跟日本侵略者合作方面，做得不见得比别的汉奸更多，但影响却最大。抗战胜利后，将他们钉在耻辱柱的最顶端，应该是名实相副的。

汪、陈二人政治上是搭档，生活上也是好朋友。原本汪精卫出走的计划，陈并未参与，可是到了汪已出走，日本人却改变前约，不给汪一个体面的台阶，而原来参与密议的高崇武、陶希圣竞相逃离的时候，陈却从香港来到了上海，一头扎进了“火坑”，说是要够朋友，讲义气。

汪精卫是国民党的元老，也是国民党的能臣，他和胡汉民两个，原是孙中山的左膀右臂。国民党统治时期，大家每周都要背诵的“总理遗嘱”，就是汪的手笔。辛亥年广州起义失败，汪精卫愤而进京，刺杀摄政王，“引刀成一快，不负少年头”，谁不钦敬？汪更一表人才，风流儒雅，不知引得多少闺秀名媛仰慕。胡适曾经说，如果汪精卫是个女人，他会死心塌地地爱他。当然，是男子，也爱。汪夫人陈璧君体态臃肿，相貌一般，但汪精卫却一直洁身自爱，连丁点的绯闻都没有过。那时，国民党内，渔父(宋教仁)之才，兆铭(汪精卫)之德，都是大家公认的。汪精卫投敌后，国民党内元老一片哗然，差不多都会提到那句诸葛亮骂王朗的话：“卿本佳人，奈何做贼？”有痛恨，也有惋惜。

在国民党的革命谱系里，陈公博出道要晚得多，此公先是追求共产主义，中共建党的第一次代表大会，12个代表中间，就有他一个。只是进得快，退得也快，会还没开完，就闻警开溜，一直溜到美国去留学。留学回来，才混进国民革命的队伍。陈再作冯妇之后，很快就得到汪精卫的赏识，从此收入帐下，成为汪系国民党的干将。跟汪不同，陈公博是才子型的人物，大块头的理论文章能写，诗词歌赋也来得；最关键的是，醇酒妇人从来少不了，下野时如此，当政时也如此，而且从来不避人，夫人也不因此而喝醋吵闹。泡歌女，捧戏子，养情妇，风流韵事多得到了让人惊掉下巴的地步。据说曾写过一首夫子自道的诗："天下荒唐第一，古今才智无双，燕赵吴越孤心赏，任凭他人短长。"说得相当实在，此公的确是走到哪儿，风流到哪儿，燕赵吴越，不论多情的楚娃，还是"天下白"的越女，到处流情，不管别人白眼还是黑眼。1930年蒋、冯、阎大战，汪精卫和陈公博拉着改组派跟冯(玉祥)、阎(锡山)掺和，在战火纷飞的时候，到了人家阎老西的地盘上(山西)，居然也没耽误泡戏子，看上了一个唱梆子的女伶，结果跟当地军阀的"同情兄"撞了车，差点被人赶走。

在大的政治格局里看，似乎政治人物的私德跟政治上的表现没有多少关系；两个人，一个一尘不染，一个曳尾泥涂，却殊途同归，一并做了汉奸，其实并不尽然。国民党是个没有打算跟传统决裂、却又习染了西方政治风尚的集团，汪精卫在党内，一直以孙中山的继承人自居，虽然在跟蒋介石的争斗中总是处于下风，但始终没有被平掉。也就是说，他至少在他自己体系内，是头，而且从来也没有断了当整个国民党首领和中国领袖的心思。无论是传统的政治语境，还是西方的政治风尚，个人的私德是必须讲究的，尤其是领袖人物的私德必须靠得住。所以，汪精卫只要领袖的感觉存在一日，就必须做一日的不粘锅(其实，他的政敌蒋介石也一样讲究，自从跟宋家结亲之后，荒唐事就没有了)。而陈公博尽管地位不低，但毕竟在"领袖"的下面，是"臣子"，主要的任务是给领袖奉献才智，所以就无所谓了，得风流，就风流一下。

说来有意思，汪记国民党，一直是站在左翼的立场上，跟蒋介石过不去的。他们一直以为,自己在革命的道路上,跑得更快。最后做了汉奸,虽然自家有下地狱救国家的借口,其实也不过是政争失势后寻求出路的一种选择。当然,这种选择,背后有对国际形势的错判,有对中国抗战不可救药的悲观估计。说到底,汪、陈二人,还是在个人名利的路上跑,而且跑得太快了。

翰林与弄臣

在中国古代社会相当多的时间里，翰林一直是个令人羡慕的头衔。明清两朝，科举考试的金字塔的最后一层殿试，凡是名次靠前的都要入翰林。三鼎甲状元、榜眼、探花，按例成为正式翰林，即翰林院修撰与编修，其余的则是见习翰林、翰林院庶吉士。只有极少数的人殿在三甲，却因朝考优异也被选入翰林的，比如曾国藩，还有鲁迅的祖父周福清。

翰林的官衔并不大，除了少数几个侍读学士和侍讲学士是五品之外，其余的概为“七品芝麻官”。但是翰林很牛气，一是表现在“面”上，做了翰林，虽然只七品也可以挂朝珠，着貂褂，而其他的官只有到了五品方有资格挂珠，三品才可以着貂褂。二则是实惠——升迁特快，前程远大。翰林外放（出京做地方官）被称为“老虎班”，升得特别快，一般正式的翰林经过京察之后，可以直接以七品知县升为四品的知府；几年工夫，如果不出意外，就可以爬到省一级的按察使或者布政使，进而独当一面的巡抚和总督。就是见习翰林，考试不合格而外放出京，升得也比一般进士快一些，因为那些由翰林出身的大员总会对他们高看一眼。就是留在京城的，虽然比起外放的人升得慢一点，但只要一进太子詹事府（明代有实事可做，而清代由于不立太子，所以没有具体事务，但机构仍存），用不着“下放锻炼”，几年工夫就可以直接升为各部的侍郎（副部长）和尚书（部长），绝非其他出身者所敢望其项背。翰林出身的人不仅在官场上升得快，而且在多数情况下，只有他们才有望爬到最高层。明代的中枢机构内阁的前身，就是帮朱元璋办事的几个翰林，所以后来非翰林出身的人一般就入不了阁。内阁是明代的最高决策中心，能混上“阁老”，是有明一朝做官的人人都巴望的事情。清代的内阁虽然没有实权，但入阁者地位却最尊，所以人人都看着眼热。同样，不是翰林出身，也入不了阁，而入不了阁，死后的谥号，就加不上个“文”字（清代）。清代大概只有左宗棠一个例外，以举人的身份入了阁。近代大大有名的几个人物，像林则徐、曾国藩、李鸿章，之所以被称为林文忠、曾文正、李文忠，就是他们都出身翰林，而且有大学士的头衔。而且事实上，清代的实际中枢机构军机处里，满人除外，汉人军机不是翰林出身的也非常少。

翰林还有两个非常的机遇，是其他出身的人所巴望不上的。一是可以教皇子们读书和陪皇帝读书，前者实际上成了皇家的“西席”（私人老师），在对“师道”颇为看重的古代，显然地位非比寻常；后者等于皇帝的清客或者幕僚，地位虽说不高，但是总在皇帝身边，不论大事小事都能说上话。清代翰林如果挂上了“南书房上行走”、“上书房行走”的头衔，不亚于一步登天，成为可以接近皇帝的“秘书”，只要对应得当，不愁日后没有高官可做，大轿可乘。清代自打康熙起，皇帝读书的地方南书房就是一个隐形的决策中心，进到里头“行走”一番，自有无穷的好处。翰林的第二种机遇是被派出去当各省乡试的主考和副主考，或者出任各省的学政，主持一省的学校事务。这种差事，实际上是掌握了读书人能否进入士阶层的大门的钥匙，进了门（中了秀才）能不能参加乡试，他也说了算。凡是得了这种差使的人，都尊荣得了不得，主考副主考是皇帝的钦差，各地官员迎送必须是最高规格的；学政虽然品级不高，有的地方甚至就是翰林编修直接去做，但是官虽仅仅七品，到任时总督或者巡抚得亲自迎接，因为他们做的是最清高的学务大事。平时省级官员议事，学政与督抚平行，知府以下均对之持属员之礼，尽管这些人可能都比学政官阶高。因为学政虽然不是名正言顺的钦差，但却被视同钦差。获得这种机遇的翰林，由于干的是主持考试选拔人才的活计，所以凡是由他们选拔出来最后又登第的科甲之士，都算是他们的门生。以后门生出息了，互相标榜，水涨船高，个人的势力就起来了。

在那个时代的官场上，以上诸多好处中哪怕只有一项，也会令人趋之若鹜,更何况一下子有这么多。所以,凡是抱定学而优则仕的人,莫不以进翰林为荣耀,进了翰林,就意味着文理优长,才干卓著。做翰林,不仅意味着今日的清要,而且预示着他日的显贵。然而,翰林这个官衔在开始出现的时候,光景却大不一样。翰林始创于唐玄宗,严格意义上讲,它不是一种官衔,而是一种行政系统以外的差遣,不讲官阶,更没有官署,说白了就是陪着皇帝玩的,因此当时叫翰林待诏或者翰林供奉。唐朝诗风大盛,从王公贵胄到市井歌妓,人人都喜欢吟诗作赋,皇帝自然也不例外。是真的爱好也罢,附庸风雅也罢,找几个诗作得好的人在身边,总是件赏心悦目的风雅之事,所以,翰林中文学之士占了很大比重。大诗人李白就干过这个"买卖",至今民间还流传着许多关于这位下凡的"太白金星"的种种传奇故事,如李白趁着酒劲让高力士脱靴,叫杨贵妃捧砚之类。是不是真有这样牛气,现在已经无从查对,不过,就算有过类似的事情,大概也是喝醉了仗酒胆干的,醒了以后肯定会后悔。有材料说,有次唐玄宗在便殿开宴,冷不丁地问李白:"朕与天后(即武则天)任人如何?"李白答道:"天后任人,如小儿市瓜,不择香味,唯取其肥大者;陛下任人,如淘沙取金,剖石采玉,皆得其精粹。"马屁拍得也可以。李白尽管已经屈尊拍马屁了,但是他所梦寐以求的济世安民、治国平天下的大事,唐玄宗还是一件也不让他沾边。他所能干的,无非是写点新诗给皇帝看看,或者像歌德一样,给普鲁士国王改诗——"洗脏衬衣"。最后李白也急了,"天子呼来不上船,自称臣是酒中仙",恃才傲物过了头,结果自然是"赐金还山",走人完事。

翰林供奉也并不仅仅只有文学这一类,玄宗时有个叫王如的人就"以伎术供奉玄宗",居然得宠而为女婿求进士及第,玄宗甚至还答应了,只是被主考官挡住了,才没得逞。这个所谓的"伎术",可能就是魔术杂耍之类的东西。看来,当时所谓的翰林供奉,凡是能让皇帝老儿开心的人都可以列入。李白虽然诗名满天下,但是在唐玄宗那里,其地位和汉武帝跟前的东方朔差不多,一介弄臣而已。正因为如此,李白才可以偶尔放肆一下，皇帝也不会跟他较真儿，从来弄臣都有说话出格的“特权”。看来翰林这种不是官的差使，之所以能够出世，就是因为唐玄宗这个“太平天子”当得太腻，需要找各色人等解闷开心。《新唐书·百官志》云：“翰林院者，待诏之所也。唐制，乘舆所在，必有文辞经学之士，下至卜医伎术之流，皆直别院，以备燕见。”这里的“燕”就是燕飨，即我们今天所谓的吃喝玩乐。也就是说，平时，这些人得“时刻准备着”，皇帝每到想乐一乐的时候，就把这些人召来，雅一点的就玩诗，俗一点的就吞火走索、变戏法。不光诗赋和伎术，连唱戏的俳优也跟唐玄宗混得精熟，据说，唐玄宗还亲自下场打鼓，至今梨园行还将这位风流天子奉为祖师爷，鼓师的地位也特尊。翰林的这种弄臣身份，直到宋代余风犹存，宋代官制中还有翰林茶酒司之名，与后日的“清要”两个字真是不沾边。

不过，翰林作为纯粹弄臣的时间并不很长，大概是李白还山不久，唐玄宗就开始要那些有文才的翰林帮他起草诏令，批答表疏，将本来属于中书省的活计揽了些过来。也许是因为中书省太忙，以致文书积压，也许是皇帝嫌中书省碍手碍脚，所以把权揽到自己身边，便于控制。显然，第二种的可能性最大。翰林（只能说是某一些）从弄臣变成了帮手，也不好再叫供奉，于是就有了“翰林学士”的称谓。玄宗之后，随着唐王朝的日益衰落，虽然翰林学士依然是制度外的差使，但事权越来越重，在政治中枢中占据了相当重要的位置。凡任免将相、册立太子、宣布征伐等诸项重大事务，其诏令均由翰林学士起草。这种诏令用的是白麻纸，以区别于中书省起草的黄麻纸诏书。再到后来，干脆由翰林学士来兼中书舍人（中书省具体负责起草诏令的官），宰相也大多由翰林学士出身。几朝过后，翰林原本弄臣的痕迹也没了，终于演变成了我们前面提到的那个样子。

在劣绅与藏书家之间

清末民初，湖南湘潭出了位顶风臭十里的人物，名叫叶德辉。此人中过进士，做过吏部主事之类的官，后来不知怎么弃官不做了，回到长沙做起了乡绅。那年头，做乡绅需有乡绅的规矩，不仅要为乡里办点公益，而且行为上也要有点讲究。可是叶德辉不，他要做名士，我行我素，爱做什么做什么。不过，名士放浪形骸，不拘礼法，但却不做坏事害人，可叶德辉这个名士，却什么都做，狂嫖滥赌，他做；抢男霸女，他做；囤积居奇，他做；夺人家业，让孤儿寡母扫地出门，他还做。不仅坏，而且阴损。戊戌维新那年，攻击变法最疯狂的，就有他一个。不仅对湖南新政大加阻挠，而且还为政变后的反攻倒算，提供了不少黑材料。康有为打着孔子的旗号变法，大家都心照不宣，就他说康有为"其貌则孔，其心则夷"。清朝覆灭前一年，长沙大饥，他不张罗救灾，却趁机囤积粮食，对长沙的饥民抢米风潮，起了推波助澜的作用，把个朝廷查办事端的官员，恨得牙根痒痒，如果不是革命来得快，也许就办他了。

进入民国之后，叶德辉顽劣如故，甚至变本加厉，逮谁骂谁，以至于袁世凯时代的湖南督军汤芗铭拿了他，要就地正法，后来还是王闿运在袁世凯面前说了句话，才平了事。那时候，人们提到"劣绅"两字，估计十个人有九个会想到叶德辉。60岁以后，此老开始钻研房中术，刊印《素女经》，卖火了一把，赚了不少"贩黄"的钱，而且还收买了若干十五六岁的少女，在家里日日操练。不过，吃过汤屠户的亏，叶德辉开始在军阀身上下工夫，此后湖南走马灯似的换主人，你来我往，谁都要给叶德辉面子，尽管国人皆曰可杀，但再也没有官家来动他了。反过来，长沙的"高尚"社交场所，倒总是有叶德辉的影子，一脸麻子，面目可憎，却高谈阔论，嬉笑怒骂，旁若无人。

叶德辉的晦气，是大革命带来的。1927年北伐军扫过湖南，农民运动风起云涌，湖南半是投身革命的唐生智的天下，半是农民协会的天下。在农民运动的冲击下，原来的乡绅大多变了“土豪劣绅”，威风扫地，被戴上高帽子游街的，不知凡几。按道理，在此情形下，叶德辉应该收敛才是，可是这家伙不，依然说三道四。当时湖南农民协会的首领是柳直荀，就是毛泽东答李淑一词中，“我失骄杨君失柳”的那个“柳”，很是能干，农会搞得十分火热，掌握了省团防局的武装，声势浩大，动辄捉了土豪劣绅戴高帽子游街。那时，四乡农民，经常进城开大会。一次，叶德辉对人说，他为农会拟好了一副对子，上联是：“农运宏开，稻粱粟麦黍稷，无非杂种”；下联为：“会场广阔，马牛羊鸡犬豕，尽是畜生”，横披：“斌尖卡傀”，意思是不文、不武，不大、不小，不上、不下，不人、不鬼。

事情的结局是不言而喻的，消息走漏，叶德辉被早就恨死了他的农会抓了起来，公审之后，喂了一粒铜花生米，翘辫子了。闻听叶德辉被抓，章太炎发了个电报来求情，说此人固然该杀，但念他是个读书种子，还是饶他一命为好，电报到的时候，叶已经去西天多时了。

当然，章太炎的说法也不错，叶德辉人虽然坏，却真是个读书种子，不仅书读得多，而且藏书特丰，近代书家，谁人不知景梅阁（叶的藏书楼名）者？叶德辉的目录学兼读书札记的《书林清话》，直到今天，依然是此行当的必读书。只是，能读书而且有见识，却掩不了叶德辉的恶行，湖南农运，过火的行为不少，但杀叶德辉，却是他罪有应得。晚清绅士劣化，叶德辉要算是典型，在他身上，反映的是一个转型时代社会中坚层的某种带有典型意义的趋向，只要有转型的情势，类似的堕落就免不了。

一出掉包戏的台前幕后

晚清的官场多事，最富戏剧性的事要数杨翠喜案。杨翠喜本是天津的名伶，色艺俱佳，很受津门闲人的喜爱，可是突然有一天，美人从艺坛消失了；不久，地球人都知道了，原来佳人已属沙陀利，被当时权势最大的庆亲王奕劻之子，官拜工部尚书的贝子载振，藏之金屋。

当然，美人杨翠喜不是自己花落贝子府的。那是日俄战争之后，载振奉命到东三省视察，路过天津，北洋大臣袁世凯设宴招待，席间杨翠喜献艺，载振一见之下，不觉忘情，手为之舞，足为之蹈。后来的事情就很简单了，杨翠喜进了载贝子的卧室，她成了某人送给贝子的礼物，随同大活人进献的据说还有十万雪花银。送礼的，就是出自袁世凯门下，现任道台的段芝贵。不久，段芝贵一跃，由一个“地级干部”变成了署理黑龙江巡抚，跻身方面大员的行列，这样的破格提拔，据说在清朝还没有先例。

此时，晚清的吏治，早已坏得一塌糊涂，即使如圣眷隆隆的岑春煊，要想整顿，也只能铩羽而归，所以庆王父子才敢如此大胆妄为，让卖官者破格得售。不过，吏治虽坏，朝廷反腐败的旗帜却并不倒，只是在反腐的背后，总是有权力斗争的影子。庆亲王奕劻虽然势大权重，但他也有政敌，政敌就是朝中的军机大臣瞿鸿禨和地方大员岑春煊。在李鸿章之后的政坛上，瞿、岑的联盟虽然在和奕劻与袁世凯联盟的斗争中，总是处于下风，但却并没有被彻底打垮，时不时，总要出来弄点事，恶心一下对手。

地球人都知道的杨翠喜事件，给了瞿、岑一个看起来绝佳的机会，于是，瞿鸿禨的门生，现任御史的赵启霖，跳出来奏了一本，把事给抖搂了出来。事既然给捅出来了，彻查的官样文章是必须做的，一个以醇亲王载沣和孙家鼐为首的"调查组"组成了，在调查组还没有动身之前，袁世凯命令手下干员杨以德，马上将杨翠喜从贝子府转移，让盐商出身的商务局总办王竹林顶杠，充作杨翠喜的丈夫，并亲口教好了两人如何答对。总之，待到调查组进入现场，一个移花接木的掉包计，已经把张冠扣在李姓的脑袋上了。

醇王爷和孙家鼐也不是糊涂人，他们带人来了以后，大家你知我知，天知地知，睁着眼睛装糊涂，孙家鼐问了问王竹林和杨翠喜，录了原本是杨以德操办的口供，然后就回京复命。一场大案，烟消云散，御史赵启霖丢了官，载贝子也自请辞职，国家又回到了安定团结的大好局面。显然，瞿鸿禨和岑春煊不出面，谁肯卖力查呢？也许，他们看出来了，西太后根本也没有下决心，奕劻和他的宝贝儿子还都在位置上，袁世凯更是大权在握，事件根本没有波及他。按袁世凯的说法，案件大事化了，是因为奕劻平时人缘好，为人厚道，所以大家帮忙。

清朝自所谓的同光中兴以来，官场有种相当怪的现象，凡是有用、能干的官员，大抵声誉不佳。曾国藩之后，这种现象愈演愈烈，到了袁世凯的时代，朝中最有用的能臣袁世凯，居然跟最为贪黩的奕劻结成最牢固的联盟，靠收买奕劻实现他的政治抱负。这个奕劻，被英国《泰晤士报》著名的记者莫里循称为中国声名最恶劣的人物。杨翠喜案，段芝贵买官，袁世凯参与与否，于史无证，不好说，但从后来的弥合掉包来看，他未必就不知情，况且，段芝贵得官，也合乎他一贯的扩张势力的初衷。客观地说，袁世凯在晚清的变局之中，于改革事业没少作贡献，清末新政的每项事业，几乎都有他的份额，从行政、警政改革，到预备立宪。在推行改革的同时，他个人的势力也迅速膨胀，形成了唯他马首是从的庞大的北洋系，这一切，都离不开庆亲王奕劻的大力配合。而奕劻作为皇室宗亲，居然全不顾自家祖宗的江山社稷，甚至在辛亥年，袁世凯逼清帝退位，他也配合，那副嘴脸，连当时还是个孩子的溥仪，多少年后都记忆犹新。等到奕劻死的时候，家属求谥号，这个关起门来做的小皇帝，居然要赐个“丑”字给他。

都说，树倒猢狲散，其实树还没倒，猢狲就已经散了，身没散，心散了，即便根正苗红的自家人，也未必靠得住，大家早就利用眼前的权势，铺好了退路。

卧辙代表

在清代，地方官离任的时候，这个地方的绅商都得表示一点挽留的意思。比较通行的方式是送“万民伞”，意思是这个父母官，像伞一样遮蔽着一方的老百姓，送的伞越多，表示这个官越有面子。当然，有时候也会有更热烈的表示，那就是当官上路的时候，组织一群人拦车或者拦轿，虽然最后人总是要离开的，但那场面还真有点感人。

当然，这种事，有真的。不过，如果在这个官被撤职或者降职的时候，当地还有人送伞，甚至拦轿，说明这个官绝对是个清官或者好官，而且当地人同时又有情有义。可惜的是，在多数情况下，所谓万民伞之类，多半是当事人自己操办出来的。当地人看在离任官员即将升官的面子上，一般都不拂其意，怎么也要表示一下，不过如果需要大力度的表现，比如组织拦轿拦车什么的，那就需要离任者出点血了。某些官声不佳的人，连一般的万民伞都得出点血，否则没有人乐意操这个心。当然，也有官声不好，不肯出血，却非要伞不可的，那就是放赖不肯办交代，逼接任者为他张罗。

进入民国以后，地方掌权的人，逐渐换了军人，军人的脸皮比较厚，横征暴敛，营私舞弊，做事情不在乎人家怎么说。很多地方，20世纪20年代的田赋已经征到了21世纪20年代，小老婆讨了N个。不过，军阀也有好面子的，如果有机会换个地方当头，也有人热衷搞一点万民伞之类的噱头。1917年，冯国璋以副总统继任总统，必须离开南京，于是把他的亲信江西督军李纯调到南京，做江苏督军。李督军在历史上，没有多少声响，除了二次革命时打过国民党之外，似乎也没有做过什么坏事，只是有点好面子，讲虚荣（否则大概后来不会自杀），从江西调到江苏，等于升值，走的时候，总要风光一些。于是在他的安排下，江西的绅商一如前清时节，送万民伞，发电报挽留，沿大街安排商家预备送别席，而且还推举了一个老绅士做“卧辙代表”，意思是在李督军上路的时候要躺在车前拦驾。只是那时候已经有了轮船，从南昌到南京一般是坐轮船的，不知道到时候是否把老绅士丢到江里去。当然，所有的这一切，都有代价，就是说，由李督军埋单的。

比起依权仗势，以强力胁迫老百姓对其表示欢迎或者挽留的，这种花钱买感情的方式，其实还算是温和的，温和虽是温和，却多了几分肉麻。只是拿肉麻当有趣，从来都是政界人士的特殊爱好，这一点古今大同小异。一位现任的地方官说过，现在选拔干部，得有一部分能干事的，有一部分老实听话的，还得有一部分拍马屁的。他强调说，如果没有拍马屁的，咱们当官图个啥？其实，这些人明知道拍马屁的说的不是真话，跟他也没有真感情，但就是要听他们的好听的，一天不听，就浑身难受，不用说，这是种瘾。我们知道，在实际的生活中，拍马屁的诸公，不仅说好话，灌迷汤，而且会组织人员装出灿烂的笑容，欢迎或者挽留，如果必要，卧辙代表或者卧辙群众都会有的。跟过去不一样的是，今天的万民伞、送行宴或者代表什么的，所有的花费都可以堂堂正正地由公家报销。用时髦的话来说，就是直接由纳税人埋单，而且组织活动的人，还可以在年终的时候，把这些活动算作政绩。

谁说中国人没有进步？呸！那是万恶的旧社会。

官运挡不住的人

从晚清入民国的大人物中，徐世昌算是地位很高的一号要角。在晚清位极人臣，做到军机大臣，太傅衔太保，进入民国，做过袁世凯的“国务卿”（内阁总理），最后居然成了民国大总统。可是细想起来，此公虽然一路大官做上去，但好像什么事也没做过。他参与过袁世凯小站练兵，但兵不是他练的；他做过清朝第一任的巡警部尚书，但警察也不是他办的；他做过东三省的总督，好像除了让自家的宦囊鼓了好些之外，没留下什么政绩。至于在民国做总统，本是傀儡，姑且不论，给袁世凯做国务卿，连主子要做皇帝，都没帮什么忙。这样的人，你说他好吧，没做什么好事，你说他坏吧，也没什么坏事他是祸首，就是官运亨通，挡都挡不住。曾国藩说过，俞樾拼命做学问，李鸿章拼命做官，他都赶不上。但是拼命做官的李鸿章也赶不上徐世昌，没有过上一把总统的瘾。

不过，徐世昌的官运在入仕之初，并不那么好。虽然金榜题名，而且入了翰林，但一连八九年，却连一个外放学官的机会都没有。清朝的翰林，有黑红两分，红翰林，可以上天入地，上天则到皇帝身边“上行走”，沾着皇家的仙气，皇帝的恩典，福分自然小不了。入地则是外放学官，做主考或者学政，收一堆弟子门生，和弟子门生的孝敬，当下可以享用，日后可以援引。而黑翰林则两下都不沾，既上不了天，也下不了地，干在京师苦熬，除了同乡同年的地方官进京的时候可以打打秋风之外，自己也许还可以混个饱肚子，家人仆役未免吃不上穿不上的，袍褂都时常要进当铺，用的时候再赎出来。不用说，徐世昌就是这样一个黑翰林。

终于，徐世昌熬不下去了。甲午战败之后，袁世凯接替胡燏棻在小站练兵，邀请徐世昌来帮忙，徐居然欣然从命，到新建陆军营务处公干。那时节，翰林属于清望之职，科举金字塔塔尖上的人，黑翰林固然穷点，但去军营谋事还是绝无仅有的稀罕事，像徐世昌这样的正式翰林，即便是外放做地方官，都算是丢人，自降身价，跟丘八混在一起，似乎连想都不用想。

别个想都不敢想的事徐世昌做了。事实证明，这一步，他走对了。徐世昌日后的功名利禄，都在于他做了这么一个当时看起来很不可思议的选择。事实上，徐世昌的仕途蹭蹬，很大程度上在于他上头没人（靠山），而毅然投身小站，意味着他买了官场潜力无限的绩优股，对于袁世凯来说，尚未发迹的他，有一个翰林来做幕僚，对提高自己的身价，无疑有莫大的好处；对于徐世昌而言，一可以解决经济困难，二算是押宝，博一下，总比困死在翰林院要强，事实证明，他的运气很好，这一宝压下去，以后的富贵荣华居然全有了。

实际上，徐世昌是个很会做官的人，自从跟对了人之后，官运亨通。庚子以后，袁世凯一跃成为继李鸿章之后中国政坛的台柱，徐世昌也随之进入最高层，时而尚书，时而总督，时而军机大臣，最奇妙的是，1908年西太后和光绪相继去世之后，满族亲贵要当家做主，排挤袁世凯出局，但徐世昌却得以保全，不仅如此，他还在后来的皇族内阁中担任仅有的两个协理大臣（副总理）中的一个，要知道，在这个内阁中，满打满算，汉人才四个，而徐世昌是地位最高的一个。

会做官的人都喜欢做官，自从庚子以后，清朝实行新政，徐世昌要缺、肥缺一个接一个，巡警部、邮传部、东三省总督，内阁协理大臣，辛亥革命的时候，还趁乱从清廷拿到了太傅衔太保的名义，不仅在实际上而且在名义上达到了清朝官员的最顶点。清帝逊位，作为太傅衔的太保，总不好意思马上做民国的官，闲了下来，跑到青岛跟一班遗老遗少混在一起，做了若干台诗钟，未及两年，终于熬不住了，袁世凯改国务总理为国务卿，请徐世昌出山，徐世昌食指大动。然而他真心做遗老的弟弟徐世光看不过去，出来横挡，苦劝兄长不能为袁氏之官，辜负清朝的皇恩。哥俩熬了一夜，弟弟哭，哥哥也哭，哭到天亮，哥哥还是上了火车，不久成了袁世凯的国务卿。袁世凯的大儿子和一群幸臣，发起洪宪帝制，徐世昌自恃身价，没有积极响应，帝制成，袁世凯尊徐世昌为“嵩山四友”，说是不好意思让老朋友称臣。徐世昌当然明白是什么意思，很是不爽，对人言道：所谓嵩山四友，就是永不叙用。他明白，官瘾极大的他，从此在袁朝想做个弼马温亦不可得矣。

好在袁世凯的帝制很短命，在此后的军阀争斗中，徐世昌凭自家多年练就的身段和功夫，最终做上了民国大总统。

晚清号称士官三杰之一的吴禄贞曾经这样评价徐世昌的左右（时徐为东三省总督）：“议论皆文明，样子皆标致，救东事则不足，坏事则有余。”（注：东事即指东北边疆之危机）其实，有什么样的幕僚，就有什么样的东家。在中国，就是这样的人，才官运亨通。成事不足，败事有余，但成事不是他的创意，败事也不是他的首恶。功夫都在“样子”上，至少在上级看来，这种人的模样和做派总是那么可爱，老成稳重，静若处子。

总理县长唐绍仪

总理是指国家内阁总理，县长是指广东省中山县的县长，在这个世界上，有这么一个人，先做总理，后当县长，两个职位之中，官小的比官大的干得更有兴致，此公就是唐绍仪。

唐绍仪本是农家子，按道理很难出头，可是人家命好，赶上了曾国藩派容闳组织幼童公派留学美国。大江南北，士绅人家子弟打死也不肯去，最后不得不便宜了风气已开的广东人，唐绍仪就是其中之一，另一个大大有名的人物叫詹天佑。

幼童留学事业后来因国内顽固派的反对而提前中断，回国的唐绍仪好一段时间都郁郁不得志，有幸的是，很快他就跟袁世凯结识，从此成为袁的智囊之一。晚清最后十几年，唐这种有着几乎是最早的留洋经历的人物特别吃香，又加上袁世凯的援引，唐逐渐躐升为方面大员，成为晚清的重要人物。

辛亥革命起，随着袁世凯的复出，唐绍仪被委以重任，担任南北谈判代表；谈判成功，袁世凯继任临时大总统，唐绍仪出任民国的第一任内阁总理。我们知道，当初孙中山当大总统的时候，采用的是美国的总统制，不设总理，由总统直接统辖内阁。在交权前夕，为了限制袁世凯，临时起意把政府改成内阁制。显然，老谋深算的袁世凯不可能入其彀中。这样一来，唐绍仪这个内阁总理注定是要不讨好的。可悲的是，受过美国教育的唐绍仪，当时却并不明白自己的命运，反而很认真地要负起责任内阁的责任来。结果不问可知，不仅责任内阁搞不下去，袁、唐之间多年的交情也完了，唐绍仪只得不告而别，悄然失踪，从此离开了政治舞台。其时，在辛亥革命的第二年。

在接下来的岁月里，唐绍仪基本上变成了政坛的点缀和看客，看人起高楼，看人屋宇塌，多数时间在家乡隐居。直到 1931 年，国门上的五色旗已经换了青天白日旗若干年后，蛰居多年的他突然食指大动，出任起家乡香山县(时已改为中山县)的县长。古稀之年的唐绍仪做起七品芝麻官来，跟当年做巡抚、尚书和总理一样，雄图大志，有板有眼，绝不糊弄。在不到四年的工夫里，他四处化缘，修马路，建医院，把自家的花园改建成城市公园，对市民开放，甚至还野心勃勃地想在中山县的海岸上建成一个大海港。至今中山还流传着他的逸事，说他修马路的时候，碰到土地公公挡路，民工不敢动，他就用手杖敲敲土地公的头，然后让民工下手。马路修好之后，下水道的井盖老是被偷，于是他下令在井盖上铸上"盗买与盗卖，均罚五十元；报信或引拿，均六成充赏"字样，后来就没有人偷了。

唐绍仪以做过总理的身份去当县长，在民国时期好像并没有引起多大的反响。倒是中共建国后，此事入了毛泽东的法眼，他几次公开引用这个例子，教育干部要能上能下。其实，跟今天我们通常的看法不一样，当年的唐绍仪，并不会认为以做过高官的身份再当芝麻官，是屈尊。实际上，唐绍仪晚年一直是在家乡做乡绅，出任县长，不过是乡绅为自己家乡做事的一种特殊形式，他只是在做事，或者比较方便地做事，算不上是做官。在那个年代或者更早，这样的人其实是很多的，凡是退休回家的士大夫，总要为桑梓谋点福利，否则就不配做乡绅。尽管唐绍仪喝过洋墨水，但毕竟没有脱出传统士大夫的积习，事情就是这么简单。

关于三个“猛人”的神话

鲁迅先生对历史上有权势的名人，有一种特殊的称谓，据说是跟广东人学来的，名之为“猛人”。但凡一个人成了猛人，就难免非常之人行非常之事，总断不了有某种不寻常的传说故事相伴，传着传着，神话就出来了。

关于曾国藩，有这样一个传说。说是有天曾国藩多喝了几杯，上床歇息，侍女为他盖被，猛地发现床上盘着一条巨大的蟒蛇，吓得晕了过去，好像许仙见到喝了雄黄酒现了原形的白蛇。由此，人们传说曾国藩是巨蟒变的。此说不光有说，而且有证据，曾国藩睡过的床上，每天早上都会留下许多皮屑，像是蛇蜕一般。因此，人们传说曾国藩是神蟒入世为人，专为拯救大清江山来的。前一阵因高阳小说而大大走红的红顶商人胡雪岩，也有跟曾国藩类似的传说，说是他未发迹时，在一店铺里做学徒，一天夜里睡在柜台上，忽然觉得有动静，急呼有贼，伙计们起来一看，地上倒着一人，抓起来一问，果然是个入户窃贼，说是刚进得门来，突然红光一现，发现柜台上有一金面神人，由此惊倒。因此，人传胡为财神转世，所以那么有钱。

如果说这两个传说还都属于吹捧性神话，专为抬高猛人身份而造的，而下面一条属于袁世凯的故事就有点不一样了，虽然也是神话，但多少有几分调侃的味道。故事说的是袁世凯当上总统之后，有一天内侍端着袁世凯心爱的茶杯(大概是古代名窑的)为他上茶，袁世凯因疲劳已经睡了，但内侍发现床上躺着的却是一只巨大的癞蛤蟆，惊吓之余，把袁世凯的宝贝茶杯摔在地上打碎了；袁世凯被惊醒，恢复了原状，问是怎么回事，内侍急中生智，答曰刚才看见了一条龙盘在床上，故而惊掉了杯子。袁世凯闻言暗喜，不仅没有追究内侍碎杯之过，反而赏了些钱，嘱咐他千万不要把今天的事情告诉别人。故事的暗示再明显不过了：其实袁世凯只是一只癞蛤蟆成精，但误信了内侍的谎话，以为自己是真龙天子，就要当皇帝，结果弄砸了事情。

三个传说有点相似，都是主人公因睡觉现了原形，将无意中看见的人惊倒，属于标准的中国式民间故事的类型。三者之中只有曾国藩的故事有一点“根据”：曾的确每天睡觉都要留下一些皮屑，因为此老患牛皮癣，而且非常严重，每晚非得若干婢女为他搔痒方能入睡。（当然会有皮屑！）看来编故事并不需要有根有影，有个模式，往上套就是。故事的来源是哪里估计谁也说不清楚，可能是出于三位的身边人，但更可能是老百姓中的好事之徒瞎编的。反正有一点是肯定的，无论是士大夫还是老百姓，都乐意信，更乐意传。

在中国的历史上，有着无数的类似的传说，人们从不吝啬将各种无稽之谈放在他们关心的猛人身上，借着这种神话和传说，表达着他们的爱憎，也以此对历史做出自己的解释。造神，其实是我们这个民族的一点小小的习惯，只要有人“猛”起来了，就会有神话搭配给他，猛的时间越长，程度越烈，神话就越多，神得越邪乎。袁世凯的神话显然是他倒台之后的产物，所以在肯定其“非常人”的身份之余，还有了一点调侃和嘲弄。如果他老人家称帝成功，那么故事很可能就不是这个面目了。

都说国人背后毁人功夫一流，其实，咱们捧人的功夫也是一流。

“官屠”刀钝

清末官场上据传有三屠，张之洞为“士屠”，袁世凯为“民屠”，岑春煊为“官屠”。张之洞得名大概是因为他主张废科举，断了大批“士”的上升之路，袁世凯则是因为镇压义和团，杀了不少大师兄、二师兄之类的团民，而岑春煊的“官屠”之名，却是从他立志整顿吏治这儿来的。

岑春煊的发迹是因为1900年八国联军打进北京，西太后老佛爷仓皇出逃，一路上缺兵少将，风餐露宿，担惊受怕，在这紧要关头，第一个赶来勤王的地方官，就是岑春煊。有岑带来的千把兵马，不管顶用与否，老佛爷总算心里踏实了许多。从此以后，当时还是个按察使的岑春煊，深受老佛爷的宠信，一路官运亨通。在朝中与瞿鸿禨、肃王结为一党，跟袁世凯和庆王、张百熙对抗。这个少数民族出身的新贵，得意之后，发誓要澄清吏治，自从当了两广总督之后，随即刮起了一场肃贪风暴，上任不久，即大行参劾，行动之鲁莽，手法之草率，举国震惊，岑的下属更是胆战心惊，人人自危。

晚清走到20世纪，吏治之滥，已经到了病入膏肓的地步，贪污腐败，已经成为官场普遍的问题，原先制约腐败的机构监察系统也已经失灵，而且沦为政治斗争的工具。密折制度也无形作废，满朝文武，没有人为了贪污去上折打小报告。严格地说，朝廷所有的官都是买来的，即使科第出身，要想混个好缺，也非花钱打点不可。想当官的人们，光花钱买官还不行，还要买缺，买了缺之后，想要早点做上官，还得买排队优先的位置。得官的成本在提高，做官的成本也在提高。由于各级官吏都是买的，大家都需要早点收回成本，尽快赢利，因此对下属的孝敬都很在意，冰敬、炭敬以及各种“敬”，花样出新，刮来的地皮，虽然肉痛，但都免不了要拿出部分来打点上司，一层一层供上去，直到中央。这个时节，官员更换的周期也在缩短，凡是好一点的缺，轮换的频率都非常高，有时一年不到就得换人，所以大家一上任，气还喘不匀就要张罗捞银子，否则离任的时候就有可能收不回成本，要知道，那时候许多人是借了高利贷买的官。

在这种情况下，要想肃清贪污，整顿吏治，不从制度的根本着手，无论采用什么手段，基本上都是无效的。不过，就现实而言，贪还是要反的，尤其在新政的改革时期，如果不反贪，改革很可能会变质，只是在反的同时，制度建设要跟上。客观地说，个别封疆大吏的肃贪行为，对于所属地方的“官场投资人”来说，的确是一场灾难，一场跟别的地方比较起来感到很是委屈的官灾，无怪乎人们要称岑春煊为“官屠”，尽管如此，岑的反贪还是具有正当性。当然，从某种意义上说，岑的反贪，也是反给朝中的庆王奕劻看的，因为这个奕劻贪财好货，已经为人所共知，在地方的反贪，实际上是间接打击朝中的对手。不过，毕竟刀是直接砍到两广的地方官头上，真正痛的，还是这些人。

以往，一上来就宣称要整肃吏治的地方大吏其实很多，不过这种宣称多是博取名声的一种手段，顶多三板斧下去，后来也就不了了之了，更卑劣的也有，是将反贪作为贪的手段，一吓唬，孝敬就送上来了，晚清某高官有秘诀，说是对下属得连骂带吓唬，一骂则皮袍人参来，二骂则珠玉钻石来。像岑春煊这样来真的人当然也不是没有过，不过，大家可以利用各种关系，采用各种手段，最后使得最高层对他的印象变坏，让他不锒铛入狱，也官位不保。可是，西太后是个深受戏剧“毒害”的女强人，有仇必报，有恩也必报，对岑春煊的那份感恩之情，一时半会儿难以消除，反对岑的人，无论是捅出经济问题，还是桃色新闻，估计对“圣眷”太隆的岑春煊，都无可奈何。

官屠不走（当然死了更好），官难不已，怎么办呢？于是利害相关的人，大家凑钱，在香港开出赏格，有能使岑屠离开两广者，赏港币百万（那时钱很值钱，百万已经不是小数目）。

重赏之下，必有勇夫，也必有智者，很快就有人想出了办法。当时，西太后最恨的人除了光绪，就是康有为和梁启超，虽然朝廷实行的新政，基本上是抄康、梁的作业，但好记仇的西太后，却一股脑地将戊戌以来所受的磨难和委屈，都算在康、梁头上，硬是对他们不依不饶。得不到赦免的以康、梁为首的保皇党人，则在海外一个劲地诋毁西太后，鼓吹把权力交给光绪，声声都触到了西太后的痛处，反过来更令这暮年的老太婆难以容忍。

于是，政治问题，成为倒岑的突破口。虽然岑春煊跟保皇党人素无瓜葛，但制造出他们之间的"联系"倒也不是没有办法，有人取来梁启超和麦梦华（保皇党另一个中坚人物）的照片，翻拍后与岑春煊的照片洗在一起，岑居中，梁、麦二人旁立，合成一张，然后将之流传到社会上。那个时候，照相术传入中国不久，人们对这种移花接木的把戏还不了解，于是海内哄传，报刊纷纷刊载，成为一时的新闻。当然，西太后老佛爷最终也知道了此事，而且亲眼看到了那张合影。

自西太后回到北京，朝廷实行新政以来，明明是在翻戊戌的旧账，虽然老佛爷不承认，可是上流人士，莫不心知肚明。在海外的保皇党人，对于新政也不免有些牵挂，而朝野上下，私下跟康、梁来往的，也大有人在，从某种意义上说，保皇党人也或多或少地参与了新政的设计和实施。五大臣出国考察立宪，最后的考察报告，据说就是梁启超做的。对于这些事，西太后虽然不可能都知道，但多少是知道一些的，只是新政的改革，本来在历史上就欠着账，已经行将就木的她，实在是没有精力也没有可能全然肃清康、梁的影响，所以只好睁一只眼闭一只眼。换一个角度说，西太后与光绪皇帝是政敌，虽然光绪眼下有病在身，但西太后也没有把握，让这个三十多岁的人死在自己一个七十多岁的人前面，别人的预期是什么，不问可知。所以，人们为了"后那拉氏时代"的前程计，跟保皇党或者说跟光绪套套关系，也在情理之中。

恰是由于有这种"情理"在，西太后看到岑春煊与梁启超和麦梦华的"合影"之后，不由得不相信，不由得不发怒。西太后也许可以不认真追究别的人与康、梁不清不白,但绝不允许自己信任的人与政敌有牵连。于是,岑春煊被一纸上谕开缺晋京。

后来,虽然岑春煊最终还是洗清了自己,但在多疑的老佛爷眼里,毕竟有了一点疑虑的阴影,隆隆的“圣眷”风光不在,岑春煊的反贪风暴就此风止云散。巨贪奕劻和袁世凯一直得势到了西太后归西,毕竟在西太后眼里,政治立场上的问题,要比贪点钱财要严重得多,贪财的人,忠诚必然是可靠的。

官屠的刀钝了,最欢喜的当然是两广的地方官,大家又欢天喜地,付了一百万港币,该干什么干什么去了,全国的官员也都松了一口气,安定团结的局面继续维持。可是,不知不觉的,新政,靠着腐败官员操作的新政,却越来越不成样子,到处民怨沸腾。改革的失利,使得清朝最后一点统治的合法性依据也丢掉了,没有几年,大龙旗就变了颜色。反贪,反反贪,政治反贪,政治反反贪……历史从来如此。

左宗棠晚年的“骂人事业”

晚清的湖南，出人，也出学问。大名鼎鼎的曾、胡、左、李，有三个是湖南人，自不消说。而学问也了不得，曾国藩是理学大师，慎独功夫一流，而王闿运和左宗棠，擅长的则是帝王学。一身名士气的王闿运没有找到用武的机会，结果是在王看来学问并不太好的左出够了风头。

帝王之学是佐人成帝王之术，大刀屠龙，权术之中裹挟着霸气。所以左宗棠一出山就让人受不了，幸亏赶上了长毛闹事的年月，军情紧急，人才难得，也因为碰上了脾气特好而且能耐特小的骆秉章，才让他得以展露才华。建功立业之后，虽说此公脾气大嘴巴臭，还不断地弄点权术要要，成片地得罪人，但老谋深算的西太后和恭亲王奕䜣，鉴于督抚专权的现实，出于牵制曾、李等人的考虑，对这个搅屎棍特别地优容，使得他在众人的诋毁声中不断地上升，不仅入相而且进过军机处。要不是要枢诸公受不了左宗棠的大话和唠叨，也许他会成为朝中最有权势的中兴名臣。

然而，西征之后的左宗棠，虽然一直得到朝廷的优待，始终在肥缺要差上转，却再没干什么值得一提的事业。无论在公堂还是私邸，此老唯一热衷的事情，就是骂曾国藩。骂来骂去，就是那么几句车轱辘话，无非是说曾国藩假道学，虚伪，可一张嘴，就是它。

见武官的时候骂，直骂得众将官耳朵出了茧子，非不得已不去见大帅；见文员的时候骂，直骂得下属禀报事情都没有机会；见外客还是骂，寒暄才毕，骂声旋起，一直骂到日落西山，最后随从不得已强行将茶杯塞进他的手里，高叫：送客！才算关上了老人家的话龙头(清朝官场的例行规矩，主人一端茶杯，即为送客之意，仆人马上叫：送客)。其间，客人一句话也插不进去，客人来是干什么的，是否有事，他一概不管。不仅如此，吃饭的时候要骂，人一入座就开始骂，直到所有的菜都上完了，他老人家还言如泉涌，结果是每个人都没吃好。睡觉之前也要骂，骂声成了他自编的催眠曲，每天都在自己的骂声中进入梦乡。

曾、左交恶一直是晚清史上的一段公案，孰是孰非即使在今天也一时难以公断。不过，两人之争，无非为了公事，彼此间并不存在什么私怨。就当时公论，一般舆论还是倾向于曾者多，偏于左者少。毕竟，在左宗棠事业的关键处，曾国藩都是支持而非拆台的。显然，于公于私，似乎左宗棠都没有必要跟曾国藩纠缠不清，甚至在曾死后还骂个不休。过去史家论及此处，往往归咎于左宗棠气量窄，脾气坏。其实，左宗棠骂曾国藩，虽然不乏嫉妒之意，因为朝野公论，曾在左上，但他自己在内心里也未必会像他嘴上说的那样，认为自己比曾强。晚清另一位大佬李鸿章晚年服了气，承认世上真正的大人先生只有他老师(曾国藩)一个。左宗棠相反，不仅没有服气，嘴上还不停地骂，然而这个显然过于反常的“骂人事业”，却暴露了他内心的无比焦虑。他心里明白，曾国藩是一座他无法逾越的高山，但一向心高气傲、目无余子的他，断然不可能像李鸿章那样放出软话。于是，唯一的出路就只有骂了。

中国从来就不乏能人，只是能人之间总是难以相能。曾、左、李之间，如果不是有个内修功夫好、识大体的曾国藩，晚清的中兴也许未可知。什么时候，像左宗棠这样的人学会了妥协，学会了相让，中国人就真的出息了。

名人肚子的故事

在中国历史上,名人有肚子的不少。那个差点送了唐朝性命的胡将安禄山据说肚子很大,几乎拖到了膝上,跟现在的很多美国大胖子一个水平。一次入朝,唐明皇跟他开玩笑,说,如许大的肚子,里面装的什么东西?安禄山应声答道:都是对陛下的忠心。宋朝的文人苏轼苏东坡肚子也大,在他还没有彻底倒运、被发配到海南之前,有一次跟家中的歌妓饮酒,拍着自己的大肚皮,问歌妓们,说你们猜猜看,我这肚子里装的是什么东西?大家有的猜是学问,有的猜是经纶,有的猜是智慧,可苏东坡最喜欢的一个妓儿朝云却说,相公肚皮里没有别的,只有一肚皮的不合时宜。

安禄山的一肚皮忠心,很快就露了馅。"渔阳鼙鼓动地来",安禄山拖着他那大肚子,带着精锐的亲军"曳落河"反上长安了。最后虽然没有把唐朝江山推倒,却也害得一直信任他的唐明皇丢了皇位,跑到了巴山蜀水吃老米。被安禄山认作干娘的杨贵妃,遭际最惨,"婉转蛾眉马前死",从此让爱她的风流皇帝茶饭不宁。这还不算,看似铁桶的唐朝江山从此风雨飘摇,一天不如一天。当然,安禄山自己也没落个好。好像就是要印证一下他当年的话,造反了若干年后的安禄山被亲信奴才在肚皮上捅了一刀,流出臭肠数斗,死了。

安禄山肚皮里的忠心是假的,但苏东坡肚皮里的不合时宜倒是货真价实。自从出道以来,虽然才高八斗,名震京师,但为官处事却总是爱唱反调。王安石变法的时候,他对改革提出质疑;到了旧党复辟,司马光主政了,他又反对尽废新法。弄得两面不讨好,旧党新党都不待见。官越做越小,直至被发到烟瘴之地的海南,吃香蕉去也。

古往今来,凡是自称自己怎么怎么好的人都有些可疑,宣称自己的忠心如何就更是靠不住。反过来,倒是那些总是唱反调,一肚皮不合时宜的人，很有可能是些真正值得信赖的，至少他不会是害人的家伙。可是，古往今来，有点权势的主儿，却总是迷惑于某些人的自我表白。前车颠进去了，后车依然前进如故，等到明白了，什么都晚了。世界上，像安禄山这样，最后被人捅漏了肚皮的恶人恶报并不多，往往是恶人纷纷遂了奸愿，一个个把先前的表白对象当了垫脚石，发达去也。喜欢听好话，不喜闻恶言，是人性的弱点。越是身居高位，其弱点就越是突出，不是他们不明白，而是他们不乐意明白。

据说唐明皇逃到四川之后，一次说起他过去的这些臣子，谁好谁坏，一清二楚。旁边的人忍不住问道：那陛下当初干什么去了？唐明皇一声不响，只有叹气。

两个糊涂丞相的故事

中国古代，最扎眼的人物，除了皇帝就是宰相。宰相是百官的头，也是百官的靶子，权大责重，上得伺候老板（皇帝），下需应付政务，有点差池，上下不讨好。在历史上，只有一手遮天打算篡位的宰相，和一手遮天不打算篡位的宰相，才有真正的舒坦日子过，但是，这样的情形实在太少，所以，宰相们，都比较操心，越是勇于任事者，就越操心。

不操心的宰相也有，多半都出在皇帝过于积极，自己出头做宰相事的时候，不过这个时候不操心的宰相要时刻准备着，一旦皇帝把事办砸了，出来当替罪羊。在历史上，既不操心，也不担心做替罪羊的宰相，好像只有两个，一个是西汉初年的曹参，一个是东晋初年的王导，他们不仅不操心，而且难得糊涂，以糊涂相标榜。

曹参是汉高祖刘邦仅次于萧何的亲信班子成员，萧何死后，他马上让从人为他收拾行李，说是就要让他做丞相了，果然，相国的大帽子，落在了他的头上。可是做了丞相之后，曹参却终日饮酒，醉时多，醒时少，百事不兴，属员有过，能遮便遮，有人看不惯，想过来提意见，一并拉去喝酒，喝到大家物我两忘，意见也就没了。最后连皇帝都看不过去，转弯抹角表示了不满，也让老先生用一套萧规曹随的鬼话蒙将过去，每日依旧沉在醉乡里。

王导是东晋王朝的开国功臣，晋元帝能从王爷变成皇帝，多半亏了王导，登基的时候，皇帝要拉王导一起坐床的（那时候还没有椅子）。此老也是著名的糊涂，人家骂他“聩聩”，自己也很以聩聩自得。酒量如何不知，但下面的官员，胡作非为，肯定没事。有次装模作样地派出人员出去考察，回来后大家纷纷说下面官员的不好，只有一个人一言不发，最后等大家说完了，他说，做宰相的，理应网漏吞舟，何必管官员的好坏。王导居然夸这个人说得好，深合其意，害得大家都觉得自己不仅无趣，而且见鬼。

不过，两个宰相的聩聩，结果却不一样，曹参得到的是好评，老百姓编出歌谣来夸，结出了文景之治的果。而王导，不仅老百姓没夸，而且官员也未必念他的好，东晋政治混乱，国势微弱，中原涂炭，恢复无望，当时人骂他聩聩，后来人依旧骂他聩聩。

曹参的时代，承秦末大乱，人口减半，六国贵族豪强已经被秦剪灭殆尽，社会组织也被破坏殆尽，社会只有按自然规律，慢慢恢复元气，国家才有指望。这时对社会恢复最大的敌人，不是别个，就是来自政府的权力，因为这个时候，只有政府是有社会唯一有组织而且有强力的势力，而且这个势力，没有什么东西可以与之抗衡，但是作为政府官吏，恰恰有自身的强烈冲动，出来指手画脚，为公也罢，为私也罢，一时间难说清楚，总之从长远看，做就比不做更不好。显然，此时的最高行政长官，能够做到最好事情，就是什么都不做，尽量抑制官吏的冲动，这一点，曹参做得很好，当然，当时的老板配合得也好，皇帝身子弱，没主意，又好色，不当家，当家的吕后，只关心自己和自己家族的地位，别的都马马虎虎可以将就。汉初尊崇黄老，有案可稽的记录，自曹参始，据说是胶西盖公的主意。曹参做丞相前，请教了本地的儒生，结果人言人殊，没有一个人说的合他的意，只有盖公的清净无为，才真正打动了他，当然，也只有这个主意，才真合乎时代的需要，后来很得史家称道的文景之治，恰是曹参开的头。事实证明，合乎时代需要的作为，最难的恰是不作为，因为古今中外的政府官吏，别的好说，让他们尽量少作为，不生事，的确太难了。

王导之世，门阀豪族势力已成，而且断送了西晋江山，社会对新王朝的呼唤，是抑制门阀豪强，奖拔草莱，恢复中原，改变政府由门阀势族垄断的局面，然而，王导却一面模棱两可，在南渡的中原门阀和江南豪族之间搞平衡，一面放纵门阀豪族把持政权，胡作非为，从而换取他们的支持，等于是说，王导处在一个本该抑制政府官吏的时候，恰恰不抑制，反而更加放纵。仅仅由于进入中原的各个游牧民族之间的争斗，以及中原汉人对本族王朝的依恋，才使得偏安的小朝廷得以苟延。这样的丞相，这样的聩聩，当然没法得分。

对于政府而言，无为是种境界，在这种境界里，民间社会可以自然地生长，实现自己的均衡发展，但是，只有在抑制了官吏的权力冲动的情况下，无为才有可能。

铁面法官手里的“冤案”及其他

张释之是西汉文帝时的廷尉，按今天的算法，应该是王朝的首席大法官兼司法部长还兼警察头子。此人在历史上出名，因为他的刚直铁面。皇帝把惊了自己驾的家伙，送去他那里治罪，可是廷尉大人居然罚了点钱就给放了。皇帝很生气，说是要不是自己的马好，非摔个嘴啃泥不可，说不定会出大事，可是廷尉大人说是你要是当时一刀杀掉，也就杀了，但是送到我这儿来，按律就该这样判。

张释之早在做公车令的时候兼带负责宫门守卫，太子和梁王，这一对太后眼前的宝贝，一起乘车入朝，过司马门不下车，张释之居然追上去给生生拦住，然后上奏弹劾这俩宝贝大不敬，非得皇帝亲自出面，请皇太后下诏赦了太子、梁王，才算拉倒。

如此严格执法之人，也有冤枉人的时候，那是张释之刚出道的时候，在汉文帝身边做谒者仆射，时常围绕秦亡汉兴的话题，跟皇帝讲些“卑之，毋甚高论”的浅显道理。一次，陪皇帝去上林苑游玩，皇帝问起上林尉，园林里养的飞禽走兽的品种和数量，结果上林尉一问三不知，旁边一个小吏代为所答，滔滔不绝，问什么知道什么。于是皇帝大悦，说：“吏不当若是邪？”下令要提拔这个小吏做上林令。张释之却发表意见不同意，说这个小吏，无非是逞口舌之利，不足道。他还举出本朝两位说话不大利索的大臣周勃和张相如的例子，说明能说会道者不应该被称道，尤其不该被奖赏，甚至上纲上线，说秦朝任用刀笔吏，竞相以寻人过失，苛相察究为任，害得政治空言废实，皇帝不知道自己做错了什么，结果二世而亡。最后，汉文帝被说服，小吏提升的机会告吹。

熟悉所掌管的事务，是官吏的本分，职务越是低级，职责越是具体，就越是应该了如指掌。昏昏者理应受到惩罚，反过来，昭昭者即使不给奖赏或者提拔，那么也没有道理蒙上利口善辩的恶名，周勃固然是不善言谈的忠厚长者，但绝不意味着他对自己的职守糊里糊涂，做丞相也许不合格，但是做将军还是称职的。至于秦之所以灭亡，的确跟严刑峻法，官吏竞相寻过苛察有关，但这跟一个小吏对自己所负责的事务滔滔发言有什么关系？无论如何，张释之在此事上，冤枉了人。还好，他仅仅断送了上林小吏的一次升官的机会，并没有害他丢了饭碗乃至性命。

西汉文景之世，距离灭亡的秦朝还不太远，秦朝在任官方面，除了军功和纳粟之外，还有相当多战国的遗风，逞口舌之辩的游士，得官者不在少数，这些人，当官之后，为政风格多半也是滔滔不绝，说个没完，处罚了人，还要说得人口服心服，或者痛不欲生，那些饱受秦法荼毒的人们，在动辄获咎的战战兢兢中，最感痛楚的，很可能就是这种滔滔不绝。至少在张释之的眼里，华而不实的口辩之风，要算是汉朝所要接受的秦朝教训之一。也许，那个上林小吏，在履行职责的时候，说得太溜，口才太好，用司马迁的话来说，就是“欲以观其能，口对响应无穷者”，因此触动了张释之那根始终强调秦朝教训的神经，甚至引发了他对于深恶痛绝的苛刻秦法的联想，于是上纲上线，批倒批臭，以自家的口辩之才，断送了口才太好的上林小吏的前程。

秦政之弊，的确在于严刑峻法，而且执行中务于明察苛求，在这一点上，西汉初年，实际上并无二致，汉高祖刘邦入关之初宽松粗疏的约法三章，到了得天下之后，已经丢到爪哇国去了，朝野实行的，依旧是秦朝的苛法，而且在操作上，罚重而奖轻，百般苛求，如冯唐所言，云中太守魏尚，战功赫赫，只因上报斩首数目差了六个，就被削爵撤职，在当地罚做苦工。只是在匈奴压境，急需军事人才的情势下，由于冯唐的进言，才得以官复原职，传下来一个冯唐“持节云中”的美谈，多少年后，词人兼军人的辛弃疾，还感慨“持节云中，何日遣冯唐”。后来张释之做廷尉之后，一系列抗命之举，就是要在实际中改变严刑峻法，明察苛求的作风，从宽仁的方面，修正沿袭下来的秦政之苛。当然，在这方面，最有贡献的还不是官员，而是一个弱女子淳于缇萦，若非她哀婉动人而且入情入理的上书，实行了几百年的断足、膑膝、割鼻子这样残忍的肉刑，一时半会儿是废除不了的。

废除苛法，去掉肉刑，是政治走向人道的开始，这一过程在中国能在两千多年前出现，无论如何，都是国人的骄傲。

借口的故事

政治人物，做什么都要有借口，或者说提出个主张什么的，没有借口蛮干的，属于什么都不懂的武夫。借口，有的时候属于权力技术，指东打西，指南打北，虚晃一枪，发现的时候，血窟窿已经在了。有的时候，其实仅仅是为自己的行为开脱，盖上一层纱布，薄薄的遮上点就得，因为旁边的人，就是看见了什么，也不敢说。

历史最有名借口的故事，发生在唐朝的"名相"娄师德身上。此人在历史上，是出了名的好脾气，他在朝中做宰相，兄弟外放地方官，临别送行，劝弟弟千万制怒，别惹事。弟弟也知趣，回答说，人家把吐沫啐在我脸上，我也不生气，拿手抹去就是。娄师德说，不行，你拿手抹去，人家啐的人能高兴吗？正确的做法是等着吐沫自己干。就这样，我们的娄大人发明了一个成语——唾面自干。让后辈马屁精们，享用不尽。

娄大人对自家兄弟高标准严要求，但处理政务，却是个可人，特别通情达理。他所处的，是一个女皇帝当政的年月，主子特难伺候。武则天一改李家王朝崇尚道教的传统，死活喜欢上了佛教，不仅大修佛寺，广印释典，最后干脆爱屋及乌，把清俊的小和尚拉进宫来，做自己的面首，大家一起快活。快活可是快活，小和尚色戒开了，杀戒却还坚持着，不仅自家坚持着，而且运动女皇帝在全国禁止屠宰。禁屠令一出，举国哗然，要中国人不杀猪宰羊，怎么吃肉？这大概跟要中国人命差不多。不过，哗然归哗然，皇帝的命令还得执行，只是执行过程中，上上下下，所行与所说，多了些许周折，娄师德下去视察工作，也免不了。

宰相出行，尽管听说娄相脾气好，但地方官也不敢怠慢，好酒好菜必须上。宾主坐好，管弦横吹，第一道菜上来了，是烤全羊。厨子出来说明,这个羊不是我们杀的,是豺给咬死的。于是大家放心开吃。过了一会儿,第二道菜上来了,是红烧鱼。厨子又出来说明:这鱼也是豺咬死的。娄师德说,不是吧,应该是水獭咬死的。大家一片欢呼,还是领导高明,于是,鱼也下肚了。鱼也好,羊也好,当然都是地方官让厨子准备下的,肯定不会赶那么巧,豺专门赶来咬死了羊,自己不吃,留着给娄大人。又像娄大人修正的那样,水獭专门咬死了鱼,献上来凑趣。

借口就是借口,官老爷做事,总是需要借口,虽然当事的人心知肚明,却一般没有人会如此不识趣,出来说破。不过,凡是借口,必须能说得通,因此豺咬杀的鱼,必须变成獭咬杀的,因为,最后大家要一起骗皇帝,应付检查,不会水的豺,突然变成了捕鱼能手,逻辑上说不通,所以,必须修正。只是现在的人们再干这种事的时候,早就由秘书和有关人员把借口编圆了,用不着劳动领导的大驾亲自出马。进化论的道理,就是好,时代毕竟在进步,当年的借口,还只是在跟法令绕弯子上做文章,现在的借口,不仅让法律法令都自己见了鬼,而且往往极其堂皇,极其正大。明明在违法,却好像是严格执法,明明在牟利,却好像是在奉献,明明是在越规,却好像是在禁欲。不明里就的人,如果不被感动得掉眼泪,多半是有些麻木。可惜,现在的借口出台得实在是过于频繁了,一个两个又三个,什么把戏演多了,观众也就有了审美疲劳,加上回去一算账,往往感觉自己亏了,所以也就不信了。只是,跟当年的借口一样,操作者只要把上级糊弄住了就行,至于做饭烧火和看着吃的人,尽管知道内情,又能怎样呢?就像许许多多的涨价听证会似的,大家都知道听证是假的,假得甚至有点过火,但只要开过了,给上面一个交代,然后该干什么干什么,谁又能挡得住?

外篇

狱吏之贵

秦以严刑峻法治天下，尽人皆知。但是，怎么个严苛法，却不太清楚，因为秦朝的历史短，档案文书又被项羽一把火烧了个干净，小吏出身的萧何，也只是将田亩账册收了起来，所以，后世人们说秦朝之事，只能含含糊糊，稍一使劲，就说到汉朝了。汉承秦制，对秦朝的严刑峻法，大体上照搬，当年作为亭长的刘邦，县吏的萧何，虽然地位卑微，毕竟属于法律的执行者，切实操练过，被管的时候，固然难受，但是管人之际，也相当威风，相当过瘾。当了家之后，昔日的印象还在，“杀人者死，伤人及盗抵罪”这种粗疏宽松的约法三章，当然不足以显帝王之尊，帝王之威，过帝王之瘾。在叔孙通主持下，秦礼复活了，在萧何的主持下，秦法也在汉律中复活了。文景之治，推崇黄老，苛法稍懈，但武帝则又勒紧法纲，说是独尊儒术，不过是挂羊头卖狗肉，直到汉元帝时，儒术才真的在法律中起作用，所以西汉的盛时，盛行的依旧为秦法。

法苛则酷吏多，酷吏多则狱吏牛气，没有狱吏的配合，酷吏的威力就要减去一多半。西汉监狱多，仅京城之内，据清末法学家沈家本考证，有案可考的就有26所，名目相当多，犯了那条，该进哪里，谁也不清楚，托人运动都麻烦。那个年月，按秦法的精神，王公贵族，皇亲国戚，达官贵人，犯了法，或者被人认为犯了法，都得进监狱。原本地位卑微的狱吏，由于时常可以看管这些贵人，自我感觉，无形中被抬高了，难免不威风八面。朱正回忆，说他被打成右派劳教的时候，管教队长碰到熟人就会把他们中级别最高的人找来无缘无故训一顿，然后说，看，别看是厅级干部，现在归我管！古今狱吏，心有灵犀焉。

牛气的狱吏，对待犯人，肯定要加以折辱，打骂事小，侮辱人事大，那个时候，人，尤其是贵人，对脸皮很在意。折辱起来，一来威风，二来过瘾，三来可以索贿，要想少受点磨难，拿钱来。管你是谁，进了这里，就归我管，铁公鸡也得拔毛。绛侯周勃，吕后死后，安刘定汉立过大功，刘邦认为，他死后，安刘氏者必勃也，也确实就是勃也。这种人，一旦被怀疑有谋反之嫌，照样进监狱，照样受狱吏的折磨，出来以后，感慨道："吾尝将百万军，然安知狱吏之贵乎？"

周勃脾气好，抗折腾，而且见机早，给狱吏塞了钱，不仅免了磨难，而且得以出狱，但有些人则死在狱中，周勃的儿子周亚夫，哀帝时的丞相王嘉，都在监狱里绝食而死，周亚夫还吐了血。有些血性汉子为了免受折辱，干脆在下狱之前，一死了之，比如李广，出征时因迷路而失期，不肯"复对刀笔之吏"，引刀自刎。李广的从弟李蔡，也因得罪而自杀，不肯"对狱"。虽然可能熬过磨难，出狱再起，但由于受不了狱吏的折辱，这些人宁愿一死。

狱吏折辱这些高官，难道不怕这些人一旦复出，转过来报复吗？看来他们不怕。以法治官，以法治民，是当时的"国策"，皇帝喜欢，各级官员也喜欢，个别人就是想报复，在技术上也行不通，京城的监狱，都是诏狱，具体管辖的人，直接对皇帝负责，复出后的高官，官再高，也铁路警察，管不到这一段。地方的监狱，能管到的，一般都不关押官员，个别关了的，官员出来后也未必会报复。有一个故事很耐人寻味，说是景帝时梁国内史韩安国坐法抵罪，被关进梁国属县蒙县的监狱，狱吏田甲按规矩折辱他，韩安国说，死灰就不能复燃了吗？田甲道：如果复燃，就用尿浇。不久，韩安国果然官复原职，田甲闻风逃走，韩安国对田甲的族人说，如果田甲不来自首，我灭你们宗族。田甲不得已，前来肉袒谢罪，韩安国开了一通尿溺的玩笑之后，却善遇之，认为田甲可以帮助他治理梁国。

看来，狱吏之恶，原本就属于苛法的一部分，国家通过狱吏对人犯的折磨，强化人们对法的恐惧，哪怕是达官贵人，也需要这种恐惧。就算你负屈含冤，宁可让人犯受尽折磨，瘐死在监狱里，也不会稍微改善一点监狱的待遇。对于那个时代的司法制度而言，疑犯从有是威慑，监狱的磨难是惩罚，两者都是让人恐惧的法宝，过去的法治，就是刑治，有写在面上的刑，从原来的割鼻子剁腿，五马分尸，剁成肉酱，到打板子，抽荆条，流放，杀头。还有隐在下面的“刑”，就是狱吏私下来的，据说也是五花八门，《水浒传》上讲的杀威棒，吃黄鱼，闷干饭之类，都是。自汉以后，统治无非儒表法里，法家的阴影，从来就没有从司法中离去，尽管德政喊得山响，为政者操练起来还是想方设法让人恐惧，确立国家在所有人心目中的威严，所以，尽管有些朝代，比如明清死刑判决尺度很严，非皇帝点头不行，但在监狱里瘐死者，却超过判死刑者不知多少倍，从这个意义上说，狱吏之贵，在某种意义上是国家之贵。

排名的重要性

唐朝的安史之乱是每个读过中学的人都知道的历史事件，其中的核心人物是安禄山和史思明。两人均出于丝绸之路上的胡族，不仅好武，而且擅长经商，在喜好用胡人为将的唐朝，靠的是武功起家，但心机却一点也不少。安禄山攀上“三千宠爱在一身”的杨贵妃，为此，老大不小的他居然拜杨贵妃为母。进宫来，故意做戏式的先拜贵妃，后拜皇帝，说是胡俗重母，其实是变着法地讨皇帝的欢心。史思明没有这等软功夫，但也曾让唐玄宗抚背长叹，感慨良多，大概是找了个机会让皇帝看见了自己身上的伤痕。安、史在历史上，属于那种造反而没有成功的人物，评价特次，所有的脏水都来了，给人印象是浑得要死。其实，这种能把唐朝从鼎盛一棍子打下来的人，就算是浑，也多少有点过人之处。

安、史都是武夫和老粗，不过，老粗在唐朝那种遍地是诗的环境里，也未必能耐得住。果然，当他们打两都树起大燕国号之后，居然也作起诗来了。说的是一日史思明在东都洛阳尝了新摘下来的樱桃，感觉甚好，忽然诗兴大发，赋诗一首，诗云：“樱桃一篮子，半青一半黄，一半寄怀王，一半寄周贽。”（怀王是他的儿子史朝义，周贽据说是他儿子的老师）写完之后，遍示群臣，左右群臣都说好。半晌，有一人嘟囔道，好是好，不过，要将第三句和第四句调一下，也许就合辙押韵了。不想，史思明听罢大怒，说：你胡说，怎么能让周贽压在我的儿子之上呢！？此人脑袋是否因此丢了，书上没讲，估计没有什么好果子吃。

很久以来，人们一直把史思明的这个逸闻当成笑话，其实，笑话固然是笑话，但其中未必没有一点道理。史思明不肯改诗，里面有个排名先后的问题，而所谓的排名，实质是个礼仪秩序的问题。要知道，此时的史思明既不是当年在边境游荡的小卒，也不是玄宗手下总是生事的边将。他已经打到长安,做了大燕国的柱石。昔日刘邦一介没有见过世面的小小亭长,做了皇帝也知道礼仪的重要,何况安、史反的时候已经当了唐朝这么多年的重臣,也不知随班参见了多少次,岂有不知排名重要性的道理?从另一方面说,就算安禄山对此不明白,但安禄山手下,不乏文人学士,连当时名满天下的大诗人王维,不也被他网罗在帐下,其中懂得朝廷礼仪的自然不在少数,自然要教会安、史点什么,否则他们存在的价值何在?当年刘邦打天下的时候,儒生叔孙通百无一用,好不容易出个主意封六国,之后还被证明是馊的。结果到了天下已定的时候,当年的高阳酒徒摇身一变为制礼的博士,才有了用武之地。

历史告诉我们,不论是流氓还是草寇,登基做了皇帝,自然都要讲礼仪、排班次。即使他不讲,群臣也要劝他讲或者说逼他讲。礼仪的要紧处,就在于等级排名,在公共场合露面,文武两班,班次森严,地位、官阶、资格一路排下来,谁在先谁在后,半点也错不得。礼是仪式,更是秩序,秩序就要讲排名。不论排名,上下位置乱起来,天下也就乱了。作诗也要政治挂帅,你怎么能让人家把自己的儿子排在周贽的下面!

不过,史思明毕竟还是个武夫,虽然对排名非常敏感,也粗知“文化建设”的重要性,亲自出面吟诗,大有偃武修文之势。但却不知道这种“建设”,其实是可以作假的,自己作不好诗,让手下的文人代笔就是,当时没人敢追究真假,后世则莫辨其真假,落到谁的名下就是谁的。后来的宋太祖赵匡胤也是一介舞枪弄棒的武夫,可是人家传下来的几首诗,都合辙押韵,中规中矩的,后世又有谁能说得清到底是谁的手笔?当然,现在我们这么说,多少有点苛责人家史将军的意思。人一旦做到了一人之下万人之上的位置,能对自己有清醒的认识就难了。史思明作了诗敢于遍示群臣,就说明人家觉得自己的诗作得好,不允许下面的人除了叫好之外,再说三道四,这也是一种自信,有了这种自信,当然也就不屑于劳人代笔了。

尊严与权力

在中国，一个人但凡有点权力，总是喜欢将权力延伸到原本不该进去的地方，损伤甚至干脆打掉被管者的尊严，据说只有这样，才算尝到了权力的滋味。小时候，每当犯了错误又不肯轻易认账时，老师往往会冷不防地在同班同学面前，将平时侦查到的你所有的隐私，一股脑公布出来，让你感觉被猛然剥成了一丝不挂似的示众，恨无地缝可钻。大了以后，发现当众剥人衣服的事情仍然在继续，只不过变成了“斗私批修”和批判会，不仅领导剥群众剥，还要你自己剥。

进入新时代，政治运动风光不再，可是权力依然威风八面，只要人家管着你，总是有办法让你时不时地尝一尝屈辱的滋味。公司发给员工薪水，本是劳动合同中的应有之义，但有些老板就是喜欢把这个过程变成吃嗟来之食；上下级之间，本是一种工作关系，但在有些地方往往变成了主奴搭配。过去奴隶制的时候，主人只要求奴才服从，并不一定要求奴才用谀词歌颂他们，可现在，下级不仅需要无条件地服从上级，而且还时常要忍受上级劈头盖脸的责骂，和向上级奉献阿谀之词。尽管多数领导未必不知道人家的好话不一定是真的，但多数人都爱这口，而且利用权力去要这口。从前，如果一个人不善逢迎，也许只是难以升迁而已，现在如果拒绝逢迎上级，就有受到惩罚甚至丢掉饭碗的威胁。不过，事情总是平衡的。被下级马屁拍足了的人，见到他的上级，也就是这么拍，辱骂下级的主儿，碰见自己上级不顺气，同样要被骂得一佛出世，二佛涅槃，回家找不着北。权力肆虐的地方，没有人可以有尊严。

无原则的吹捧和没有道理的责骂，是一对伴生物，有权力的肆虐就有这种东西滋生。因为人们喜欢奴才，这种喜欢，有时候说起来好像也不是一点道理都没有。虽然人们大抵都知道奴才在使用效率上有点问题，除了拍马没有什么本事，但在上面的人却都以为奴才比较忠诚，用起来顺手。北洋军阀自袁世凯以下，对下属都有一种不打不骂不升迁的惯例，想要提拔某人，就无缘无故地赏之一通耳光外加辱及先人的臭骂，如果对方贴然接受，则视为“效忠检验”合格，不日即可加官了。然而事实告诉我们，这种效忠检验是根本靠不住的，恰是那些任打任骂、无条件服从的人，在关键时刻都变成了倒戈将军。

可是，如果我们把北洋军阀的故事，再搭配上莎士比亚的《李尔王》，统统讲给现在正在选择接班人的当权者听，有用吗？没有。他们依然会按照惯例和自己的感觉，在针对自己的拍马比赛中选择接班人。历史有意思的地方就在这里，人们往往不是一代一代地演着新鲜的故事，而是偏要把那些老掉牙的旧事，演了一遍又一遍。否则，司马光老先生就用不着劳神费力去编《资治通鉴》给皇帝看了(其实编了也没用，旧戏还是照样演)。

其实，权力的产生，是跟暴力和征服分不开的，而所谓的征服，当然不仅意味着肉体的控制，也意味着对被征服者精神的摧折。从某种意义上说，被征服者灵与肉的服从，意味着权力施用产生的效果。其屈服程度越高，权力的效果就越佳，从权力所有者的角度来说，其心理的满足感也就越强。正因为如此，中国尽管有儒家学说“仁政”的影响，暴力的底色依然难以消退，一不留神，暴君就冒出来了。在暴君的心理中，折辱人，打掉人的尊严，无疑是一种非常快意的事情。

现在的世界，虽然君主制基本上消亡了，皇帝也早就不存在了，但暴君的心理却依然在我们的文化基因中，一代代遗传着。就像我们把某些具有专制作风的人说成是土皇帝一样，程度不等的“暴君”实际上并没有消失。更可怕的是，大量并没有政治权力的普通人，也可能具有暴君的心理，他们对子女(可能以爱的名义)和对比他们更弱的人，也一样折辱；他们痛恨甚至私下痛骂暴君，只是因为眼下没有机会做暴君。所以，任何单位都会出现这样的循环，当年被折辱的人，有朝一日上了台，不仅照抄他当年所痛恨的一切，而且还推陈出新，以青蓝之姿，展现在昔日的同事面前。

权力摧折人的尊严，最终伤害的是人的羞恶之心，人只有没有了羞恶之心，才能做到对任何羞辱都贴然接受，到达“厚黑”的境地。历史证明，这样的人，混得好，但破坏性也是最大，什么坏事恶事都可以做得出来。如果人人都没有了尊严，那么世界也就不像个人的世界了。

艺人的立场

过去的中国，唱戏的艺人，属于下九流，虽然红的时候有达官贵人来捧，而且收入不菲，但身份地位依然逃不出下贱二字。《红楼梦》里的红戏子琪官，粗鄙的薛蟠和温柔的宝玉，都喜欢得不得了，但究根问底，却脱不出玩赏的潜意识。清末时节，西太后老佛爷带头提倡京戏，市面上的好角儿，都先后进宫供奉，一被品题，身价百倍。最高领导带了头，王公大臣自不落后，一时间军政民商各界，一齐来凑趣，戏园子爆满，堂会连连。前三鼎甲、后三鼎甲，谭叫天、小叫天、盖叫天，南可以唱到上海、武汉、长沙，北可以出国，唱到平壤、汉城。八国联军占了北京，商家为了跟洋鬼子联络感情，花大钱请名角，请联军司令瓦德西赏光看戏，咚咚的锣鼓害得老瓦头痛欲裂。

尽管如此，艺人的"贱"并没有为此稍减。大家心目中，还是有个"玩"的意思在里面。清末"逛相公堂子"，跟逛胡同是差不多的意思。可是，人们对艺人的道德要求，却并不低，解放后，艺人的立场问题，在思想改造时，曾经很让他们自己头痛。

艺人地位轻贱，但是如果让他们选择立场的话，却往往站在统治者的一边。太平天国农民起义，艺人们最爱演的戏是《铁公鸡》，歌颂清军将领张国梁。京剧名角之一的孙菊仙，还从军参战，混到了三品顶戴。那时候，底层闹的乱子特多，但艺人，包括民间草台班子的艺人，很少有站在闹事者一边的。只有闹义和团时，有编了"时事戏"《火烧望海楼》之类唱赞歌的，但那时义和团是得到老佛爷嘉许的。个中的道理很简单，尽管农民造反给下层百姓出气，但在造反的过程中，却会危及唱戏人的市场和票房，就算有山大王请来(或者绑来)唱戏，但给不给钱是说不定的，有时候甚至连吃饭的行头(戏装和家什)都会赔进去。跟太平天国同时，山东的造反者，称王称帝的时候，就经常抢戏衣打扮自己。有秩序，有稳定，才会有戏唱。艺人虽不识字，却无师自通地明白这个道理。

当事情牵扯到外国人，尤其是中国跟外国打仗的时候，艺人们也有立场，那就是选择站在中国人一边。虽然不见得去前线演戏劳军，但在后方，唱几出某某征东或者征西的戏文鼓舞士气的事，每场战事都免不了。可是艺人唱是唱了，仗却总是打不赢，于是艺人就有了牢骚，埋怨朝里出了奸臣。戏文里，这种事情很常见，中国人跟狄夷打仗，前方将士卖命，后方总有奸臣作怪，里勾外连。不仅艺人这样想，喜欢看戏的国人，包括士大夫也这样想。所以，鸦片战争打不赢，是由于有穆彰阿、琦善，后来则有李鸿章包圆，充当现代的潘仁美。中日甲午战争，中方的主事者是李鸿章，战事不利，李中堂被褫夺了黄马褂。战败后，作为羞辱中国人的一招，日本非逼李鸿章去马关签条约，这当然更坐实了李的汉奸罪名。据说京城一次演《白蛇传》，到“水漫金山”一节，当时著名的苏丑(京剧丑角分讲苏白的苏丑和讲京白的京丑)刘赶三，临时抓哏，对穿黄衣的龟将喊道：快上，再缩头缩脑，扒了你的黄马褂！观众哄堂大笑，都知道他在讽刺谁。

立场归立场，如果洋人真的打进来了，而且占了中国地方不走，艺人还得吃饭，该唱戏还得唱戏，比如刚才提到的给瓦德西唱，也得唱。抗战期间，像梅兰芳那样蓄须明志，不再唱戏的艺人，毕竟是少数。多数人没有什么积蓄，还要吃饭，尤其是那些家累重的，比如像马连良，不仅要养活一大家子，而且一个戏班都指望他，所以，连日本人逼他到满洲国给溥仪唱戏，他都不能不去。——这在解放后，成为他最大的心病。

艺人靠身上的“活”(我们叫艺术)吃饭，本质上跟手艺人靠手艺吃饭没什么两样。但艺人活在人们的聚光之下，众目所瞩，形象未免有所变异。一厢里，传统亵玩心态作怪，大家轻贱之，一厢里，又往往对他们的要求过高，阶级大义、民族大义都让人家坚守，稍有差池，则众口一词，骂个没完。

“吃大菜”及其他

19世纪后半叶的上海，是中国变化最快的城市，这变化，多半来自于西方人对中国经济地理看法的改变，和太平天国在长江三角洲的闹腾。打了鸦片战争，占了香港，并且坚持要进广州城的英国人，后来发现真正能扼住中国脖子、获得最大利益的地方，其实是位于长江三角洲中心的小县城上海。他们发现并开始经营上海的时候，运气非常好的是正好赶上了太平军进军苏南和浙北。在上海的西方人虽然当时还不够多，但却成功地将太平军挡在了城外，使得遭受太平军扫荡的江南富户，有了一个遮风挡雨的地方。中国最富裕地方的最富裕的一群人，涌入上海，托庇于西方人的门下，不仅使西方在上海本来没有根基的租界就此壮大起来，而且给了西方在上海的存在以坚实的物质基础。

从某种意义上讲，上海租界是当时中国的一种“特区”，中国的富人，当他们从逃难的惊魂中醒过来时，发现这块土地其实是块最适宜养生金蛋鸡的所在。于是，大规模的经营活动开始了，租界从此财源滚滚。从这个意义上说，西方人实际上是借助于中国人和他们的资金，在上海建筑了自己的殖民事业。如果西方不是恰好在关键的时刻选择了关键的地方，这种便宜事，也许未必会有(中国其他地方的租界，没有一个能抵得上上海的)。

上海租界虽然让西方人获利最大(在很长一段时间里，尽管租界的中国人养活了租界，但他们连一丁点权力都没有)，但它的存在，对于中国和中国人的意义，还是非常地巨大，这从一点小事上就可以看出。在19世纪70年代以后，凡是到上海的人，有两件事是他们必做的，一是吃大菜，二是坐马车。大菜就是西餐，马车是西式的四轮马车。如果到了上海而没有尝试过这两样东西，就等于白去了，会被人笑话老土。当时上海西餐的一餐值费，比中餐的鱼翅席尚要贵上数倍，而且吃了之后，几乎人人都会叫苦，说是难以下咽，味同嚼蜡，但来上海的人，依然前赴后继，竞相把钱扔在西餐馆里。当时人们对此的说法是：中餐吃个味，西餐吃个派。

无论从形式到内容，西餐何“大”之有？又何“派”之有？即使饮食专家，恐怕也找不出来。事实上，这种“大”和“派”，背后是人们对西方的崇拜。19世纪60年代，是中国人折服于西方的年代，这种折服，也许在北方和内地，尽管洋人占了北京，烧了圆明园，还多少有点心气难平，但在以上海为中心的江浙一带，则表现得相当彻底。《点石斋画报》以吴友如为首的画匠们，比着租界的洋楼、洋人和洋玩意，把传闻中的西方介绍给中国人，一时洛阳纸贵。只要听说是来自于西方的东西，不管是多么离奇，大家总是在啧啧称奇之余按捺不住艳羡。洋，不仅意味着大、新，而且还意味着好。那时的上海，是中国人看西方的窗口，吃大菜、坐马车(后来还有一段时间可以坐吴淞铁路的小火车)，就意味着爬上窗台往外看了一眼。当然，看得多了，模仿加掺和也就出来了。一种前所未有的新文化——海派文化冒头了，它意味着创新，也意味模仿；意味着时髦，也意味着乱来；意味着西化，也意味着洋泾浜。总之，近代中国的进步，总免不了跟上海有关，晚清的混乱，也能在上海找到根源。

自从西方人选定了上海，自从西餐变成了“大菜”，中国就不一样了。

面对战争，我们能否有一点悲情？

对于中国人来说，“二战”就等于是抗日战争，尽管在欧美人眼里，中国的抗战爆发的时候，“二战”还没有开始。而对于今年我们这些四五十岁这一代人来说，抗日战争是我们最熟悉的对外战争，因为在我们的成长岁月里，教科书不算，各种文艺作品中有关抗战题材的特别多，小说、戏剧、电影林林总总。即使在“文革”那个百花凋零的日子里，能看的电影“三战”，地道战、地雷战、南征北战里，就有两个是打日本鬼子的。只是，在我的印象里，抗战更多的是英雄主义的胜利凯歌，是一个中国人用土枪土炮土地雷，轻而易举地战胜武装到牙齿的日本帝国主义的过程——Too easy！至于南京大屠杀这样的事情，在我们的记忆里，几乎是不存在的。

可是有点历史常识的人都知道，中国抗战胜利是惨胜。在我们的抗战记录上，是一串串惨烈的抵抗和失败，再抵抗，再失败，国土遭沦丧，人民被屠戮。我们有在空中跟绝对优势的敌人飞机格斗，最后全部拼光的空军，也有整团整师甚至整军战到最后一兵一卒的陆军，更有操着土枪土炮甚至大刀长矛跟敌人拼命的游击队。当然也有不少原来就是军阀的军队，虽然也抵抗过，但由于种种原因被遗落在沦陷区，结果生存不下去而投降的。说实在的，纵观抗战的历史，我们的抗战凯歌行进的时刻并不多见，有的只是惨烈，虽然可歌可泣，甚至可以说是惊天地泣鬼神，但毕竟是惨烈。我们可以骄傲，说我们虽然是弱国，现代化程度及不上法国的百分之一，但是法国投降了，我们没有，但这改变不了我们抗战惨烈的事实，而且由于在“二战”的盟国中，我们抗战的时期最长，从“七七事变”算起有八年，若从“九一八事变”算起则有十四年，所以，我们经历的磨难，遭受的牺牲，也是最多的。

这个世界最应该悼念自己战争牺牲的民族，实际上是中国人，任何一个国家和民族，都没有经历过中国这样的长时间的磨难和牺牲。连号称最为灾难深重的犹太人，被纳粹屠杀了六百万，但他们是被间接地用工厂化的方式处理掉的，而中国人却往往是被拿着最现代化武器的中世纪野蛮人，面对面地杀掉，显然，其场面要更加血腥和残忍。当时的中国，按黄仁宇的说法，是一个无法用数目字来管理的国度，所以，我们的战争损失，实际上一直是笔糊涂账（日本的右翼，往往在这一点上跟我们胡搅，好像当年的南京如果没有杀掉30万人，就不算大屠杀一样），但是，问一下那些经过抗战的老人就知道，中国几乎每个家族都有死在战争中的人，或者是战死疆场，或者是死在战火里，更不知有多少人，在逃难途中饿病而亡。同时在战火中，众多的斗升小民丧失了仅有的一点家当，我们好不容易经过十年积蓄，养成的民族工业，多半毁于一旦。

战争有是非，反思战争，应当坚持我们的正义，歌颂正义战胜邪恶。不过，通过反思，人类更应该明白的是，战争是罪恶，是最可悲的悲剧，即使是不得不应战的被侵略者，战争带来的也绝不仅仅是一曲反侵略的胜利凯歌，对战争中英雄主义的歌颂，理所应当的是为了消灭战争，遏止战争，而非激起年轻人对战争渴望。

像“二战”时期那样，公然把某些民族定为劣等民族的种族主义，或宣称自己是亚洲的领袖民族，要建立大东亚共荣圈的主张，虽然还有信徒，但已经被钉在历史的耻辱柱上，不大可能再兴风作浪了。可是，动辄喜欢以战争来解决问题的趋向，却并没有被钉在耻辱柱上，国与国之间，稍有纷争，就有人嚷嚷叫打。甚至某些国家的政客，包括曾经发动过侵略战争的日本的某些政客，也明里暗里揣着对战争的迷恋。当然，这些人不是昔日的武士，一日不打仗手就发痒，克劳塞维茨就说过，战争是政治的继续。“二战”结束以来，大战虽然没有，但局部战争无日或无，连核战争在古巴的导弹危机中，都差点打起来，政治上的是非正义，在战争上面总是起着催化剂的作用。到今天，这样的理论依然畅行：只要正义在握，就可以先发制人，把战争强加给别人。这样的实践也依然畅行：只要对手是恶魔，不需要什么国际法上的借口，打了也就打了。

其实，当年发动战争的日本，即使是乡野的小民，都认为自己的国家是正义的，认为他们对亚洲负有责任，因此他们效死沙场，做了炮灰还不自知。正义是需要历史的检验的，绝不是谁说了算的事情。宣布自己是正义或真理的化身，以维护世界秩序为己任，动辄以战争相威胁，这种行为，跟当年的日本，其实是掉在了同一个陷阱里。

“光绪”来了

戊戌政变后次年的一天，武昌出大事了，街面上哄传，光绪来了。

传说中来了的光绪，只带了一个仆人，住在一个租来的小公馆中，杜门不出。不过，前来造访的人却不少。主人二三十岁的年纪，面白无须，干干净净，举手投足，都有点戏里“王帽子”的架势，仆人四五十岁，也面白无须，声音略带女腔。主人用的被袱、玉碗，上面均有五爪金龙，而且仆人对主人，一口一个“圣上”地叫着，反正怎么看都像是一个皇上。一时间，武汉三镇的官民人等，着了魔似的往这里涌，有三跪九叩的，有送钱送物的，也有单纯看热闹的。有好事者为了验证那个仆人是不是太监，还设法把他弄到澡堂子里洗澡，脱了衣服大家定睛一看，嘿，人家还真的就没有男人的那个命根子。前来“恭迎圣驾”的人中，有官员按说是有见过光绪的，清朝的制度，地方官上任之前，哪怕仅仅是个七品知县，皇帝也要接见一下，只是见的时候功夫短不说，官员一般都低着头，即便偷偷看一眼，其实也看不清楚。眼下比照起来，只觉其像，越揣摩越像。

来到武昌的光绪，口口声声说要张之洞来见，但是身为湖广总督的张之洞却做了缩头乌龟，一声不响，任凭外面闹翻了天。在汉口和上海的报纸连篇累牍地编“张之洞保驾”的故事的时候。张之洞暗中派人到京城打探，待得到光绪还囚在中南海瀛台的确切消息之后，马上派人把那主仆二人抓来，刑讯之下，两人招了。原来，来了的“光绪”是个唱戏的旗人，多次入宫演戏，长相跟真光绪有几分相似，同行都叫他“假皇上”，仆人倒是个货真价实的太监，犯事逃了出来，两人一拍即合，出来假扮光绪骗钱。

扮光绪的戏子把戏演砸了，因此丢了自己的脑袋，政变以来，多少有点跟康党不清不白的张之洞，因此立了一功，重新得到了西太后的信任。不过,当时的舆论,却不肯罢休,那些奉献了银两物品的人们,自然肉痛,而其他地方的人,在对张之洞失望而且愤愤之余,倒宁愿相信真有其事,是张之洞出卖了光绪,然后找了一个替死鬼结案。

自甲午战败,到庚子之乱这段时间,是中国人,尤其是士大夫和官僚阶层最为惶惶不安的年月。大家都知道中国必须变,不变,就要亡国,但却不知道怎么变,在变革过程中自是怎么回事,尤其是不知道变了以后自己会怎么样。到了中国输给小小的日本,而且输得如此丢脸的这般田地,当年像倭仁那样富有理想主义的顽固派已经基本上不存在了,绝大多数害怕变革的人士,不过是担心变革带来的结果损害自己的地位和利益,所有反对变革的说辞,也不过是借希图苟安一时的借口,只是维新人士的变革主张,却往往由于人们对其过于陌生,而顾虑重重。毕竟,中国大多数士大夫,对于西方乃至日本的情形,知道得太少,西学的ABC,对他们来说,已经足以吓得晚上睡不着觉了。

说起来,在近代史上特别闻名的戊戌维新,其实只是场雷声大雨点小的变法。维新人士把西方政治乃至社会变革的大多数口号都喊了,但真到变法诏书上,真正现代意义上的制度变革,几乎没有任何东西。裁撤几个阑尾式的衙门,撤掉督抚同城的巡抚,甚至包括科举考试不用八股,都是传统政治框架内制度变革的应有之义,自秦汉以来,中国制度已经如此这般地变过很多回了。然而,吊诡的是,这种看起来既不伤筋也不动骨的改革举措,由于前面很西化的鼓噪,那些希图苟安的人们,往往会将之联想起来,什么事情,一联想就很可怕,尤其当这些希图苟安的既得利益者中很大一部分是旗人的情况下,类似的联想在茶馆酒楼之间流转,势必会演变成一股至少是颇有声势的反对声浪。

当然,反对的声浪,只有在当时特殊的帝后二元权力架构中才能起掀起风浪。尽管明知道中国或者大清不变法不行,但面对只要变法成功自己就不得不真正“退休”的局面,西太后还是心里老大不舒服。

这种不舒服在旗人的“群众意见”越来越多的时候，终于让老太婆从后台走到了前台，而维新派人士破釜沉舟的军事冒险，又恰好让她找到了囚禁光绪、亲自训政的最好借口，于是，维新人士死的死，逃的逃，可怜的光绪只好在瀛台以泪洗面了。

可是，事情到了这一步，京城的旗人们也许可以偷乐一时，但自甲午以来困扰着官绅们的难题并没有解决，“新法尽废”就能解决亡国的困局吗？太后当家就能顶事吗？对于被囚禁的光绪，从封疆大吏到一般士人，未必都如西太后那样义愤填膺，为之抱屈者大有人在。政变后的人心，其实更加惶惶，就算旗人，其实心里也没底。正是这种上上下下惶惑不安的气氛，才让那个会演戏的假皇上看到了机会，而且冒如此大的风险付诸行动。

当牛记者碰到强人的时候

民国时期的记者牛。租界里的口没遮拦,想说就说,租界外的口上的遮拦也有限,批评揭黑自不必说,损人骂街也是家常便饭。惹着谁了,告上法庭的不多,上门来砸场子的不少,但是砸完了,记者该骂还骂,反正那个时候,一个报社值钱的东西也不多。

在来自西方的各种市井观念中,记者是无冕之王的说法,在中国特别流行,大家认账,记者也很自负。很多历史上的牛人,都有过办报(刊)的经历,比如梁启超、章士钊、章太炎、陈独秀、吴稚晖、陈布雷,他们手里的一支笔,原本都是预备扫清天下的。到了蒋介石的时代,当年的名记者差不多都已经改行,做官的做官,革命的革命,做学问的做学问,但记者们依然牛气不减,官办的《民国日报》,发起评选中国伟人活动(类似于我们的超女评选),揭晓时,居然第一名是《民国日报》的总编陈德徵,第二才轮到蒋介石(据说把蒋介石气昏了)。

记者牛,损起人来嘴特别黑,旁观者见了,哈哈一笑,当事人听了,会恨无地缝可钻。不过,凡是大记者,往往不会找小人物的晦气,他们下手,就冲大个的去,所以老百姓听了,解气。解气归解气,危险也不小,前面提到的砸场子,就是一种,不过但凡叫过记者,信息都灵,躲得快,身体不会受伤害,不过,也有躲不过去的时候,黄远生躲到了美国,还是被暗杀了,邵飘萍在六国饭店躲了很长时间,一露头,就被捉了进去丢了性命。好在,那个时代,是军阀当家,军阀是武夫、粗人,做事不管不顾,舆论能拿来说事的那些事情,涉及女人和金钱,吃喝嫖赌,巧取豪夺,他们都公开地做,大摇大摆地做,根本不在乎舆论怎么说,所以记者怎么骂,他们并不大管。曹锟贿选,上海的报纸吵翻了天,人家照做总统不误,连理都不理。当时还是个报人的吴稚晖,出来放话说,曹锟和老婆做爱一次,即可有四万万精虫,这些精虫代表中国四万万人，一起来投曹锟的票，不就结了，何必劳神费钱收买猪仔议员。恶毒到了这个地步，也没听说曹大总统因此败了兴致，就职典礼少了些风光，曹大总统既没有全国通缉，也没有派刺客下手，让特别对脐下三寸地带的物件特别感兴趣的吴稚晖，依然可以放开喉咙，继续说他的精虫和生殖器。

可是，另外一个也拿那个部位说事的记者，命运却不一样，这个人叫林白水。林白水是个老报人，从清末就开始办报，民国后做过短时间的官，官场上混不下去，又转过来再作冯妇，依旧做他的记者。此人是跟黄远生（黄号称是中国第一个专职记者，曾担任过《申报》、《时报》、《东方杂志》、《庸言》等多家报刊的特派记者，1915年冬因反对袁世凯称帝而避祸去了美国，但却被误会为帝制人物而遭到刺杀）、邵飘萍、张季鸾、成舍我齐名的名记，一生恃才傲物，一支笔，如同不吃辣的国度里的朝天椒，看得倒是赏心悦目，但吃上的人，未免要难受得跳脚。林白水骂街不看对象，越是官大，越是要骂。1924年，段祺瑞再度出山，标榜“公道砥平”，他写文章，标题叫做“段执政私处坟起”。一下子捣到段老爷子的那个地方，闻者鼓掌，见者哄堂，但骂的是武夫，没事。后来，那个“三不知”的狗肉将军张宗昌来了，稍微像样一点的政客，都避开了，可是也有人往上贴。此人姓潘名复，字馨航，在钱和女人上都很有功夫。贴上狗肉将军之后，变成了一个什么“督办”。狗肉将军来了意味着什么，按道理记者们应该知道，因为刚刚一个名记邵飘萍做了枪下鬼，可林白水还是骂，借潘的字馨航的谐音（林是福建人，说一口带南方口音的国语），说潘复是张宗昌的肾囊，也就是膀胱或者俗称尿脬的雅称，本来应该是“帮办”，帮生殖器办撒尿的事，但现在居然成了“督办”。赶巧，这种骂，还是在那个地方附近转悠。

不幸的是，政客往往是文人，文人不像武夫那样粗陋，心细，对文字有着天然的敏感，越是跟哈巴狗一样的文人，这方面的本领反而越高。本领高，心眼小，于是，我们的名记晦气了。某天晚上，在八大胡同，肾囊跟生殖器之间有了一点隐秘的沟通，张宗昌一声令下，林白水就被拖到了宪兵司令部，没有给林记者任何申辩的机会，一声枪响，撒手西去。枪毙的理由，是赤化。其实，无论跟当时被称为赤化的共产党还是国民党，林白水都一点瓜葛没有。

显然，在存在不讲理权力的情况下，记者，尤其是敢说话的记者，其实很弱势。